D0715462

LE FESTIN DES LOUPS
est le trois cent soixante-dix-septième livre publié par Les éditions JCL inc.

LES ÉDITIONS JCL
30 ans
1977
2007

Catalogage avant publication de Bibliothèque et Archives nationales du Québec et Bibliothèque et Archives Canada

Gilbert, Jean-Sébastien, 1969-

Le Festin des loups

(Collection Couche-tard)

ISBN 978-2-89431-377-0

I. Titre. II. Collection.

PS8613.I395F47 C'843'.6 C2007-941530-X
PS9613.I395F47

© Les éditions JCL inc., 2007
Édition originale : septembre 2007

Tous droits de traduction et d'adaptation, en totalité ou en partie, réservés pour tous les pays. La reproduction d'un extrait quelconque de cet ouvrage, par quelque procédé que ce soit, tant électronique que mécanique, en particulier par photocopie ou par microfilm, est interdite sans l'autorisation écrite des Éditions JCL inc.

Le Festin des loups

Les éditions JCL inc.
930, rue Jacques-Cartier Est, CHICOUTIMI (Québec) CANADA G7H 7K9
Tél. : (418) 696-0536 – Téléc. : (418) 696-3132 – www.jcl.qc.ca
ISBN : 978-2-89431-377-0

JEAN-SÉBASTIEN GILBERT

Le Festin des loups

LES ÉDITIONS JCL

Remerciements

La rédaction et la publication du *Festin des loups* ont été une aventure à la fois individuelle et collective. Je remercie mes proches qui m'ont généreusement offert leur temps, leurs idées et leur appui tout au long du processus. Je remercie également les membres de l'équipe des Éditions JCL, notamment ceux qui ont lu, relu et commenté les différentes versions du texte. Un mot de plus pour mon ami Guy Bédard, qui m'a offert son talent et son expérience pour concevoir et réaliser la version initiale de la couverture du livre. Vous avez tous contribué à faire du *Festin des loups* un meilleur roman.

Jean-Sébastien Gilbert
lefestindesloups@videotron.ca
Août 2007

Site de l'auteur :
http://pages.videotron.com/festin07

À Éva et Bruno,
pour la vie.

À Yannick,
vieux compère avec qui l'idée
est née et a crû,
pour la motivation constante.

À Caroline,
pour le regard juste et les conseils,
pour l'Amour.

À Caroline et Philippe,
mes soleils.

Nous reconnaissons l'aide financière du gouvernement du Canada par l'entremise du Programme d'aide au développement de l'industrie de l'édition (PADIÉ) pour nos activités d'édition. Nous bénéficions également du soutien de la SODEC et, enfin, nous tenons à remercier le Conseil des Arts du Canada pour l'aide accordée à notre programme de publication.
Gouvernement du Québec – Programme de crédit d'impôt pour l'édition de livres – Gestion SODEC

Prologue

Sherbrooke, avril 1957.

Les hommes se rhabillèrent l'un à la suite de l'autre, en l'espace de quelques minutes, puis quittèrent prestement la pièce en évitant les regards. Les cinq adolescents, imberbes, restèrent sur la grande étoffe blanche étendue par terre, attendant les directives. L'un d'entre eux, les yeux rivés au sol, tentait de contrôler l'agitation de son âme.

Un frère vêtu d'une soutane, le visage dans l'ombre d'un grand capuce rabattu sur sa tête, se dirigea vers un appareil photo posé sur un trépied dans le coin de la pièce. L'objectif pointait ostensiblement vers le mur. Les hommes qui venaient de partir s'en étaient trouvés rassurés; aucune photo compromettante n'allait ternir leur réputation. De toute manière, tous portaient un loup masquant une grande partie de leur visage.

Le frère prit l'appareil photo et vint s'accroupir à moins d'un mètre des cinq garçons, qu'il commença à mitrailler. Pendant une quinzaine de minutes, il leur indiqua des poses à prendre, sous l'œil attentif d'un second frère, en retrait.

Il s'arrêta finalement, puis recula vers le fond de la pièce, marquant ainsi la fin de la séance.

L'autre frère s'avança pendant que les adolescents retiraient leur masque. D'une grande beauté, l'homme d'une quarantaine d'années avait les yeux foncés, le regard et le nez aquilins, une bouche aux lèvres fines bien dessinées et un front haut sous une épaisse couche de cheveux drus et noirs. Il respirait la force, la paix, l'assurance et l'autorité. Il caressa la tête d'un des garçons et l'aida à rassembler ses vêtements.

Derrière, le frère au capuce pointa discrètement l'objectif vers la scène et toussa bruyamment tout en appuyant sur le déclencheur, pour éviter que ne soit entendu le bruit de l'appareil.

PREMIÈRE PARTIE

1

Le professeur annonça une pause de dix minutes. Au fond de la classe, deux étudiants émergeaient péniblement d'une profonde torpeur. Le premier regarda le second et fit un signe en direction de la porte. Le second opina. Ils ramassèrent leur sac et se levèrent.

D'un pas traînant, ils se dirigèrent vers la sortie du Collège de Sherbrooke. Il leur fallut emprunter deux escaliers et trois longs couloirs, traverser la salle commune, puis le gymnase et le hall d'entrée des étudiants avant de se retrouver dehors, entre le bitume et le ciel gris de novembre.

Le premier, Samuel. Cheveux noirs et plats, le visage fin, le regard intense, l'air charmeur. Le bouillant. Il releva le col de son caban beige en assurant son sac en cuir souple sous son bras.

Le second, Félix. Cheveux châtains et bouclés, le visage plutôt rond, le regard sincère et l'air ironique. L'observateur. Il balança son sac à dos sur son épaule. En dépit de son blouson de cuir noir, il n'arrivait décidément pas à se donner des airs de dur.

– Climat de merde, collège de merde, cours merdiques... Si on avait un peu de neige, ce serait déjà mieux! lança Samuel.

– Tu trouves la vie emmerdante en général, ou tu fais référence à la tienne en particulier? demanda l'autre.

– Ah! ah! ah! fit Samuel en forçant la note. Je ne sais pas. À quoi ça sert tout ça, au juste?

– Bon, pour ce qui est du français, ça sert à nous planter la gueule de Guilvert sous les yeux cinq fois par semaine.

– Non. Je veux dire, les cours de psycho, de communications, de droit, s'enflamma Samuel, c'est censé nous intéresser?

– Pas trop, répondit Félix, amusé. Mais je t'avoue, philo, j'aime bien.

– Ouais, philo...

– Bon, je te bats au billard en buvant la bière de mon père ou tu me bats aux échecs en buvant celle du tien?

Quelques minutes plus tard, les deux compères entrèrent chez Vincent, le père de Samuel. Un petit appartement, rue Marquette, que le paternel tenait plutôt en ordre, pour un célibataire. Ils se déchaussèrent sur le tapis de l'entrée, puis lancèrent leur manteau sur l'accoudoir de la causeuse grise. Samuel ouvrit la porte du frigo et en sortit deux bières, qu'il déboucha au décapsuleur. C'était en 1988, avant Internet et l'usage répandu des capsules dévissables.

– Je prends les noirs, annonça Félix en posant le damier sur la petite table ronde, au centre du salon.

– Pas de problème Félix; les blancs commencent toujours, alors...

— Je t'emmerde.

La couleur fut finalement désignée au sort et Samuel gagna les pièces blanches. Il passa à l'attaque : coup du berger. La question fut réglée en quatre tours.

— Tu veux essayer encore une fois, mon petit Félix?

— Ouais, répondit-il en sortant sa blague à tabac. Une petite cigarette, son père?

Ils roulèrent, puis fumèrent en entamant une seconde partie et une seconde bière.

— En tout cas, dit Félix, résigné, je ne vais pas gagner ma vie en jouant aux échecs.

— Non, mais tu pourrais la gagner en écrivant.

— Oui! Peut-être qu'un éditeur en mal de fiasco commercial pourrait éventuellement considérer la possibilité de publier mes nombreux poèmes romantiques! Et que des lecteurs en mal de vivre auraient envie de se pendre au grenier après les avoirs lus! Peut-être même qu'ils auraient envie de savoir qui c'est, Hélène...

— Arrête d'écrire sur Hélène. Écris un roman! répliqua Samuel, soudain tout excité.

— Nan... Hélène, tu crois que ça va lui passer un jour?

— Je n'en sais rien, Félix. Je n'en sais rien. Ce gars-là, tu le connais?

— Pas trop. Jamais vu, en fait. Paraît que Loulou fait partie de la bande. Tu pourrais lui demander?

Samuel ferma les yeux un instant, songeur. Son enthousiasme s'était dissipé aussi vite qu'il était apparu.

— Faut voir, répondit-il finalement. Depuis qu'elle

m'a dit que j'avais le plus beau nombril des environs, ça m'a un peu refroidi. Elle en avait vu combien, hein? De toute façon, ça fait longtemps.

— Tu sais que j'ai eu Hélène au téléphone hier soir. Ça m'a l'air d'être la bande de la fête perpétuelle. C'est la sauterie tous les soirs, genre: on se fait des «jams» de guitares, et je découvre la musique, et on fait l'amour après avoir pris du champignon magique, et on boit, et je me sens libre, et je suis enfin heureuse. Bravo, merci pour les détails, on s'en reparle dans vingt ans?

— Tu es sérieux?

— Ça te surprend? Je te ferai remarquer que c'est toi qui me l'as présentée. Tu devais bien savoir quel genre de fille c'est!

— Mouais. Pas à ce point-là. Tu ne vas pas m'en vouloir, ça fait trois ans!

— En fait, Sam, tu me présentes tes copines pas présentables et tu te gardes les saintes. Genre, Marie.

— Sainte, sainte... sainte nitouche, oui!

— Eh! eh! eh!... C'est peut-être une déesse de la fornication, mais elle n'a pas voulu partager ce beau secret avec toi, ironisa Félix.

— Peut-être que la terre est plate, grommela son vis-à-vis en le foudroyant du regard.

Samuel avança son cavalier, refermant le piège. Félix n'avait plus qu'à choisir: perdre la tour ou le fou. Il choisit la tour en déplaçant le fou. Samuel s'en empara, laissant à son adversaire l'extrême plaisir de menacer sa reine au coup suivant. Les joueurs firent une pause le temps d'avaler une gorgée de bière et de rouler une cigarette.

— Tu es occupé ce soir? demanda Samuel.

— Oui, monsieur! Je dois rencontrer ma petite voisine, tu sais, celle qui vient du Laos?

— Hum... Est-ce que c'est vraiment important? C'est que... j'aurais besoin d'un petit coup de main.

— Bon! Le grand combinard est de retour! Parle, ça m'intéresse.

— Je veux savoir où habite le nouveau copain de quelqu'un, annonça Samuel, l'air conspirateur, en abaissant légèrement les paupières.

— Marie, peut-être?

— Peut-être, oui.

— Pourquoi, au juste? Tu ne vas pas faire de conneries, quand même?

— Non, non, c'est juste... Je ne sais pas, je veux savoir. Dix-neuf heures, chez ma mère?

— O.K.

Samuel déguerpit avec sa reine. Félix pulvérisa une tour, mais exposa ses arrières par la même occasion. Samuel vit la brèche et y entra. Trois coups plus loin, il bouffa du roi. Fin de la partie. Félix ramassa les bouteilles vides pendant que le gagnant rangeait le jeu. Il revint s'asseoir, posa une bouteille de bière pleine devant Samuel et demanda :

— Qu'est-ce que tu fais en janvier, finalement?

— Je ne sais pas. Ma mère commence déjà à me poser des questions et elles sont de moins en moins subtiles, tu vois? La soupe commence à chauffer. Je crois que j'ai intérêt à avoir un « projet » si je veux avoir la paix à la maison. Mais quoi? L'université? Continuer au Collège et faire les trois cours qui me manquent pour le diplôme en administration? Travailler à temps plein? Pffft... Et toi?

— Même histoire. Mon père voudrait que j'aille à Bishop. Le bac en politique m'intéresse, mais les anglos... Pas sûr que je prendrais mon pied.

— Pourquoi ne pas étudier en droit? demanda Samuel. Tu pourrais faire avocat, comme ton père. Il serait content!

— Pas trop. Je pense qu'il préfère justement que sa progéniture se tienne loin de ce métier-là. De toute façon, depuis que je suis allé à Ottawa, c'est la politique qui m'intéresse.

Samuel vit le visage de son compagnon s'animer d'une certaine passion. Pas de débordement, mais tout de même un peu plus de vie que d'habitude. Il aurait bien aimé ressentir la même émotion.

— Au moins, tu t'intéresses à quelque chose, laissa-t-il tomber. Il me semble que je voudrais continuer à faire ce que je fais en ce moment : faire semblant d'étudier, jouer aux échecs ou au billard l'après-midi, sortir avec les amis et courir les filles! C'est cool ça, non?

— Pas viable, mon vieux.

— Pourquoi ne pas partir quelque part, à l'autre bout du monde? lâcha Samuel.

— Ouais, ouais, ouais... répondit Félix, vivement intéressé. On pourrait partir à la fin de la session!

Le regard de Samuel, rêveur, se perdit un instant quelque part au-dessus de la tête de Félix.

— Imagine ça, commença Samuel : se balader sur les Champs-Élysées, déguster des petits cafés sur les terrasses parisiennes, boire un coup à Bordeaux...

— ... marcher dans les montagnes italiennes, voyager en train, visiter Rome, manger des *pasta*! enchaîna Félix. Peut-être que quelqu'un du Collège a des contacts en Europe, dans les communautés religieuses...

— Peut-être, renchérit Samuel avec un petit sourire narquois, que ton ministre pourrait nous ouvrir les portes des ambassades... Entre gens de la politique, on se rend de petits services, non?

Félix laissa passer sans broncher, puis répondit:

— On verra bien. Tu sais, peut-être qu'on trouverait des petits boulots sur place. Faudrait se relever les manches, Samuel.

Ce dernier était déjà debout, tenant l'annuaire téléphonique dans sa main.

— J'appelle un agent de voyages. On va commencer par voir ce que ça coûte...

Le délire des deux amis fut interrompu par le bruit d'une clé dans la serrure.

— Mon père! dit Samuel. Pas un mot sur l'Europe pour l'instant.

La porte s'ouvrit sur la silhouette d'un homme de taille moyenne, aux cheveux courts, clairsemés et grisonnants. Détective au service de la police municipale, Vincent avait les mêmes yeux perçants que son fils. D'une démarche souple et assurée, il entra dans la pièce.

— Salut, les gars, dit-il en jetant un œil sur les cadavres de bières alignés sur le comptoir. Pas de cours cet après-midi?

— Pas vraiment, répondit Samuel en le regardant bien en face pendant une fraction de seconde, avant de baisser les yeux.

— Pas vraiment... C'est drôle comme ça change, hein? Dans mon temps, on avait des cours... ou on n'en avait pas. L'un ou l'autre.

Vincent fixa son fils, puis se tourna vers Félix.

— Ça va, toi, Félix?

— Ça va comme c'est mené, monsieur St-Germain. Comme dirait mon père, ça va comme c'est mené.

2

Une semaine plus tard, début décembre, Samuel allait rencontrer un de ses enseignants du secondaire. Il marcha jusqu'au fond du couloir de l'aile ouest et frappa à la lourde porte de chêne portant un petit écriteau sur lequel étaient peintes les lettres « G. Labrie ».

— Entrez! lança une voix, de l'intérieur.

Il poussa doucement la porte, découvrant les quartiers de son ancien professeur de religion. Assis à son bureau près de la fenêtre, Georges Labrie engloutit la dernière bouchée de son sandwich et leva les yeux vers son visiteur.

— Samuel! Samuel St-Germain! s'exclama-t-il en se levant. T'en as mis du temps à venir me dire bonjour!

Ils se serrèrent la main.

— Salut, Georges. Ouais, désolé. On ne s'est pas revus depuis belle lurette. Ça fait quoi, deux ans et demi?

— Presque, presque... Avec ton acolyte, Félix, vous en avez passé du temps ici, à m'asticoter avec vos questions sur le bon Dieu, la vie de Jésus, les grandes contradictions philosophiques de la Bible. Seigneur! J'étais bien content de vous voir à mon bureau, mais en classe, vous me donniez pas mal de fil à retordre.

Si vous aviez pu vous pousser de mon cours un peu plus souvent, comme avec les autres profs!

Samuel s'esclaffa. C'était bien vrai qu'ils ne lui avaient pas rendu la vie facile. Mais au fil des mois, une sorte d'amitié s'était tout de même développée entre les deux compères et leur professeur. Ils aimaient son attitude ouverte et le respect qu'il leur témoignait. Il appréciait leur scepticisme et reconnaissait en eux de jeunes esprits en quête de réponses aux grandes questions de la vie.

— Félix n'est pas avec toi? Vous êtes toujours de bons copains?

— Oui. Justement, je veux te parler de notre projet.

— Attends. Les études, d'abord. Dis-moi un peu où vous en êtes.

— Ben, on vient de terminer le collégial, juste ici dans l'aile sud.

— Quoi? Vous avez passé deux ans et demi dans le même bâtiment que moi, sans venir me voir? lança-t-il, feignant la colère.

— Oui, bon. Heu...

— O.K., O.K. Pardonnés. Ensuite?

— On ne savait pas trop quoi faire à la fin de la session, alors on a décidé d'aller en Europe pendant quelque temps.

— Wow! Quelque temps?

— Disons qu'on veut acheter un billet ouvert pendant un an. Si tout va bien, on reste. Sinon, on revient. Une fois là-bas, on se promène! Belgique, France, Italie...

— Vous connaissez des gens là-bas?

– Pas encore... On apporte nos sacs à dos, une tente. On voyage en stop, on dort chez le paysan. Mais on aimerait bien avoir un ou deux contacts, au cas où. Peut-être pour trouver des petits boulots. C'est pour ça que je viens te voir. Tu as peut-être des contacts de l'autre côté?

– Hum... Et pourquoi j'aurais des contacts en Europe?

– C'est que tu faisais souvent référence à Paris dans tes cours, comme si cette ville-là t'était familière.

– C'est vrai que j'ai bien connu Paris, à une époque.

Les yeux de Georges Labrie se perdirent dans le vague un instant, puis il sembla prendre une décision.

– Je me rends compte que je ne vous ai jamais raconté mon histoire...

Curieux, Samuel pencha la tête vers l'avant.

– Je suis orphelin. Mes parents m'ont abandonné, tout jeune. J'ai été adopté par une famille de la région. Je suis devenu le petit gars à tout faire sur la ferme familiale. Quelques années plus tard, on s'est rendu compte que j'étais aussi bon avec mes cellules grises qu'avec mes mains. La Fondation du Collège a financé mes études et je suis venu ici comme pensionnaire. J'ai étudié, puis je suis entré dans les ordres. On m'a envoyé faire mes études universitaires à Paris. C'est là que j'ai découvert cette ville magnifique.

Samuel écoutait attentivement, honoré que son vieux prof lui confie ainsi une page de sa vie.

– Malheureusement, mon cher Samuel, je ne connais plus personne là-bas. Mais je connais quelqu'un ici, au couvent de Notre-Dame-des-Cœurs, dans l'est de la ville. Sœur Bernadette. Elle prépare justement un voyage en Italie. Ils ont une maison d'enseignement à Bordighera. Quand partez-vous?

– Fin décembre, probablement. Dès que la session est terminée, on plie bagage et on décolle!

– Écoute, je vais lui en glisser un mot ce week-end. Si ça se trouve, vous pourriez être là en même temps qu'elle.

Ils bavardèrent quelques minutes, puis Georges Labrie dut partir pour aller donner son cours. Samuel l'accompagna jusqu'à sa classe, avant de retourner dans l'aile sud, où se trouvaient les locaux du niveau collégial. Il entra au fumoir et s'assit avec quelques joueurs de poker impénitents.

3

Au bureau du député de Sherbrooke et ministre de l'Environnement, on sautait de joie! La nouvelle venait d'être diffusée à la toute fin du bulletin de midi. Un sondage pancanadien donnait Paul Rivest en avance sur ses éventuels rivaux, aspirants à la direction du Parti libéral.

De course, pourtant, il n'y avait pas. Du moins, pas encore. Mais Paul Rivest et les membres de son équipe savaient que ça n'allait pas tarder. Après seulement deux ans à la tête du pays, le premier ministre en poste montrait déjà des signes d'essoufflement. Les journalistes conjecturaient à foison sur les raisons de sa contre-performance et même les hypothèses les plus farfelues étaient évoquées.

Mais la réalité, connue d'un nombre restreint de personnes, c'est qu'il souffrait de sclérose latérale amyotrophique, la maladie de Lou Gherig. Elle avait été diagnostiquée quelques mois après son arrivée au pouvoir. Ses médecins avaient averti le premier ministre: il allait lui être de plus en plus difficile de poursuivre ses activités normalement et, surtout, de cacher la vérité aux médias. Les symptômes s'accentuant, il avait décidé de s'en ouvrir à quelques-uns de ses proches, notamment à Paul Rivest, que plusieurs voyaient comme son dauphin. La mort dans l'âme, le PM avait décidé de préparer son départ. Il comptait passer la main d'ici quelques mois.

Les médias ne connaissaient pas le fond de l'affaire, mais ils savaient que quelque chose se tramait. D'où les supputations sur le départ du chef et sur l'identité de son successeur.

Félix secoua ses bottes pour en faire tomber la neige. La réceptionniste du bureau de circonscription, occupée au téléphone, le salua d'un sourire. L'endroit grouillait de vie. Gilbert Tardif sortit d'un bureau et aperçut Félix en train de retirer son manteau. Tardif était le grand chef de la circonscription dans l'organisation de Paul Rivest. Il travaillait main dans la main avec le personnel du bureau de Hull, où se trouvait le cœur de l'organisation Rivest pour l'ensemble du pays. Dans la circonscription, comme partout au Canada, on avait commencé à mesurer les appuis et à chercher des sources de financement.

— Félix! Comment va?

— Bien, bien, merci. Ça m'a l'air un peu fou ici; qu'est-ce qui se passe?

— La grosse nouvelle du jour! Un sondage place notre homme en tête dans le cœur des électeurs. De quoi faire réfléchir bien du monde dans le parti. Ça confirme nos coups de sonde à l'interne. On s'en va droit vers le bureau du PM!

— Génial! Vous avez réussi ça sans moi?

— C'est fou, hein? On n'aurait jamais cru ça...

Félix Roche rigola. Il avait délaissé l'organisation jeunesse depuis quelques mois déjà, las de la petite politique et de l'embrigadement. Il était pourtant revenu gonflé à bloc de son stage de trois mois au bureau du ministre à Ottawa. Au retour, il avait d'abord mis sur pied une organisation de jeunes libéraux au Collège, puis au niveau de la circonscription et de la région. Pendant un peu plus d'un an, il avait défendu les politiques du gouvernement, organisé plusieurs événements, vendu des cartes de membres et recruté nombre de militants. Bref, il avait donné vie à l'aile jeunesse du parti dans la région. Mais il avait finalement renoncé à ses fonctions, fatigué de tout ça.

— Sans blague, Félix, c'est le temps de revenir, dit Gilbert Tardif. Tout le monde t'aime bien ici, à commencer par le futur premier ministre.

— Hum... Je n'ai pas la tête à ça pour l'instant. En fait, je pars en Europe pour quelques mois, avec Samuel St-Germain. Avec sac à dos et bottes de marche, on part à l'aventure!

— Bien! C'est le temps de le faire pendant que vous êtes jeunes. Vous avez des contacts, là-bas?

— Justement, c'est pour ça que je suis ici. Je me demandais si le ministre ne pourrait pas nous écrire une lettre de recommandation. Ça pourrait être utile.

— Oui, sans problème. Je vais la faire préparer et la lui faire signer à la fin de la semaine, quand il va revenir au bureau de comté. Je te l'enverrai par la poste.

Ils se serrèrent la main. Gilbert Tardif retourna au travail et Félix retourna dans la tempête. Comme s'il avait voulu rattraper le temps perdu, décembre s'éreintait quotidiennement à couvrir la province d'un grand manteau blanc.

4

À la fin de décembre, les préparatifs allaient bon train. Itinéraire, matériel, passeports, billets d'avion, lettres de recommandation, cartes de crédit, francs belges et francs français, tout était prêt pour le grand départ, prévu juste après Noël. Les deux acolytes passeraient le Nouvel An dans les vieux pays. Le plan: atterrir à Bruxelles, monter à Paris en stop et y passer quelques jours, visiter deux ou trois châteaux le long de la Loire vers l'ouest, boire un coup à Bordeaux. De là, se rendre à la cité médiévale de Carcassonne, puis sur la Côte d'Azur. Ah! Saint-Tropez, Nice, Monaco...

C'était l'hiver, soit. Mais une discussion avec une copine originaire du Maroc avait convaincu les deux garçons: la seule neige qu'on trouvait d'ordinaire autour de la Méditerranée, à cette époque de l'année, était de celle qu'on se met dans le nez.

En attendant, la session s'était terminée comme toutes les autres: sans grande fierté. Résultats scolaires moyens au terme d'un parcours sans effort. Les deux amis s'étaient contentés de cumuler les cours leur permettant d'obtenir un diplôme d'études collégiales général, laissant fermées pour l'instant les facultés universitaires de sciences pures, de sciences de la santé ou d'administration.

Le matin du grand départ, deux maisonnées de la région étaient plus fébriles qu'à l'habitude. Les mamans, inquiètes, prodiguaient les derniers conseils à leurs fils pendant qu'ils faisaient leurs bagages.

Les pères étaient fiers de l'esprit d'aventure de leur rejeton, mais ils demeuraient préoccupés par leur avenir. Par solidarité paternelle, peut-être, et pour faire du départ un moment heureux, ils avaient décidé de respecter une trêve.

C'est que Vincent, policier, avait souvent eu à affronter Hubert, avocat de la défense au criminel. Si plusieurs de ses enquêtes s'étaient terminées en queue de poisson au tribunal, c'était essentiellement en raison du talent et de l'éloquence de l'avocat. Loin de se décourager, Vincent St-Germain avait entrepris d'améliorer les techniques d'enquête au sein de son équipe. Au point où ses dossiers étaient devenus si solides qu'il était de plus en plus difficile à Hubert Roche d'y trouver la faille lui permettant de les faire voler en éclats. Un respect mutuel avait fini par se développer entre les deux hommes qui, en raison de l'amitié de leurs fils, faisaient un effort considérable pour ériger un mur entre leurs relations professionnelles et personnelles. Ils n'en étaient pas devenus des amis pour autant, mais ils s'adressaient la parole avec civilité.

Ce matin-là, ils avaient convenu de prendre une seule voiture pour mener leurs fils à l'aéroport de Mirabel, au nord de Montréal. Un trajet de deux heures pour aller, deux heures pour revenir. Ils allaient causer, mais pas du boulot. Pourquoi gâcher une si belle journée?

Le voyage se déroula dans la bonne humeur. Ils parlèrent des filles, surtout, et du sens de la vie. Les pères, confortables dans le rôle de vieux routiers qui ont vu neiger, s'amusaient de voir les fils convaincus d'être les premiers à explorer ces questions millénaires.

L'arrivée et l'enregistrement des bagages se déroulèrent comme prévu. C'est avec un petit pincement au cœur que les pères saluèrent leurs fils lorsque ceux-ci s'éloignèrent vers l'aire d'embarquement.

Moins d'une heure plus tard, les garçons rangeaient leurs bagages à main sous les sièges devant eux pendant que l'avion s'avançait sur la piste. Le vieux trimoteur, dont la moitié des sièges seulement étaient occupés, s'immobilisa finalement pendant de longues minutes. Puis l'agent de bord invita les passagers à s'asseoir temporairement à l'arrière, pour faciliter le décollage. Les regards inquiets se multipliaient pendant que les vacanciers changeaient de place, mais l'avion s'ébroua et prit son envol sans problèmes.

Deux bières plus tard, un peu ivres, Samuel et Félix savouraient l'excitation de leurs aventures prochaines.

5

Deux semaines plus tard, à la mi-janvier de l'année 1989, Albert Buisson faisait le pied de grue dans le grand hall du couvent des sœurs de Notre-Dame-des-Cœurs, à Sherbrooke. Il venait rencontrer Bernadette, avec qui il s'entretenait chaque semaine depuis quelques mois déjà. C'était la seule personne qui arrivait à calmer ses tourments. La seule qui ramenait un peu de paix en son âme agitée.

Comédien célèbre, Albert Buisson passait du théâtre au cinéma, tout en faisant des apparitions régulières à la télévision. Son talent et sa sincérité faisaient de lui, depuis une dizaine d'années, un acteur très populaire dont la présence suffisait à elle seule à rassurer les commanditaires.

Il avait jusqu'à présent réussi à garder secrètes les ruelles les plus sombres de sa vie, mais il n'y arrivait plus. La douleur était trop forte. Plus forte que lui. Sœur Bernadette l'avait écouté sans broncher ni juger, depuis ce premier jour de mai où elle avait posé la main sur son épaule, à la chapelle.

– Vous avez l'air si triste, avait-elle dit. Marchons un peu.

Ils avaient marché, et il avait parlé.

Au fil des rencontres, il lui avait dit beaucoup, mais il n'avait fait qu'effleurer la surface des choses. Et il savait que la surface des choses, même laide, n'était que l'habit qu'il revêtait pour supporter le froid du vide qui se cachait en dessous. Ce vide dans lequel pourraient se faner toutes les fleurs de la terre, pensait-il, si on avait le temps de les y lancer avant qu'il ne se dissolve dans la mort.

Mais cet après-midi Albert Buisson ne pensait pas à la mort. Il pensait à sa délivrance. Cet après-midi, il allait régurgiter le mal tapi au fond de ses entrailles.

6

Vers midi, les deux amis buvaient un dernier expresso à la table du relais routier des Trois Cardinaux, au coin de l'avenue De Labarde, à deux pas de la zone des entrepôts de Bordeaux-Nord. Après la cathédrale Saint-André, après le somptueux mur d'édifices ornementé, long d'un kilomètre, au pied duquel les quais trempent les orteils dans la Garonne, après les colonnes du Grand-Théâtre, après tant de beauté, le stationnement du relais routier faisait piètre figure. Qu'importe! Il fallait manger à peu de frais et quitter la ville sans vider ses poches, c'est-à-dire, en stop.

Ce qu'ils avaient vécu pendant les premières semaines sur le vieux continent allait certainement demeurer gravé dans la mémoire des deux amis comme une magnifique collection d'instants chaleureux et inédits. Ils n'oublieraient pas de sitôt la rencontre de ce grand blond et de sa jolie copine du nord de l'Afrique qui les avaient pris en stop entre Bruxelles et Paris. La discussion s'était rapidement mise à tourner autour de l'art belge de brasser l'orge et le houblon, et Samuel comme Félix avaient pour la première fois pris conscience de l'abyssale profondeur de leur ignorance en la matière.

– Alors, les Canadiens! avait dit le Belge. C'est promis? Au retour, vous passez nous voir et on fait la fête! On vous montrera ce que c'est que de la bonne bière!

Et cet autre type, le 31 décembre, qui les avait fait monter dans sa camionnette au péage à la sortie de Paris. Il venait de s'engueuler avec sa copine et partait pour Saumur, sur la Loire. Il comptait y défoncer la nouvelle année dans la demeure familiale, centenaire, avec son chien, son pot de rouge et un vieux camembert bien fait. Assis à une petite table de bois au centre de la cuisine, ils avaient disserté sur les vertus féminines, l'histoire et la vie avant de tomber de sommeil, au petit matin. Samuel et Félix avaient dormi en tenant leur couteau de poche sous l'oreiller; on ne sait jamais, avec les inconnus. Ironiquement, c'est plutôt le Français qui avait eu le plus peur lorsque, revenu de sa colère et de la surconsommation d'alcool, il s'était mis à se demander ce qui lui avait pris d'inviter chez lui deux grands gaillards ramassés sur la route.

Après Bordeaux, ils filèrent vers Carcassonne, citée médiévale fortifiée, traversée par le canal du Midi. Ils trouvèrent aisément un routier qui partait vers le sud. Les deux aventuriers durent supporter pendant près de trois heures les histoires salaces de leur compagnon de route, qui les laissa finalement au péage dans les environs de Toulouse.

Ils urinèrent en bordure de la route et burent un coup d'eau, avant d'exhiber leur petit drapeau canadien en espérant qu'un bon Samaritain les inviterait à parcourir en voiture quelques kilomètres de plus. Journée ensoleillée, environ quinze degrés Celsius. Ils fumèrent une clope après l'autre, sans que le bon Samaritain se manifeste. Ils étaient découragés au point où ils décidèrent de marcher pour combattre l'ennui. Vers dix-sept heures, l'accablement avait décidément remplacé leur bel optimisme du midi.

– Dis donc, est-ce qu'on va marcher comme ça toute la nuit? C'est que j'ai au moins trente kilos de matériel dans mon sac à dos, sans compter tout ce qui dépasse.

– Écoute-écoute-écoute, mon Samuel, il ne faut pas se décourager. Ça fait seulement deux petites heures qu'on est là.

– Ah oui!? Tu veux répéter ça à mon dos, mes épaules, mon pied gauche...

– Allez, il faut garder le moral. Je sens qu'un miracle va se produire, tu verras.

Et le miracle se produisit. Félix allait d'ailleurs revoir une scène semblable, bien des années plus tard, dans une comédie américaine.

– *Been there, done that,* lâcherait-il alors, sur un ton amer.

Un bus approchait à grande vitesse alors qu'ils venaient de déposer leurs bagages pour souffler un peu. Lorsque le véhicule passa devant eux, ils virent à chaque fenêtre un joli minois féminin les regardant avec... avec quoi, au juste? Emballement, peut-être. Curiosité, certainement. Ils tournèrent la tête pour suivre des yeux le car, qui se mit aussitôt à ralentir, jusqu'à se ranger sur le côté.

Les deux garçons échangèrent un regard, surpris. Puis ils se penchèrent pour ramasser leur sac afin de rejoindre le bus. En relevant la tête, ils la virent: athlétique, jolie, souriante. Elle courait vers eux à grandes enjambées, comme au ralenti, son opulente poitrine se balançant perceptiblement de droite à gauche, au rythme de ses pas. Une vision délicieuse, irréelle, sonnante.

— Bonjour, les mecs! lança-t-elle d'une voix enjouée. Alors, ça boume?

— Salut, répondirent-ils en chœur, hébétés.

— Alors, vous êtes canadiens? Et où allez-vous?

— Heu... bredouilla Félix, à Carcassonne.

— Oh! c'est triste. Avec les copines de l'équipe, nous allons passer une semaine à San Sebastian, en Espagne. Nous aurions pu vous emmener, dit-elle en affichant un sourire charmeur. Enfin, si vous y trouvez quelque intérêt...

C'est ici qu'il aurait fallu «saisir le jour». Se rappeler que les itinéraires sont faits pour être défaits. Se souvenir que dans la vie il faut sauter sur les occasions qui passent. Calculer que rien n'a autant de valeur, lors d'un tel voyage, que les contacts personnels qui permettent d'entrer dans un réseau de connaissances s'étirant souvent sur un large territoire. Entendre cette voix intérieure, celle du désir, qui criait: Allez! Allez-y!

Mais le premier étant aussi coincé que le second, l'un ne voulant pas en imposer à l'autre, ils ne réussirent qu'à lancer un pitoyable «désolé», suivi d'un improbable «peut-être la prochaine fois», avant de fixer le sol. Stupéfaite, la jeune fille, qui n'en croyait manifestement pas ses oreilles, chercha le regard des deux garçons, en vain. Elle tourna les talons et remonta dans le bus, qui reprit sa route.

Les deux amis auraient bien le temps de s'abîmer en conjectures sur la tournure qu'aurait pu prendre leur aventure s'ils étaient montés à bord. Pour l'instant, ils n'arrivaient qu'à se regarder l'un l'autre, sans trop comprendre ce qui venait de se produire, sans trop comprendre quelle mécanique diabolique avait pu faire en sorte qu'ils soient toujours là, les semelles dans la pierraille, plutôt qu'assis dans un car plein de jolies filles en fleurs.

7

Sœur Bernadette, imposante femme au visage dur, baraquée comme un joueur de football, d'ordinaire en parfait contrôle d'elle-même et de son environnement, était dans tous ses états. La confession d'Albert Buisson l'avait bouleversée. Assise à la table de travail de sa petite chambre, elle jouait nerveusement avec son chapelet, fait de billes de bois polies par tant d'années à rouler entre ses doigts.

Elle avait trouvé en Albert Buisson un homme terriblement tourmenté. Au fil des semaines, il s'était ouvert à elle en toute confiance, lui livrant ses états d'âme, certes, mais surtout lui racontant ses dérives, son impossible quête d'amour absolu qui l'avait si souvent mené au bord de la déchéance, morale autant que physique. Une quête qui s'était abreuvée sans retenue d'alcool, de drogue et de chair.

Elle savait toutefois qu'il cachait toujours la grande blessure, l'événement qui avait brisé en lui ce sentiment d'appartenir à la communauté des hommes.

La plaie s'était finalement ouverte une dizaine de jours plus tôt. Il avait raconté, débordant d'émotions, les événements auxquels il avait été mêlé alors qu'il était au Collège dans les années 1950. Son histoire avait fait vaciller, pour la première fois de sa vie, la foi de sœur Bernadette. Non pas sa foi en Dieu, mais sa confiance en cette Église qui lui avait tant donné et à laquelle elle avait consacré son existence.

Il voulait aujourd'hui se libérer de ce boulet. Il avait choisi la parole. Non seulement le long des sentiers serpentant dans l'enceinte du couvent des sœurs de Notre-Dame-des-Cœurs, mais aussi à la face du monde. C'est ainsi que sœur Bernadette connut la peur. Celle de voir s'effondrer tant de certitudes. Celle de voir s'écrouler l'édifice de l'Église. Et surtout, surtout, celle de voir disparaître ses œuvres qui apportaient le pain, la connaissance, la paix et le réconfort à tant de gens. Ces œuvres trop souvent laissées sans reconnaissance publique.

Alors, elle lui avait vanté les vertus du silence, du pardon, de l'oubli. Mais il avait refusé d'oublier, refusé de pardonner, refusé de se taire.

– Je vais rencontrer les autres, avait-il dit. Je vais leur offrir de parler avec moi. S'ils refusent, je devrai le faire seul. Je le ferai, seul.

Elle lui avait demandé d'attendre, de réfléchir encore.

– C'est pour bientôt, ma sœur, avait-il répondu, avant de partir à la hâte.

Ne sachant que faire, elle n'avait rien fait. Et les jours avaient passé, enfonçant la ville dans l'hiver. Janvier touchait à sa fin et elle restait sans nouvelles. Il était pourtant bien là. La veille encore, il apparaissait en direct à la télé, souriant. À la surprise de sœur Bernadette, et à son grand soulagement, il n'avait rien dit de l'affaire, se contentant de promouvoir sa dernière pièce.

À quelques jours de son départ pour l'Italie, les questions continuaient de danser dans la tête de la sœur. Si son histoire était vraie, fallait-il que la vérité soit crûment exposée à la lumière tant d'années après les événements? Et s'il mentait, s'il fabulait, si son âme brisée avait inventé toute cette histoire pour justifier ses propres écarts? Comment savoir? Peut-être aurait-elle dû, déjà, en parler à la supérieure du couvent, aux autorités de l'Église? Elle ne pouvait s'y résoudre, autant parce qu'elle redoutait de semer la panique chez les siens que parce qu'elle ne pouvait trahir la confiance d'un homme rompu.

Elle chassa tant bien que mal ces sombres pensées et se remit au travail. Son départ approchait et elle devait terminer quelques dossiers urgents.

Experte-comptable et détentrice d'un MBA d'une université américaine, sœur Bernadette s'était spécialisée en analyse et en redressement d'entreprises. Elle était entrée dans l'ordre de Notre-Dame-des-Cœurs toute jeune adulte, quelques années après avoir obtenu son diplôme. Devant l'étiolement de la foi et ses impacts financiers sur les différentes missions de la communauté, elle avait entrepris de sauver les meubles. Elle voyageait donc d'un établissement à l'autre depuis plusieurs années et trouvait des solutions permettant aux membres des différentes congrégations catholiques de poursuivre leur mission malgré un contexte difficile.

Passant constamment de la détresse des états financiers à la détresse humaine, sœur Bernadette se dit que sa vie conventuelle n'avait décidément rien de conventionnel.

8

Un puissant vent glacé soufflait contre les fenêtres. En bas, le boulevard René-Lévesque, couvert de neige poudreuse, était désert. En ce samedi matin de février, bien peu de gens avaient le courage d'affronter l'hiver québécois.

Au septième étage de l'hôtel Reine-Élisabeth, une autre tempête faisait rage.

— T'es malade ou quoi!? Tu voudrais ramener cette vieille histoire? Nous mettre tous dans l'embarras? Détruire nos vies? Tu imagines un peu ce que les gens vont dire?

— Justement, répondit Albert Buisson d'un ton résolu à l'homme qui se tenait devant lui. Il est temps qu'on en dise, des choses, il est temps qu'on parle.

L'homme, de taille moyenne, plutôt rond, passa, en regardant le plafond, la main dans ses cheveux bruns taillés en brosse. Il s'avança vers le comédien, assis sur le dossier de la causeuse.

— Une histoire vieille de plus de trente ans! Je te rappelle qu'on était tous d'accord à l'époque. Personne ne nous a forcé la main.

— On n'avait même pas quinze ans! Ça n'aurait jamais dû se passer comme ça. Ils ont profité de notre jeunesse, ils nous l'ont volée.

— Ils ont profité de notre jeunesse!? Parce que nous, on n'en a pas profité? On faisait la pluie et le beau temps au Collège, on a eu des bourses d'études tant qu'on a voulu étudier, on est passés devant tout le monde pour entrer dans les meilleures facultés. Sans compter le pactole à la fin des études! Dis-moi, qui est-ce qui t'a soutenu, au début? Qui a financé tes projets, ta troupe de théâtre, hein?

Un homme d'aspect négligé portant un débardeur marine bougea sur la causeuse où il se tenait en retrait.

— Je suis d'accord avec Albert. Ce n'était pas... Ce n'était pas correct. Moi aussi j'ai de la misère à vivre avec ça.

— Ah oui? reprit l'homme aux cheveux bruns. Tu as peut-être de la misère à vivre tout court, non? Regarde-toi! Tu as eu toutes les chances de ton côté et tu es resté là à ne rien faire. C'est toi qui as décidé de rater ta vie! Facile de venir te plaindre aujourd'hui. Tu n'as rien à perdre, toi! Je parie que tu rêves déjà d'écrire un livre, non? Je vois ça d'ici : *Le Cauchemar d'Yves Béland*, en gros caractères rouges sur fond noir. Bravo!

— Tu oublies Popper, laissa tomber Buisson, provoquant un silence tendu.

Près de la fenêtre se tenait un homme de grande taille, svelte et portant un complet gris, une chemise blanche et de chics souliers noirs. Il observait la silhouette d'un téméraire qui tentait de se déplacer, tout en bas sur le trottoir. Bousculé par le vent qui l'assaillait de violentes bourrasques, le type peinait à mettre un pied devant l'autre. Sans quitter la scène des yeux, l'homme à la fenêtre prit la parole d'une voix calme.

– On avait tous juré de garder le silence, à l'époque, de ne jamais en parler à d'autres, ni même entre nous. Tu nous arrives aujourd'hui avec ton projet de tout déballer en public. C'est... déstabilisant. Mais je comprends, Albert. Je comprends ta démarche. Et je te remercie de nous en parler avant de faire quoi que ce soit. Pour ma part, j'ai besoin de temps pour digérer tout ça, pour y voir clair, tu vois? Ça ne sert à rien de rester ici à s'invectiver. Je propose qu'on prenne quelques jours pour y penser. On pourrait se revoir dans une semaine, à la même heure?

Buisson et Béland opinèrent, pendant que le rondelet lançait des regards incrédules vers la fenêtre.

L'homme au complet gris poursuivit:

– Personne ne sait que nous devions nous rencontrer ici, aujourd'hui? Vous n'en avez parlé à personne? Vous n'en avez jamais parlé à qui que ce soit?

Tous hochèrent la tête en signe de négation.

– Qu'il en soit ainsi jusqu'à notre prochaine rencontre, dit-il avant de quitter la pièce.

Le rondelet le suivit dans le couloir et ils échangèrent quelques mots avant de prendre l'ascenseur.

Ce soir-là, la standardiste du Collège reçut un appel pour le directeur général, Paul-Émile Vanier.

La voix de son interlocuteur lui sembla vaguement familière, mais elle n'arriva pas à y accoler un nom. Elle était pourtant certaine qu'elle ne l'avait pas entendue ici, au téléphone. Elle relaya l'appel et poursuivit la lecture de son magazine à potins.

9

L'homme qui marchait le long du sentier, près des gorges de Coaticook, se retourna pour la troisième fois. Il lui semblait avoir entendu un bruit. Mais il ne vit rien. Il poursuivit son chemin. Fidèle à ses habitudes, il quitta le sentier, sauta une clôture et alla s'asseoir tout juste au bord de la gorge. Plusieurs mètres plus bas, la rivière gloussait. Il releva les genoux et y appuya les coudes, puis il déposa sa tête entre ses mains.

Depuis quelques jours, les images ne le quittaient plus. Elles l'assaillaient sans relâche, lui volant jusqu'aux courts moments de paix quotidienne qu'il avait réussi à trouver au fil des ans.

Le pire était la honte.

Absorbé dans ses pensées, il n'entendit pas tout de suite le bruit des pas de l'homme qui approchait derrière lui. Lorsqu'une brindille craqua, il se retourna et le reconnut immédiatement. Stupéfait, il tenta de se redresser pour lui faire face. Son visiteur profita de cet instant de déséquilibre pour le pousser violemment. Le promeneur bascula vers l'arrière, déboula les quelques mètres de paroi rocheuse inclinée qui le séparaient du vide et tomba. Son corps se brisa sur la pierre. Il cessa de vivre.

Son assaillant sourit, prit une longue respiration et rebroussa chemin vers le sentier.

10

L'homme entra dans son condominium de la place Paton, située au bout du lac des Nations à Sherbrooke. Déjà passablement éméché, il s'installa devant la télévision avec un scotch pour regarder les informations de fin de soirée. Il passa ensuite d'une chaîne à l'autre, sans trouver d'émission suffisamment captivante pour le retenir. Il alla se servir un second verre et reprit son manège devant l'écran cathodique. Au bout d'une heure, il en eut assez.

Il déposa son verre dans la cuisine, puis se rendit à la bibliothèque. Balayant les livres du regard, il s'arrêta sur un Dostoïevski. Il s'apprêtait à monter vers sa chambre, sur la mezzanine, lorsqu'il vit une tache sombre sur le tapis. Il se pencha et vit qu'il s'agissait d'un morceau de terre humide, qu'il prit entre ses doigts. Étrange, pensa-t-il. Il alla jeter la chose dans la poubelle de la cuisine, puis monta l'escalier. En posant le pied sur la dernière marche, il entendit un frôlement sur sa gauche, dans l'ombre, derrière la lourde colonne de bois. Il avança la tête, intrigué, et monta sur le palier.

Un visage s'avança et lui sourit. Abasourdi, il cligna des yeux. L'instant d'après, il sentit que l'homme lui passait quelque chose autour de la tête, puis que la chose lui serrait le cou. Il leva les bras pour se dégager, mais déjà l'homme le poussait doucement contre la balustrade. Il sentit des mains agripper ses mollets et le soulever. Il bascula et tomba vers le salon, trois mètres plus bas.

Il eut à peine conscience de la douleur lorsque la corde se tendit et lui brisa le cou.

Son assaillant descendit au rez-de-chaussée. Le corps de sa victime pendait au bout de la corde, ses pieds frôlant le tapis. Il s'activa pendant quelques minutes afin de s'assurer que des fibres de la corde se trouvaient sur les mains et les vêtements de la victime. Puis il se dirigea vers la porte. Avant de sortir de l'appartement, il regarda la scène une dernière fois et se lécha les lèvres.

11

Le juke-box crachait un air de Phil Collins, entendu pour la huitième fois, cet après-midi-là, au café Piccolo de Chiavari. Samuel et Félix s'étaient échoués dans cette petite ville qu'ils avaient trouvée sympathique, vue du train qui y entrait au ralenti. Après avoir réussi à effectuer un retrait sur carte de crédit à la banque locale, ils avaient installé leur tente sur la grève, à l'extrémité nord-ouest de la ville, du côté opposé à la marina.

Ils avaient passé trois jours à ne rien faire d'autre que lire, se raconter des histoires et désespérer de leur condition, de l'ennui qui les gagnait peu à peu et des fonds qui étaient au plus bas. Seulement six semaines s'étaient écoulées depuis leur départ et déjà ils commençaient à emprunter pour passer le temps loin de chez eux... L'écoute nostalgique et répétée de *In the Air Tonight*, de l'ancien batteur de Genesis, était d'ailleurs en train de les achever. Ils venaient de flamber dix mille lires[1] sur un pâté de viande glissé entre deux pains croûtés, sans compter les quarante-cinq mille lires pour trois bouteilles de vin blanc d'un goût douteux.

---

1. *À l'époque, un dollar canadien valait environ 1 000 lires.*

Ils sortirent en saluant la *donna* qui leur avait fait la gueule tout l'après-midi et se retrouvèrent dans la rue, aveuglés par la lumière du soleil. Titubant sur les galets, ils s'éloignèrent de la Piazza Roma en direction des petites rues du bord de mer qui allaient leur permettre de retourner à leur campement.

– Je pense qu'on a pas mal fait le tour de Chiavari, déclara Félix.

– Je pense qu'on a pas mal fait le tour de bien des choses, répliqua Samuel.

– Il me semble qu'on commence à tourner en rond.

– Et on commence à creuser dans la marge de crédit des mamans. Pas bon.

Félix fronça les sourcils et son visage devint grave. Une expression qui, combinée avec sa démarche hésitante, n'avait rien de crédible.

– Ouais... Il faudrait qu'on trouve du boulot, dit-il sans avoir l'air d'y croire, quelque chose pour faire un peu d'argent.

– Pas évident, ici. Tu as vu la mine des gens? On ne peut pas dire qu'on est reçus à bras ouverts.

– Si tu avais accepté de suivre les filles en Espagne, répliqua Félix, sourire en coin, on n'aurait pas de problèmes à l'heure qu'il est.

– Quoi!? Parce que c'est *moi* qui ai refusé de monter dans ce foutu autobus?

Félix leva les mains en signe d'apaisement.

– O.K., O.K., calme-toi un peu. Je blaguais. J'imagine qu'on n'est pas ici pour rien.

– Il serait peut-être temps d'aller voir la bonne

sœur de Georges, proposa Samuel. On est tout près de Bordighera. Quand est-ce qu'elle est censée être là?

– Attends voir...

Félix fouilla dans le petit sac dissimulé sous son chandail où il gardait les effets personnels importants. Il en sortit la lettre de recommandation de George Labrie et il annonça:

– Sœur Bernadette, mi-février.

Et il ajouta:

– On essaie. On part demain matin?

– O.K., d'ici là, on aura le temps de répéter notre petite question.

– *Buongiorno signore, andate verso Bordighera?*[2] tenta Félix, avec un pitoyable accent italien.

---

2. Bonjour, monsieur, vous allez vers Bordighera?

12

Sur le débarcadère, la fourgonnette s'approcha lentement de la porte indiquant les départs internationaux. Sœur Bernadette mit le levier de vitesse en position d'arrêt et tourna la tête vers la passagère :

– Sœur Louise, je vous remercie de m'avoir conduite ici. Voulez-vous que je vous trouve un café pour le retour?

La jeune femme fit non de la tête avant d'éteindre la radio. Qu'une femme d'Église prenne plaisir à écouter cette musique rock à tue-tête restait pour elle un mystère... et une source d'irritation : en plus d'être confinée au rôle de copilote, elle n'avait pu fermer l'œil de tout le trajet! Sœur Bernadette sortit du véhicule sous la neige fondante tombant du ciel, approcha un chariot et y déposa ses bagages. Elle échangea quelques mots avec sœur Louise, la salua et entra dans le terminal.

L'aéroport était vide. Sœur Bernadette voyait bien, çà et là, un passager et son îlot de bagages, mais, dans l'ensemble, c'était le désert. Son avion décollait à trois heures du matin pour Paris, d'où elle prendrait un train qui allait la mener, en fin d'après-midi, à Bordighera, petite ville de la côte méditerranéenne, au nord-ouest de la péninsule italienne. Elle devait s'y rendre pour donner un coup de main à ses consœurs italiennes qui y tenaient une école à la Villa Larezo. L'établissement était menacé de fermeture en raison de ses difficultés financières.

En étudiant les documents envoyés par la direction, sœur Bernadette s'était rendu compte qu'une aile complète de l'établissement restait inoccupée. Les quelque vingt chambres du bâtiment avaient autrefois hébergé des sœurs, mais elles n'étaient plus utilisées depuis une quinzaine d'années. Il fallait voir, mais peut-être qu'en injectant quelques dollars en rénovations, ces chambres pourraient devenir une source de revenus déterminante. Bordighera s'affirmait de plus en plus comme une destination touristique prisée. Pourquoi ne pas profiter de la manne?

Sœur Bernadette se rendit au comptoir de la compagnie aérienne où elle déposa ses valises. Elle allait pénétrer dans l'aire d'embarquement lorsqu'elle se souvint d'une requête formulée au téléphone par la supérieure de la Villa Larezo. Un vieux frère originaire du Québec était en pension à la villa. Usé, le plus souvent confiné à sa chambre en raison de ses limites physiques, il y coulait des jours tristes en attendant d'être rappelé auprès du Créateur. Comme il aimait bien avoir des nouvelles du pays, sœur Guiliana demandait à chaque visiteur québécois d'apporter des revues et un exemplaire des journaux du jour.

Sœur Bernadette tourna les talons et se mit à la recherche d'un comptoir à journaux ouvert à cette heure, qu'elle finit par trouver au bout d'un obscur couloir. Un livreur venait de déposer une pile d'exemplaires de *La Presse* et faisait signer un bon de livraison au commis. Elle se dirigea d'abord vers le présentoir à magazines et en choisit quelques-uns, puis elle revint vers le comptoir.

En approchant de la pile de journaux, son regard fut immédiatement attiré par la seconde manchette. Son sang se figea. Elle n'entendit plus rien et sa vision périphérique s'estompa pour ne laisser place qu'à un étroit tunnel, entre sa rétine et les lettres noires couchées sur le papier.

« Le comédien Albert Buisson s'enlève la vie », titrait la une.

13

Assis dans son cubicule, le péagiste regardait les deux jeunes hommes avec compassion. Toute la journée à interpeller les automobilistes et ils n'avaient toujours pas réussi à quitter Chiavari. Il vit celui qui avait les cheveux noirs se pencher, une fois de plus, à la fenêtre d'une voiture :

– *Buorgiorno signore, andate verso Bordighera?*

Le chauffeur le regarda à peine, avant de hocher la tête et de démarrer en trombe.

– Je ne suis plus capable! éclata Samuel.

– Sept heures! dit Félix. Ça fait sept heures qu'on se tient ici comme des cons. Comment ça se fait que ça ne marche pas?

– C'est peut-être parce qu'on n'a pas l'air propre, propre, répondit Samuel en arrêtant son regard sur les vêtements sales de son compagnon.

– C'est sûr qu'on n'est pas à notre meilleur. Ça fait quoi, deux semaines sans se laver? Autant à porter les mêmes vêtements. Tu ne voudrais pas me « humer », pour voir?

Samuel s'approcha de Félix et prit une grande inspiration.

– Je ne sens rien. Pour moi, c'est correct.

– Probablement qu'on est trop habitués à notre propre odeur. Au moins, on lave nos caleçons et nos chaussettes chaque jour.

– Dans l'eau salée, oui! Moi, ça me fait des picotements juste sous... enfin, tu sais. Pas terrible.

– J'y pense, Samuel, peut-être qu'on devrait changer notre petite question. Bordighera, ce n'est peut-être pas très connu. Il n'y a pas une plus grosse ville dans la même direction?

Samuel sortit la carte de son sac à dos et examina le chapelet de noms s'étirant le long de la côte, vers le nord-ouest. Il pointa celui d'une ville écrit en caractères gras.

– Imperia, dit-il. On essaye ça!

Au moment où le soleil disparaissait à l'horizon, une Volkswagen s'arrêta au guichet. Les garçons mirent Imperia à l'épreuve. Le chauffeur sourit et leur fit signe de monter à bord. Ils roulèrent vite et parlèrent musique, en anglais. Un peu plus d'une heure trente plus tard, la voiture quitta l'*autostrada* Dei Fiori et s'arrêta en bordure de la bretelle de sortie pour Bordighera, côté nord.

Après les remerciements d'usage, Félix et Samuel traînèrent leurs bagages en plein centre du plateau gazonné en forme de demi-cercle délimité par l'autoroute et la bretelle. Ils y installèrent leur tente, puis mangèrent du pain et un restant de mortadelle, arrosés de vin rouge acheté à Chiavari. Ils avaient convenu de descendre à la Villa Larezo le lendemain matin seulement. En soirée, ils combattirent le froid en éclusant quelques verres, en jouant aux échecs, en parlant des filles et en faisant des projets. Mais le cœur n'y était plus. Valait-il la peine de se sauver à plus de huit mille kilomètres de chez soi pour se raconter les mêmes histoires que dans l'appartement de Vincent, près de trois mois plus tôt?

14

Sœur Guiliana descendit l'escalier de pierre pour aller à la rencontre de l'arrivante. Sœur Bernadette était déjà en train de sortir ses valises du coffre.

— Sœur Guiliana, je présume? dit-elle en italien.

— Sœur Bernadette? répondit l'autre. Bienvenue à la Villa Larezo! Il fallait nous appeler, ajouta-t-elle sur le ton de la réprimande. Je vous aurais envoyé chercher à la gare.

— Ce n'est rien, allez! J'ai fait bon voyage, merci. On monte par ici? demanda-t-elle en désignant l'escalier.

— Oui, mais laissez vos valises. Pepe viendra les prendre dans une minute.

Sœur Bernadette sourit en prenant ses bagages et monta vers la grande porte aux lourds battants de bois ouvragé.

— Ne perdons pas de temps! lança-t-elle.

En entrant dans le bâtiment, sœur Guiliana lui proposa d'aller directement à sa chambre pour y déposer ses affaires et se rafraîchir un peu. Elles convinrent de se rejoindre dans le hall à vingt heures, pour le dîner.

Enfin seule, sœur Bernadette éclata en sanglots. Elle avait refoulé son trouble depuis Montréal, mais elle pouvait maintenant laisser aller ses émotions. La nouvelle de la mort d'Albert Buisson l'avait fortement ébranlée. La culpabilité plantait ses racines comme des griffes au fond de sa poitrine et semblait vouloir y élire demeure.

La Québécoise défit ses bagages, installa ses vêtements dans l'armoire et rangea ses documents sur l'étagère. Étonnamment, la salle d'eau était pourvue d'une profonde baignoire sur pattes. Sœur Bernadette y fit couler de l'eau bien chaude et se dévêtit. Elle retourna, nue, dans l'autre pièce et relut l'article de *La Presse*.

Albert Buisson avait été retrouvé mort au petit matin, chez lui, dans son condominium de la rue Belvédère à Sherbrooke. Son corps pendait au bout d'une corde nouée à un anneau lui-même fixé dans une solive du plafond. De toute évidence, il avait lui-même fixé la corde et s'était lancé en bas à partir de la mezzanine. Il serait mort immédiatement, le cou brisé par le choc.

Sœur Bernadette retourna dans la salle de bain et se laissa descendre lentement dans l'eau. Elle allait appuyer son dos vers l'arrière lorsqu'elle constata que l'eau et son propre corps occupaient un volume trop important pour la baignoire. Elle retira le bouchon, fit évacuer un peu du chaud liquide pour s'installer confortablement, puis revint à ses pensées.

Elle avait connu un Albert Buisson très sombre, très angoissé. Leurs longues discussions n'avaient pas eu l'heur de le libérer de son lourd fardeau. Mais son attitude avait changé du tout au tout lorsqu'il lui avait raconté les horreurs de son adolescence. Sa décision d'en parler publiquement, surtout, semblait avoir eu sur lui un effet salvateur.

Mais elle, sœur Bernadette, n'avait pas trouvé mieux que de l'inviter au silence.

Ses malheureux conseils l'avaient-ils poussé à reconsidérer son projet de dévoiler son secret publiquement? Peut-être alors qu'incapable de choisir entre en parler et ne pas le faire, il avait choisi le moindre des maux, la mort? En tentant de préserver la réputation de l'Église, peut-être avait-elle poussé un homme au suicide?

Pourtant, un tel geste paraissait invraisemblable. Car, derrière le champ de ruines que constituait la vie intérieure du comédien, sœur Bernadette avait senti une irrépressible pulsion de vie. Elle avait rencontré bien des âmes affligées, mais aucune ne semblait brûler d'un tel désir de vivre.

Et qu'en était-il de ses trois compagnons, qu'il disait vouloir rencontrer avant de faire sa sortie publique? Leur en avait-il parlé? Comment avaient-ils réagi? Avaient-ils, eux aussi, tenté de le dissuader de passer aux aveux?

Sœur Bernadette voulait comprendre ce qui s'était passé. Elle aurait aimé en parler aux proches du comédien, aux autorités du Collège. Mais ne risquait-elle pas de les inquiéter inutilement en soulevant le spectre d'une histoire horrible, qui n'avait peut-être jamais eu lieu? Et encore, si tout cela était vrai, fallait-il réveiller les monstres du passé?

Elle prit la savonnette et se lava vigoureusement.

15

Peu avant vingt heures, la Québécoise sortit de sa chambre pour se rendre dans le hall. Elle y fut accueillie par sœur Guiliana, la supérieure, et les trois autres sœurs qui, avec elle, s'occupaient de l'établissement. Sœur Guiliana prit en charge les présentations et guida la petite troupe vers la salle à manger.

— Comme vous le savez, dit-elle, la congrégation reçoit ici des élèves présentant un retard intellectuel de moyen à sévère. Ils sont pris en charge chaque jour de la semaine, de huit heures à seize heures. Ils reçoivent un traitement exceptionnel en comparaison de celui que leur réservent les établissements publics. Plusieurs parents ont d'ailleurs décidé de venir habiter la région afin que leur enfant puisse fréquenter l'école.

— En quoi est-ce si différent? demanda sœur Bernadette.

— C'est que le réseau public est débordé. Trop de cas, manque d'argent. Vous savez, ici, les enfants attardés sont encore mal vus. On n'en parle pas, c'est tabou.

— Que pouvez-vous faire de plus? Vos chiffres ne parlent que de quelques employés salariés.

— En fait, nous sommes beaucoup plus que ça.

Nous avons réussi à constituer, au fil des ans, un bassin de bénévoles très engagés. Ils sont encadrés par quelques professionnels rémunérés. Ensemble, nous arrivons à faire progresser les petits, à leur donner des outils pour affronter la vie.

Les nonnes débouchèrent dans une salle à manger occupée par une grande table ronde. Elles s'assirent et sœur Guiliana invita sœur Bernadette à dire le bénédicité en français. On s'attaqua d'abord à un bouillon clair, suivi d'un plat de tortellinis aux tomates, le tout arrosé d'un peu de vin blanc délicatement liquoreux.

— Et qui est ce Pepe dont vous avez parlé plus tôt? s'enquit sœur Bernadette.

— Pepe, c'est notre homme à tout faire. Il n'est pas très habile, mais on peut lui faire confiance pour faire les courses, transporter des choses, entretenir le jardin...

— Il habite ici en permanence?

— Non, répondit une des sœurs. Le vieux Marcel est le seul pensionnaire qui vit ici à temps plein. À part nous, évidemment.

— Marcel, c'est le Québécois dont vous m'avez parlé? demanda sœur Bernadette en se tournant vers la supérieure.

— Marcel Desbiens. C'est un taciturne, voilà pourquoi il n'est pas avec nous ce soir. Il invoque souvent son état de santé pour justifier le fait qu'il passe presque tout son temps dans sa chambre. Mais en réalité, je crois qu'il n'aime pas beaucoup la compagnie des gens. Étonnant, pour un ex-enseignant, non?

— Ah oui? Un enseignant? D'où vient-il, exactement? interrogea sœur Bernadette.

— De Sherbrooke. Il a enseigné la photographie au Collège pendant près de quarante ans, avant de se retirer. Et je ne le tiens pas de lui; il est bien peu loquace sur son passé.

Sœur Bernadette ressentit un profond malaise. Elle se souvint des paroles d'Albert Buisson : « Un frère prenait des photos. On portait un masque noir sur les yeux, un loup. Les photos étaient envoyées à travers l'Europe... »

— Comment se fait-il qu'il habite ici? demanda-t-elle.

— Disons que c'est un arrangement. Nous avons reçu un coup de fil au début des années 1980. Le directeur du collège nous a demandé d'héberger un frère enseignant qui prenait sa retraite. Contre une généreuse contribution, renouvelable annuellement. Nous avons accepté.

— Et depuis?

— Depuis, il reste dans sa chambre où il prend ses repas. Il sort parfois faire une promenade sur la grève, le matin.

— Vous croyez que je peux aller le voir? Je pourrais lui remettre les magazines et les journaux du pays que vous m'avez demandé d'apporter.

— Sans doute. Mais attendez demain. Je le ferai prévenir.

16

Samuel et Félix se réveillèrent au son des voitures qui passaient à toute vitesse, à moins de trente mètres de la tente. S'ils avaient connu une température exceptionnellement clémente pendant leur séjour sur la Côte d'Azur – vingt degrés Celsius à Nice –, la dernière nuit avait été très froide. La paroi de la tente était imbibée d'eau glacée, tout comme l'herbe haute aux alentours. D'ailleurs, une épaisse brume dansait lascivement à la hauteur des genoux. Ils décidèrent de plier bagage au plus tôt et de descendre vers la Villa Larezo, quitte à s'arrêter en route pour avaler un ou deux cafés. Ils s'engagèrent sur la Via Generale Vincenzo Rossi en direction de la ville, et de la Méditerranée.

Ils arrivèrent devant un café après une demi-heure de marche. Ils achetèrent une blague de tabac hollandais – du Bison – et deux expressos, qu'ils burent sur-le-champ. Ils en profitèrent pour se procurer une carte de la ville, demander le chemin de la villa et se laver le visage à la salle de bain. En sortant du café, ils firent quelques constats. Un, ils étaient fauchés. L'après-midi « nostalgie » au café de Chiavari avait avalé à peu près tous les fonds obtenus sur carte de crédit. Bon, ce n'était pas une grande surprise. Deux, ils avaient mauvaise mine. Ni leur corps ni leurs vêtements n'avaient été lavés depuis deux semaines, et ça paraissait. Trois, ils n'étaient qu'à vingt minutes à pied de leur destination. Il restait donc un peu d'espoir.

C'est qu'ils avaient leurs entrées à la villa. Si sœur Bernadette était bien rendue sur place, la communauté accepterait sans doute qu'ils s'installent dans la cour pendant quelques jours. Elle leur permettrait certainement de laver leurs vêtements et de prendre une douche. Finalement, et c'était le plus important, elle accepterait peut-être de leur confier de menus travaux en échange de repas chauds, peut-être même de quelques milliers de lires!

Ce qui devait prendre vingt minutes en prit soixante, mais après force détours les deux amis arrivèrent finalement devant la villa. Ils en dévisagèrent la façade pendant quelques secondes, échangèrent un regard, puis montèrent l'escalier pour appuyer sur le bouton du carillon.

17

Sœur Bernadette épluchait le budget de la Villa Larezo, en compagnie de sœur Angelina, lorsqu'on la fit appeler. Elle inscrivit une note sur l'une des feuilles et descendit dans le hall. De l'escalier intérieur, elle y aperçut deux jeunes hommes occupés à regarder les photos d'époque accrochées au mur. Sur le plancher de marbre, au centre de la pièce, deux gros sacs à dos étaient appuyés l'un contre l'autre. Elle toussota et les garçons se tournèrent vers elle.

Avant même de voir le petit drapeau canadien fixé sur l'un des sacs, elle sut qu'elle avait affaire à des compatriotes. Mais avec leurs cheveux longs, leur barbe de plusieurs jours et leurs vêtements sales, associés aux émanations corporelles malodorantes qui envahissaient la pièce, ils n'avaient pas l'air des bons garçons dont lui avait parlé Georges Labrie, enseignant au Collège de Sherbrooke.

– Bonjour, je suis sœur Bernadette, dit-elle en tendant la main au premier des deux.

– Samuel St-Germain.

– Félix Roche, répondit le second. Sœur Bernadette, nous sommes de Sherbrooke. Georges Labrie a écrit un mot pour nous recommander à vous.

Félix lui tendit une enveloppe beige qu'elle ouvrit pour lire la courte lettre qu'elle contenait.

– Hum. Georges m'a prévenue que vous pourriez bien vous présenter ici. Vous êtes à la recherche de guidance spirituelle, je présume?

Les yeux de la sœur pétillaient de malice.

– À moins que vous n'ayez d'autres préoccupations pour l'instant, poursuivit-elle.

– Euh... oui, justement, commença Samuel, marchant sur des œufs. On a pas mal voyagé au cours des dernières semaines. On est un peu à bout de ressources et on comptait vous offrir nos services. On pourrait faire des petits travaux...

– On verra ça, coupa-t-elle avec chaleur. Attendez-moi ici quelques minutes, je vais consulter la supérieure de l'établissement. Oh! vous parlez l'italien?

Ils hochèrent la tête de gauche à droite, avec une moue d'excuse. Sœur Bernadette disparut quelques minutes, puis revint avec une clé.

– Chambre 22, annonça-t-elle. Pour l'instant, je crois que vous avez surtout besoin d'un bon bain, d'un rasoir et de quelques heures de sommeil. Pepe vous apportera des sandwichs dans cinq minutes. Remettez-lui vos vêtements sales. Je vous suggère de ne pas trop vous montrer dans cet état, vous pourriez faire mauvaise impression. Descendez ici vers quinze heures trente, je vous présenterai les sœurs de la congrégation Notre-Dame-des-Cœurs de Bordighera.

Moins de deux minutes plus tard, les garçons se retrouvaient dans une chambre de bonne dimension, meublée de deux lits une place, d'une commode, d'une petite table de travail et d'un fauteuil. La salle de bain contenait un lavabo, un cabinet toilette, une douche et une baignoire. Ils échangèrent un regard victorieux et se tapèrent dans les mains.

— Un vrai matelas, mon vieux Félix! s'exclama Samuel en se laissant tomber sur le lit.

— Et de l'eau, cria Félix de la salle de bain. De l'eau chaude!

Les deux amis étaient comme des enfants qui viennent de mettre les pieds dans une chocolaterie. Ils retrouvaient ici un niveau de confort inconnu depuis plusieurs semaines. Pendant que la baignoire s'emplissait d'eau bouillante, ils se dévêtirent, ne gardant qu'un caleçon, et s'installèrent dans leur lit pour se reposer quelques minutes. Ils profitèrent du confort douillet de leur couche en louant leur bonne étoile et ce « bon vieux Georges Labrie! »

Après quelques minutes, ils entendirent parler derrière la porte. Samuel alla ouvrir et se retrouva face à face avec un vieil homme de petite taille, bossu, qui marmonna quelques mots en italien en tendant un plateau de nourriture : sandwichs, olives et poivrons marinés, carafe d'eau et deux pâtisseries recouvertes de sucre fin.

— *Grazie, grazie,* dit le Québécois en souriant.

Il montra du doigt une taie d'oreiller débordant de vêtements sales. L'homme acquiesça. Samuel ramassa le sac et le lui remit. L'homme repartit en laissant tomber quelques mots incompréhensibles.

Samuel et Félix mangèrent goulûment avant de prendre l'un un bain, l'autre une douche, puis de s'endormir profondément entre les draps blancs.

Ils furent réveillés par de petits coups portés contre la porte. Félix se leva et ouvrit. Une jolie jeune femme d'une trentaine d'années, les yeux noirs sous un haut front blanc, se tenait devant lui. Ses cheveux étaient cachés sous sa coiffe et sa longue robe grise masquait presque ses formes, que l'on devinait pourtant généreuses. Elle dit quelques mots en italien, d'une voix chantante, regardant tantôt son interlocuteur presque nu, tantôt l'intérieur de la chambre. Samuel, attiré par la voix, s'approcha. Elle lui sourit et rougit en regardant les deux garçons. Elle fit un pas en arrière et montra un panier appuyé contre le mur du couloir. Puis, elle désigna une horloge fixée au mur. Elle sourit de nouveau et s'éloigna en vitesse.

Félix poussa le panier du pied jusque dans la chambre et referma la porte. Il contenait les vêtements des deux amis, blanchis, repassés, pliés.

— As-tu vu ça, Sam? Même les jeans ont été passés au fer. As-tu déjà porté des jeans à plis? Eh! eh! eh! Je ne sais pas si ce serait populaire au pub Chez Ronnie, à Sherbrooke.

— J'ai surtout vu une belle petite sœur grise... Penses-tu qu'elles portent quelque chose en dessous de leur robe?

— Je ne sais pas. Mais je pense que ça mérite toute notre attention, blagua Félix. Il va falloir enquêter, mon vieux. Tu pourras poser la question à sœur Bernadette, on doit la rejoindre dans quinze minutes.

– Ouais… Je préfère essayer une autre technique d'enquête. Mon père appelle ça *s'en tenir aux faits plutôt qu'aux mots*. Ce qui veut dire qu'il vaut mieux appréhender le réel soi-même, plutôt que de se fier au témoignage des autres, tu vois?

Félix leva les yeux vers le plafond, puis ramassa ses vêtements propres.

– Je vois très bien où tu veux en venir, répondit-il en entrant dans la salle de bain. Mais là, on parle de bonnes sœurs. Des Italiennes en plus.

Félix se retourna avant de fermer la porte. L'air qu'affichait son ami ne le rassura pas.

– Pas question que tu nous mettes dans une situation délicate! avertit-il. T'imagines ses cinq frères nous poursuivant à travers le pays?

– Ne t'inquiète pas, répondit Samuel sur un ton faussement rassurant. Tu me connais…

18

L'homme au complet gris portait aujourd'hui un jean délavé et un débardeur, par-dessus une chemise verte, ainsi qu'une casquette aux couleurs du Canadien de Montréal. Seul, il se tenait toujours devant la fenêtre de l'hôtel Reine-Élisabeth, observant la circulation. La porte s'ouvrit devant le rondelet aux cheveux bruns taillés en brosse. Ce dernier, agité, le rejoignit à la fenêtre, mais ne s'en approcha pas à moins d'un mètre. Il baissa les yeux vers la rue et commença, d'une voix dégoûtée :

— Bon, je pense que nous sommes tous là.

— Oui, nous sommes tous là, répondit l'autre d'une voix posée, sans le regarder. Ça simplifie les choses.

— Pas sûr. Comment as-tu pu? Encore!

L'homme à la casquette soupira.

— De toute façon, je ne veux pas de détails, reprit le rondelet. Alors?

— Alors? On continue comme prévu.

Il s'approcha de la table et ouvrit un sac de toile. Il en tira une grande enveloppe jaune et la tendit vers son interlocuteur, avant de poursuivre :

— Tu trouveras tous les documents pertinents

là-dedans : texte, argumentaire, comparatifs avec d'autres pays. Tout ce qu'il faut pour mener le dossier à terme. Rondement.

— Je vais faire tout ce que je peux.

— Tu vas le faire, point. J'ai mis assez de temps et d'argent sur toi. On ne va pas se laisser tomber aujourd'hui, non? répondit-il en fixant son interlocuteur.

Le rondelet sentit un courant électrique lui monter vers la nuque. Il y avait longtemps que son vieux compagnon lui inspirait de la crainte. Il le savait très, très déterminé. Il acquiesça, tourna les talons et sortit.

19

Sœur Bernadette présenta les garçons aux quatre sœurs de la congrégation. Ils reconnurent immédiatement en sœur Angelina la jeune femme qui leur avait apporté leurs vêtements, quelques minutes plus tôt. Les trois autres frisant la soixantaine, ils n'allaient certainement pas employer auprès d'elles la technique de *s'en tenir aux faits plutôt qu'aux mots*...

Sœur Guiliana prit la parole et sœur Bernadette traduisit. En résumé, les religieuses offraient aux garçons une paire de billets de train pour Assise, où se trouvait une autre congrégation religieuse qui accepterait de les héberger. Elles avaient contacté le responsable, qui s'était montré enthousiaste. Les deux jeunes hommes pourraient visiter la ville et découvrir l'histoire de saint François. Ils pourraient y demeurer deux ou trois semaines, puis, éventuellement, prendre la route de Rome où le responsable de la congrégation avait des contacts.

La raison pour laquelle les sœurs ne leur offraient pas de rester à Bordighera ne fut pas abordée. Les deux amis s'expliquèrent plus tard qu'elles voulaient probablement nourrir l'âme, autant que l'estomac, des deux brebis égarées. Elles avaient donc décidé de les placer entre les mains de religieux qui pourraient se consacrer à leur éducation spirituelle.

Le train devait quitter la gare dans un peu moins de trois heures. Ils devraient donc partir, à pied, dans environ deux heures. Sœur Guiliana, par le biais de sœur Bernadette, leur suggéra de se balader dans les environs en attendant. Les sœurs leur firent cadeau d'une somme de cent mille lires pour couvrir quelques dépenses et leur souhaitèrent bonne chance.

20

Sœur Bernadette avançait dans le couloir en direction de la chambre 39. Le carrelage poli luisait sous la faible lumière projetée par les plafonniers. À chaque pas ses semelles claquaient sur le plancher pendant que défilaient de chaque côté, tous les quatre mètres, les sombres portes de bois des chambres inoccupées.

Ainsi, le frère Desbiens avait enseigné la photographie au Collège de Sherbrooke dans les années 1950... Se pouvait-il qu'il ait été mêlé aux événements dont avait parlé Buisson? Se pouvait-il que ce soit lui, le photographe, isolé ici, à Bordighera, trente ans plus tard? S'il avait bien connu Albert Buisson alors qu'il était étudiant, la nouvelle de sa mort à la une de *La Presse* serait un choc pour lui. Il fallait voir.

Elle frappa à la porte, mais seul le silence lui répondit. Elle frappa de nouveau et, cette fois, entendit du mouvement à l'intérieur. Le pêne glissa, la poignée pivota et la porte s'ouvrit de quelques centimètres. Comme ses yeux s'habituaient à la pénombre, sœur Bernadette vit se dessiner un visage usé dans l'entrebâillement.

– Si? demanda le visage, d'une voix faible.

– Bonjour, frère Marcel. Je suis sœur Bernadette, de Sherbrooke. Sœur Guiliana vous a prévenu de ma visite?

– Oui! répondit-il en souriant. Sœur Bernadette, de ma ville natale.

Il ouvrit la porte toute grande, dévoilant son petit corps courbé, enveloppé dans un vieux tricot de laine et un pantalon de coton brun.

– Vous m'apportez de la littérature du pays? demanda-t-il en lorgnant vers le cabas que tenait la visiteuse. Mais entrez, entrez donc.

La sœur entra et fit quelques pas pour dégager la porte.

– Bienvenue dans mon royaume, déclara le vieil homme.

Sœur Bernadette survola la pièce du regard. On aurait dit un lieu sans âme, un lieu sans histoire. Rideaux tirés, murs gris, dégarnis. Aucun tableau, aucune plante, aucun bibelot. Une petite lampe pour seul éclairage. Un lit étroit contre le mur du fond, une table et une chaise droite, puis un fauteuil élimé. Et une étagère sur laquelle était posé un seul objet, un vieil appareil photo. Pour un expatrié, le frère Marcel gardait bien peu de souvenirs de sa patrie, comme de sa vie passée.

– C'est un bel appareil, dit sœur Bernadette en s'approchant de l'étagère.

– Oui, une petite rareté, répondit le vieux photographe. Un Leica. Un des premiers trente-cinq millimètres jamais commercialisés. Avant, les appareils étaient plus lourds, plus gros, encombrants. Au début du siècle, l'ingénieur en chef de la firme allemande a eu l'idée d'utiliser le même film que celui employé au cinéma. Résultat: un appareil plus petit et des images exceptionnelles. On mit l'appareil sur le marché en 1924. Au même moment, mon père était en Europe. Il fut l'un des premiers à en acheter un, qu'il m'offrit.

Le frère Marcel s'était approché et touchait maintenant l'appareil de la main, un sourire mélancolique au fond des yeux.

— Vous avez dû prendre des photos magnifiques. Pourtant, aucune n'a trouvé grâce à vos yeux, reprit la sœur en montrant les murs de la main.

— Tout ça est bien loin, maintenant, répondit-il en se retournant.

Il s'assit sur le fauteuil et reprit:

— Et vous, Sœur Bernadette, que faites-vous par ici?

— Je suis ici pour analyser la situation financière de l'établissement. Les temps sont difficiles pour l'Église. Les fidèles sont de moins en moins nombreux, mais les œuvres doivent se poursuivre. J'interviens auprès de nos communautés à travers le monde et je propose des mesures pour améliorer la situation, lorsque c'est possible.

— Lorsque c'est possible... Sinon?

— Lorsqu'il n'y a plus rien à faire, je recommande la fermeture de l'établissement.

L'inquiétude apparut sur le visage du vieux Marcel. Sœur Bernadette ajouta:

— Ne vous inquiétez pas, la Villa Larezo me semble avoir tout ce qu'il faut pour durer encore longtemps.

L'homme parut rassuré.

– Vous êtes, en quelque sorte, une experte en redressement d'entreprise?

– Au service de Dieu, répondit-elle avec un sourire.

– Évidemment. Alors, vous m'avez apporté de la lecture? Voyons ça.

Il s'assit à la table. Sœur Bernadette s'approcha et déposa les magazines un à un devant lui, en énonçant le titre de chacun. Elle arriva finalement à *La Presse*, en dessous de la pile. Elle la déposa sous les yeux du frère Marcel.

L'homme eut d'abord un mouvement de recul, puis ses yeux s'ouvrirent en même temps qu'il cessait de respirer. Il porta lentement la main à sa bouche en hochant doucement la tête de gauche à droite.

– Albert Buisson. Seigneur! Qu'avons-nous fait... laissa-t-il tomber d'une voix étouffée, alors que ses yeux s'embuaient et que des larmes commençaient à glisser sur ses joues ravagées par le temps.

Le cœur battant à tout rompre, sœur Bernadette se retint d'intervenir, attendant la suite. Il se redressa de quelques centimètres et saisit le journal entre ses mains. Il entreprit de lire l'article, en silence. Après trois paragraphes, on invitait le lecteur à quitter la une et à reprendre la suite quelques pages plus loin. Le frère Marcel compta les pages avec l'index, ouvrit le journal et baissa la tête pour lire la suite de l'article. Ses yeux balayèrent le texte et se fixèrent tout à coup sur un point de la page. Quelques secondes passèrent, puis tout son corps se figea. Une profonde terreur apparut sur son visage blême, balayant la peine qui s'y trouvait un instant avant. Il se laissa basculer sur le dossier du fauteuil, au bras duquel il s'accrocha à s'en faire blanchir les jointures.

Sœur Bernadette s'inquiéta :

– Frère Marcel! Qu'est-ce qui se passe? Frère Marcel!?

Le vieil homme, sous le choc, tentait de reprendre son souffle pendant que l'effroi et le désarroi passaient à tour de rôle au fond de ses yeux grands ouverts.

Il fut pris de convulsions et posa la main gauche sur sa poitrine. Son visage exprimait maintenant la douleur et la panique.

– Une crise cardiaque! dit sœur Bernadette.

Il tentait d'articuler quelque chose, en vain. Sœur Bernadette ouvrit la porte de la chambre et appela à l'aide.

Elle revint auprès du frère, qui essayait de parler, mais n'arrivait qu'à laisser échapper de courts râles d'agonie. Dans ses yeux, la panique se mua en résignation. Mais il eut un sursaut d'énergie, de fébrilité maniaque, comme s'il désirait communiquer quelque chose avant de mourir. Ses yeux couraient dans tous les sens. Il se retourna enfin vers le fond de la chambre et tendit la main vers l'étagère.

– L'appareil? L'appareil photo? demanda Bernadette, qui observait son manège, impuissante.

Il se leva péniblement et fit quelques pas pour s'emparer de l'appareil, qu'il tendit vers la sœur.

Mais ses jambes se liquéfièrent sous son poids et il tomba vers l'avant, incapable de retenir sa chute. Ses genoux, d'abord, touchèrent le sol, puis tout son corps suivit. Sa tête, tournée vers la gauche, offrit l'arcade sourcilière droite, près de la tempe, comme point d'impact au sol. Sœur Bernadette entendit un horrible craquement avant de voir le sang s'écouler abondamment sur le plancher, jusqu'à lécher les parois du Leica, toujours entre les doigts de Marcel.

Sœur Bernadette entendit des pas dans le couloir. Quelqu'un accourait. Sans réfléchir, elle s'empara de l'appareil photo, qu'elle déposa au centre du journal, et fourra le tout au fond de son cabas. Elle s'accroupit ensuite près du corps. Elle prenait le pouls du frère lorsqu'une sœur passa la porte.

— Il est mort! dit-elle. Il ne respire plus, je ne sens pas de pouls.

— Seigneur! cria la sœur en se signant.

— Nous discutions lorsqu'il s'est pris la poitrine. Il est devenu blême. On aurait dit qu'il s'asphyxiait. Puis il a tenté de se lever, mais il est tombé par terre. Et ce bruit, quand sa tête a touché le sol. Faites quelque chose!

Sœur Guiliana entra dans la chambre, suivie de près par Pepe. Ils convinrent d'appeler les autorités sur-le-champ. Sœur Bernadette raconta son histoire aux autres. Les sœurs s'agitèrent, pas tellement à cause de la mort, qui ne surprenait plus à cet âge, mais à cause du sang. Sœur Angelina revint en annonçant que la police avait été prévenue. Un policier lui avait demandé de transmettre ce message : il ne fallait toucher à rien et rester à la villa; il voulait parler à sœur Bernadette, témoin de l'événement. La supérieure demanda à tous de quitter les lieux, puis s'approcha de la Québécoise.

— C'est terrible que ce soit arrivé maintenant, devant vous, dit-elle d'une voix compatissante.

— Je ne comprends pas. Il semblait plutôt bien il y a quelques minutes encore. Et le voilà mort.

— Notre Seigneur a décidé qu'il était temps de le rappeler à lui, affirma sœur Guiliana en fixant sœur Bernadette. Allez, peut-être est-il préférable de vous reposer quelques minutes avant l'arrivée des policiers?

Sœur Bernadette fit oui de la tête, puis baissa les yeux en entamant une prière. Les mots sortaient de sa bouche par automatisme. Dans sa tête, les idées se bousculaient.

Le frère Marcel avait été photographe. Sa réaction à la mort de Buisson donnait du poids aux affirmations du défunt. Ses paroles, « Seigneur! Qu'avons-nous fait? », indiquaient peut-être qu'il se sentait une part de responsabilité dans la mort de l'artiste. Buisson disait peut-être vrai; le frère Marcel aurait été impliqué dans cette horrible histoire. Mais pourquoi la peur, si soudaine? Et pourquoi l'appareil photo? Recelait-il un indice qui lui permettrait de comprendre ce qui s'était passé? Pour l'instant, une certitude : sœur Bernadette n'avait pas l'intention de laisser la police se mêler d'une vieille histoire qui devrait peut-être mourir dans l'oubli. Surtout que cette histoire n'avait peut-être jamais eu lieu! Non, elle allait faire enquête et laisser sa conscience la guider, le moment venu.

Elle ouvrit les yeux et s'aperçut que la supérieure avait quitté la pièce. Elle ramassa son cabas, quitta la chambre et s'engagea dans le couloir. Que faire maintenant? Si la police italienne décidait de faire enquête? Si on s'apercevait de la disparition de l'appareil? Si on le trouvait dans sa chambre, couvert de sang!? Le premier venu, *surtout* le premier venu, en déduirait que la bonne sœur avait frappé le frère Marcel avec l'appareil! On pourrait imaginer trop de choses. Garder l'appareil ici était risqué, mais que faire?

Au centre du couloir, sœur Bernadette entendit la voix des Québécois, tout près, qui descendaient l'escalier. Et celles, plus loin sur l'étage, de deux hommes et de sœur Guiliana qui approchaient. Elle leva les yeux pour voir Samuel tourner le coin.

– Ah! Bonjour, les garçons, lança-t-elle joyeusement. Vous allez prendre le train?

– Oui, départ dans moins d'une heure. Comment vous remercier?

– Oh! Ce n'est rien. J'aurais bien aimé vous garder ici, mais sœur Guiliana en a décidé autrement. Peu importe, vous verrez, *Assisi* est un endroit délicieux.

La sœur jeta un coup d'œil autour et demanda, d'une voix précipitée, en regardant son cabas, fermé par une sangle nouée:

– Je peux vous demander un service? J'ai ici un objet qui a une grande valeur sentimentale pour frère Pietro, que vous devez rencontrer à

Assise. J'aimerais que vous emportiez ce sac avec vous. Mais ne le lui remettez pas avant de m'avoir parlé. Vous m'appellerez une fois rendus.

Elle fourra le sac entre les bras de Samuel.

– Surtout, n'en parlez à personne, dit-elle avec un sourire entendu, et ne faites pas les indiscrets! N'allez pas voir ce qu'il y a là-dedans.

Les voix dans le couloir étaient maintenant toutes proches.

– Allez, filez! ordonna-t-elle en les poussant doucement vers le bas de l'escalier.

Les garçons se retrouvèrent devant la villa et prirent le chemin de la gare.

Pendant ce temps, les policiers s'entretenaient avec les sœurs Bernadette et Guiliana. Ils se rendirent dans la chambre du défunt, constatèrent le décès et notèrent la déposition de la Québécoise. Sœur Bernadette raconta de nouveau son histoire, omettant les détails relatifs à l'article de *La Presse* et à l'appareil photo. Pure formalité. Mort naturelle. Affaire inexistante. On laissa les services funéraires emporter le corps.

Sœur Bernadette se dit qu'elle avait paniqué. Elle aurait pu déposer son cabas dans sa chambre, tout simplement. Elle décida de tenter de rattraper ses deux messagers. Si elle pouvait récupérer le paquet immédiatement, prétextant avoir changé d'idée, tout serait bien plus simple. Elle demanda à Pepe de l'accompagner en voiture à la gare. Elle arriva sur le quai, à bout de souffle, pour voir le wagon de queue s'éloigner, cent mètres plus loin.

21

Le train sortait paresseusement de gare en direction est. Tenant leurs bagages entre leurs bras, les Québécois avançaient dans le couloir à la recherche d'une cabine libre. C'était un vieux train, encore courant en Europe dans ces années-là. Ce n'était pas pour déplaire aux deux amis, qui préféraient l'intimité d'une petite cabine fermée aux gigantesques espaces occupant tout un wagon où de longues rangées de sièges maintenaient pieusement entassés des dizaines de passagers silencieux et abrutis.

Aucune cabine n'était libre. Qu'à cela ne tienne, ils avaient déjà eu à gérer ce genre de situations depuis quelques semaines. Ils avaient trouvé un ou deux petits trucs.

Ils longèrent le couloir en sens inverse pour tomber, deux wagons plus loin, sur une cabine occupée par un homme seul, en complet-cravate, tenant une mallette de cuir sur les genoux. Chaque cabine était constituée de deux banquettes à trois places se faisant face. Au centre, face à la porte, une petite fenêtre permettait de voir le paysage défiler et d'aérer l'espace au besoin.

Ils poussèrent la porte avec leur sac et entrèrent

bruyamment, saluant l'homme en français au passage. Samuel posa son sac à dos tout près de l'homme, l'ouvrit et en sortit des vêtements qu'il entassa dans un coin en guise de coussin. Un caleçon se retrouva malencontreusement sur l'avant-bras du bonhomme, qui fit une moue de dégoût. Face à lui, Félix tentait de faire entrer son sac dans le petit compartiment à bagages situé au-dessus de la banquette, non sans pousser de nombreux jurons. Samuel s'assit finalement à côté de l'homme et écarta les genoux en une pose très décontractée. À un point tel que l'homme se tassa sur le siège pour s'en éloigner. Quant à Félix, il s'étendit littéralement sur la banquette d'en face. Il ramena les pieds vers le haut et entreprit de dénouer ses lacets. Samuel l'imita. Deux minutes plus tard, leurs chaussettes prenaient l'air sur le bord de la fenêtre et une odeur pestilentielle envahissait la cabine. L'homme se leva et passa la porte, sous les sarcasmes des compères. Mission accomplie!

Quelques minutes plus tard, le contrôleur vérifia leur billet. Les garçons pouvaient désormais prendre leurs aises. Ils mangèrent une galette de pain et plusieurs tranches de mortadelle, ainsi que quelques carottes croquantes qu'ils arrosèrent de vin rouge bu à grandes rasades. Ils terminèrent leur repas en fumant une généreuse cigarette, roulée à la main. Les deux amis, chacun étendu sur une banquette, discutèrent quelques minutes avant de s'endormir paisiblement.

Ils furent réveillés cinq heures plus tard par un cri et un coup frappé contre la porte de la cabine :

« *Pisa!* » Le train entrait en gare. Il ne fallait pas rater la correspondance pour Florence. La tête encore dans le coton, Samuel sortit de la cabine, suivi de Félix, qui laissa traîner son sac au sol, derrière lui. Ils descendirent sur le quai, où quelques lampadaires tentaient, sans grand succès, de faire obstacle à cette froide nuit de février. Ils suivirent le flot de passagers qui s'engouffrait dans un tunnel passant sous les rails. Soudain, Félix leva les yeux au ciel en se frappant le front :

– Merde! J'ai oublié le sac de sœur Bernadette dans le compartiment à bagages.

– C'est du propre... Bravo! répliqua Samuel.

– Du calme, je vais le chercher. Informe-toi donc du numéro du quai pour le prochain train. On se rejoint ici.

Sur ce, Félix laissa tomber son sac et courut à contresens du flot humain canalisé par les parois de béton. Il arriva à l'escalier et gravit les marches quatre à quatre, pour se retrouver sur le quai. Le train était toujours là, mais il n'aperçut âme qui vive. Il trottina vers le quatrième wagon et tenta d'ouvrir la porte : impossible. Poussant un juron, il marcha rapidement vers la seconde porte, à l'autre extrémité : verrouillée, elle aussi. Découragé, il se dirigea vers la locomotive. Il y trouverait certainement le chauffeur, qui pourrait l'aider à réparer son étourderie. Il essaya d'ouvrir les autres portes au passage, rien n'y fit. Un homme sortit de la locomotive au moment où il arrivait à la hauteur du second wagon.

– Baggagi? Baggagio? Baggage! lança-t-il en pointant un doigt vers le milieu du train.

L'homme le regarda, dubitatif, puis eut une moue réprobatrice. Il lui fit signe de le suivre. Félix marcha à ses côtés et s'arrêta devant la première porte récalcitrante. L'homme sortit une petite clé et déverrouilla la serrure. Il fit signe au jeune homme de monter et le suivit à l'intérieur. Félix avança dans le couloir vers le centre du wagon. Une fois vides, toutes les cabines semblaient identiques! La leur était nécessairement à sa droite. Il crut reconnaître une encoche sur une porte, qu'il ouvrit. Le porte-bagages était vide. Une sirène se fit entendre à l'extérieur. L'homme du train s'énerva et lança quelques phrases incompréhensibles sur un ton urgent, en pointant sa montre. Félix devint pâle. Il fallait absolument qu'il retrouve le sac avant que le train ne quitte la gare! Il sortit de la cabine en vitesse. L'homme tenta de le retenir en agrippant sa manche, mais elle lui glissa entre les doigts. Félix ouvrit la porte suivante. Hourra! C'était la bonne! Le cabas de sœur Bernadette trônait, seul, sur la tablette de bois au-dessus de la banquette. Félix s'en empara et pivota pour sortir dans le couloir. Le sac lui fut immédiatement arraché des mains par l'homme, qui lui bloquait le chemin. D'un air soupçonneux, il dit quelques mots en italien et commença à défaire la sangle qui maintenait le sac fermé.

« Branleur, pensa Félix. Bah... Ce n'est pas si mal. On saura peut-être ce qu'il y a là-dedans. »

Mais la sirène retentit une fois de plus et l'homme perdit tout intérêt pour le paquet. Il le remit à Félix en lui ordonnant de sortir au plus vite.

Félix rejoignit Samuel, assis sur une pile formée des sacs à dos, en plein centre du tunnel.

– Tu aurais pu prendre ton temps, dit-il posément. Notre train part seulement dans... trois minutes vingt-cinq secondes. À l'autre bout de la gare.

– Les portes étaient verrouillées! On a failli le perdre, répliqua Félix en montrant le cabas. Allez, aide-moi à mettre ça sur mon dos.

Samuel l'aida à enfiler son sac, puis se retourna pour que Félix l'aide à enfiler le sien. Ils se mirent à courir aussi vite qu'ils le purent, considérant les kilos qu'ils avaient sur les épaules.

Peut-être en raison de l'heure tardive, le train pour Florence était à moitié vide. Ils n'eurent aucun mal à trouver une cabine libre. Inutile de refaire le cérémonial de la chaussette; ils gardèrent les odeurs au fond de leurs souliers. Ils attendirent le passage du contrôleur pour allumer une cigarette. Samuel lança :

– On en a pour un peu plus d'une heure sur ce train, puis une autre petite heure sur un autre, et on est à Assise. Vers six heures du matin.

– Tu penses que saint François va nous attendre à la gare? demanda Félix.

– Je ne me fierais pas trop là-dessus, si j'étais toi. On va encore se les geler dehors à attendre *fra* Pietro.

Félix souleva le cabas et le désigna du regard.

– Tu sais que j'ai failli voir le contenu du sac de sœur Bernadette? dit-il.

– Comment ça?

– Un employé de la compagnie de train m'a

suivi dans le wagon tantôt. Quand j'ai retrouvé le paquet, il me l'a enlevé des mains. Il allait l'ouvrir, mais la sirène a retenti. Le train allait partir. J'imagine qu'il voulait s'assurer que c'était bien à moi.

– On devrait peut-être regarder de toute façon, proposa Samuel.

– Pas sûr... répondit Félix, ambivalent. Sœur Bernadette nous a spécifiquement demandé de ne pas le faire.

Samuel hocha la tête de gauche à droite et fit une moue découragée. Puis il prit un air pédagogue, avant de répondre :

– Peut-être, mais la réalité, c'est qu'on se promène en Italie avec un paquet dont on ignore le contenu. On a déjà vu des bonnes sœurs trimballer de la drogue, tu sais.

– Hum... fit Félix. C'est certain que ce n'est pas très prudent.

– Je dirais même plus, c'est imprudent.

– En fait, ce serait même un devoir de l'ouvrir pour s'assurer que tout est cachère, non?

– Passe-moi ça, dit Samuel en s'emparant du sac.

22

Samuel défit la sangle, écarta les rebords et jeta un œil à l'intérieur.

— Un journal, *La Presse*, laissa-t-il tomber, déçu, en inclinant le sac pour Félix.

— Mais encore? demanda Félix.

Samuel inséra la main dans le sac et tâta pour trouver autre chose. Il referma les doigts sur le journal et le sortit du sac. Il sentit quelque chose de lourd au milieu. Il le déposa sur la banquette et le déplia. Un vieil appareil photo apparut au centre d'un petit nid formé d'une tache brune. Du sang séché, de toute évidence. Instinctivement, les deux amis, stupéfaits, eurent un mouvement de recul.

Ils observèrent l'appareil photo en silence. Silence rompu par des bruits de pas dans le couloir.

— Range ça tout de suite! lança Félix. Quelqu'un peut entrer ici à tout moment!

Samuel referma le journal et le remit dans le cabas. Les deux garçons reculèrent chacun sur leur banquette, le dos appuyé contre le dossier, le corps raide.

— Pour être original, murmura Samuel, disons que ça ne sent pas très bon...

— Du sang, mon vieux, chuchota Félix. Une

sœur! Un paquet pour frère Pietro? Qu'est-ce que c'est que cette histoire-là?

— Je n'en sais foutre rien... Avec le type qui voulait nous faire faire de la contrebande de voitures à Paris, je croyais qu'on avait atteint le sommet... ou le fond.

Félix posa le plat de la main sur sa tête, songeur.

— Attends! Tu te rappelles, quand on est sortis de la villa hier...

— ... la voiture de police garée dans l'entrée! termina Samuel. Il venait peut-être tout juste de se passer quelque chose de louche. Et la Bernadette, qui nous pousse presque dans l'escalier...

— Ça-ne-tient-pas-la-route...

Samuel prit le sac.

— Un objet qui a beaucoup de valeur, qu'on enverrait porter dans un cabas bien ordinaire, fermé par une petite sangle, entre les mains de deux étrangers? Sœur Bernadette, c'est de la frime.

— Non, non! Je ne peux pas y croire. Au premier regard, tu vois bien que cette femme-là, c'est un grand cœur sur deux pattes.

— Un grand cœur qui a du sang sur les mains, oui, répliqua Samuel, amer.

— Il doit bien y avoir une explication.

Samuel dévisagea son ami dont la grande naïveté commençait à sérieusement lui taper sur les nerfs.

— Même s'il y en avait une... Comment trouves-tu ça, Félix, quelqu'un qui te remet un paquet contenant un appareil photo ensanglanté?

On a l'air de quoi si la police met son nez dans le sac qu'*on* transporte ici, en pays *étranger*?

— Justement! Moi, je ne veux pas être impliqué dans quelque chose de louche. Avant de se faire prendre, on serait mieux d'y aller, à la police. Sœur Bernadette n'a sûrement rien à se reprocher.

— Pas question d'aller à la police! Vieux, tu veux passer un mois en tôle, ici, en attendant qu'on boucle l'enquête? Pas moi!

Félix reconnut que la perspective ne l'enchantait pas beaucoup.

— Ouais... tu as raison, dit-il. Mais qu'est-ce que tu proposes? Qu'on s'en débarrasse dans une poubelle?

— Pas mieux. Parce que si un crime a été commis et qu'on détruit des preuves, on risque de mal dormir la nuit. Non. Pourquoi on ne l'appelle pas, sœurette? On lui demande des explications. Si ça ne colle pas, on cache le paquet quelque part, on quitte le pays et on appelle la police.

— Encore de la grande magouille, du Samuel tout craché.

— Ouais!

Arrivés à la gare, les deux amis descendirent du train et achetèrent deux cappucinos à l'un des cafés de la gare. Ils avaient résolu de ne pas se rendre à Assise, mais de rester à Florence, le temps de passer un coup de fil à sœur Bernadette. Ils ne l'appelleraient pas avant huit heures, pour ne pas éveiller les soupçons de ses coreligionnaires.

Huit heures vinrent vite, trop vite au goût des deux camarades. Ils firent de la monnaie et trouvèrent un téléphone public. Debout de chaque côté de l'appareil, ils semblaient attendre que l'autre passe à l'action. Nul ne bougeait. Au grand soulagement de Félix, Samuel prit le combiné. Mais ce fut pour le lui tendre, en disant :

– Bon, tu es prêt? Vas-y.

– Comment, « vas-y »? répondit Félix, en reculant d'un pas.

– Vas-y, vas-y, c'est tout. Appelle. Prends le téléphone, compose le numéro, parle à Bernadette.

– Pourquoi ce serait moi? Ce n'est pas *ton* idée de l'appeler? Et puis, c'est bien à toi qu'elle a remis le paquet, non?

– Ah! parce que je suppose qu'on n'est pas tous les deux là-dedans? demanda Samuel, irrité.

– Justement, vas-y!

– Félix, appelle donc, toi. Tu es meilleur que moi pour négocier.

– Je suis peut-être meilleur quand c'est le temps d'être gentil, mais dans le rôle du méchant, Samuel, tu es plus crédible. Et là, ce n'est pas un gentil qui doit appeler, c'est un méchant...

– Ouais... Peut-être, hésita Samuel. On pourrait revenir à ton idée de se débarrasser du paquet dans une poubelle?

– Non, répondit Félix. Tu avais entièrement raison. On aurait de la misère à se regarder dans le miroir. Allez, courage. Vas-y, mon vieux.

« La flatterie est une arme terriblement efficace », se dit Félix en voyant fondre la résistance de son compagnon de voyage.

– Bon, se résigna ce dernier. Pour lui dire quoi?

– Qu'on a ouvert le paquet. Qu'on sait ce qu'il y a dedans. Que c'est louche. Qu'on veut une explication. Maintenant. Sans quoi, on devra remettre le paquet à la police.

Samuel regarda le combiné, qu'il raccrocha. Il inspira profondément et expulsa l'air de ses poumons comme pour chasser la nervosité. En apparence sûr de lui, il reprit le combiné et composa le numéro inscrit dans son carnet de notes. On lui répondit en italien et il demanda sœur Bernadette. Après quelques minutes, celle-ci répondit, en français :

– Bonjour! Sœur Bernadette à l'appareil.

– Sœur Bernadette? Samuel. Je suis avec Félix.

– Ah! Samuel! Cher Samuel. Avec Félix! Alors, les garçons, où êtes-vous rendus? J'ai parlé au frère Pietro tantôt. Il n'a pas eu de vos nouvelles. Êtes-vous arrivés à Assise?

– Non, nous sommes toujours à Florence.

Sœur Bernadette sentit la froideur de sa voix. Ils avaient sans doute ouvert le paquet, comme elle l'avait craint. Mais ces craintes étaient arrivées trop tard. Elle allait devoir improviser.

– Ah! bon, tant mieux. Enfin, c'est qu'il est préférable que vous n'ayez pas encore vu le frère Pietro. C'est ce paquet, vous savez, celui que je vous ai remis à votre départ de la villa? C'était une mauvaise blague. Une très mauvaise blague, en fait. J'avais préparé une espèce de mise en scène pour lui jouer un tour. Je veux tout de même lui offrir en cadeau le contenu du paquet, mais je le lui remettrai moi-même. Et pas dans cet état. Vous pourriez peut-être mettre mon cabas dans une boîte et me l'envoyer par la poste ce matin?

— Justement, au sujet de ce paquet, on a dû l'ouvrir, répondit Samuel.

— Oh! désolée... Je vous ai peut-être inquiétés avec mon macabre maquillage. Une très mauvaise blague, comme je disais...

— Nous avons vu la voiture de police hier soir en quittant la villa. Vous étiez tendue. Et maintenant, cet appareil photo maculé de sang.

— Non! Vous faites erreur. Je peux tout vous expliquer...

— J'allais tout remettre à la police, mais Félix croit que c'est un malentendu. Il croit que vous n'avez rien à vous reprocher. Je voudrais bien y croire moi aussi, mais il nous manque trop d'éléments pour nous faire une idée là-dessus...

Sœur Bernadette réfléchit en accéléré. Elle pouvait continuer à frimer, mais elle sentait que ce serait peine perdue. Ces deux jeunots la faisaient chanter! Comment expliquerait-elle à la police qu'elle n'avait rien à se reprocher, une fois qu'on aurait confirmé que le sang sur l'appareil était bien celui du frère Marcel? Elle avait commis l'erreur de remettre le paquet aux deux garçons. Ils l'avaient ouvert. Ils ne se contenteraient pas d'une explication à la sauvette. Elle devait récupérer l'appareil. Elle devait également s'assurer de leur silence, au moins pendant un certain temps. Le temps qu'elle fasse sa petite enquête et décide de la suite de cette histoire.

— Vous avez assez d'argent pour revenir à Bordighera? demanda-t-elle.

— Je crois que oui, répondit son interlocuteur.

— Prenez une chambre à l'hôtel Della Mare, juste à côté de la gare. Je vous y rejoindrai demain midi. Ne sortez pas, qu'on vous voie le moins possible dans les environs. Il me serait difficile d'expliquer à mes consœurs que vous êtes revenus par ici. Je vais tout vous expliquer.

— D'accord, fit Samuel, mais pas d'entourloupettes, sœurette.

— Petit con! lâcha la sœur pour elle-même avant de raccrocher.

Samuel reposa le combiné et s'appuya contre l'appareil. Il aurait bien voulu crâner, mais en fut incapable. S'il avait pu garder son calme tout au long de la conversation, la tension lui faisait maintenant frémir tout le corps. À côté de lui, Félix affichait un large sourire.

— Sam, tu l'as fait! Tu l'as fait! dit-il fièrement.

Samuel réussit à sourire.

— Bon, alors? demanda Félix. Qu'est-ce qu'elle a dit?

Samuel relata sa conversation avec la sœur. Elle leur avait donné rendez-vous le lendemain midi dans un hôtel près de la gare, à Bordighera. Cette perspective n'avait rien de rassurant pour Félix, qui avait vu quelques films d'espionnage. « Les chambres d'hôtel sont comme les ruelles sombres », se disait-il. Le lieu idéal pour les traquenards.

— J'aimerais mieux la rencontrer en public, dit-il finalement. Au restaurant ou dans le grand parc au bord de l'eau, tiens.

– On s'est entendus pour l'hôtel. Elle va nous y rejoindre.

– O.K., mais imagine qu'elle ait vraiment quelque chose à se reprocher. On détient peut-être une preuve incriminante. Qu'est-ce qu'elle serait prête à faire pour la récupérer?

– C'est vrai, c'est risqué, admit Samuel, dont l'estomac se noua.

– On dépose le paquet en consigne, dans un casier. On laisse un message au comptoir de l'hôtel. On l'attend dans le parc.

Samuel approuva. Ils mirent leurs sacs sur leurs épaules et se rendirent à la billetterie.

23

À la réception du Della Mare de Bordighera, la propriétaire posa une enveloppe sur le comptoir devant sœur Bernadette.

– On m'a demandé de la remettre à une grande et grosse sœur qui viendrait s'enquérir de la présence de deux jeunes Québécois. Ils sont bien gentils, ces petits, vous ne trouvez pas?

Sœur Bernadette lui lança un regard noir et sortit dans la rue. Elle ouvrit l'enveloppe.

Rendez-vous à 12 h 20 à l'extrémité ouest de l'allée de bocce[3], *près de la plage.*

Elle referma l'enveloppe et la fourra dans sa poche, en poussant un soupir exaspéré. Quelques minutes plus tard, elle entrait dans le parc. Deux cents mètres plus loin, Félix et Samuel attendaient en jetant des regards nerveux aux alentours. Devant eux, une vingtaine de vieillards et quelques hommes plus jeunes étaient agglutinés à chaque extrémité de l'allée de pétanque, baignée par l'ombre des arbres et le vent méditerranéen. Chacun commentait haut et fort la stratégie et la technique des quatre joueurs. Les deux Québécois

3. *Pétanque italienne.*

étaient surpris qu'ils n'en soient pas venus aux coups, tant les échanges étaient enflammés. Mais ces engueulades étaient autant partie du jeu que le *pallino*[4] lui-même.

Sœur Bernadette arriva près des deux garçons et tous trois marchèrent vers la plage. Félix et Samuel jetaient un œil derrière eux de temps à autre, pour s'assurer de ne pas être suivis. Sœur Bernadette commença :

— Je vois que vous n'avez pas apporté le paquet.

— Mesure élémentaire de prudence, répondit Samuel froidement.

— Par où commencer? reprit la sœur. Disons simplement que j'ai été mise au courant d'événements qui pourraient gravement entacher des réputations. Le frère Marcel semblait avoir des informations à propos de ces événements. Il est mort à la villa il y a deux jours, d'une crise cardiaque. Avant de mourir, il s'est emparé de l'appareil photo, puis a fait une chute au sol. Il s'est blessé au visage et du sang s'est répandu sur l'appareil. J'ai cru que cet appareil pouvait constituer un indice ou en receler un. Je m'en suis emparé. Quand la police est arrivée, j'ai eu peur. J'ai cru que les policiers trouveraient louche que je sois en possession d'un objet lui appartenant. Je vous l'ai remis in extremis.

— C'est louche, en effet, dit Félix.

— Je dois récupérer l'appareil et poursuivre ma petite enquête. S'il y a lieu, j'irai trouver la police.

---

4. *Cochonnet.*

Mais je ne veux pas risquer de salir des gens qui ne le méritent pas.

— Pas suffisant, laissa tomber Samuel. Il nous en faut plus, beaucoup plus.

— Écoutez, les garçons. Cessez de jouer aux petits durs ou aux redresseurs de torts. Poursuivez votre voyage et profitez de la vie! Laissez-moi avec cette histoire.

— Trop tard, répondit Félix. Nous sommes dedans, maintenant. Vous voulez l'appareil, nous voulons la vérité. On ne pourrait vous remettre l'appareil sans être absolument certains que vous n'avez rien à vous reprocher. Je veux croire en votre bonne foi, mais il faut nous en dire plus pour nous convaincre.

Sœur Bernadette sentit monter en elle un profond découragement. Elle ne manquait ni de cran ni de caractère. Elle avait démontré sa force et sa ténacité à de nombreuses reprises, mais cette histoire la poussait en terrain inconnu. Elle sentait bien que les deux garçons ne lui remettraient pas l'appareil. Or, pour l'instant, c'était son seul espoir de progresser vers la vérité. De plus, la peur aperçue sur le visage de frère Marcel s'était insinuée en elle. Ses dernières défenses cédèrent.

— Pendant plusieurs mois, j'ai été la confidente du comédien bien connu Albert Buisson, commença-t-elle. Il était très malheureux. Selon ses dires, sa vie personnelle n'avait été qu'une suite morbide d'excès de toutes sortes. Il n'arrivait pas à trouver la paix. À la mi-janvier, il est passé me voir une dernière fois. Il m'a raconté une histoire terrible...

Buisson étudiait au Collège, dans les années 1950. Au cours de sa deuxième année là-bas, en 1956 et 1957, avec trois autres étudiants, il aurait participé à des séances orgiaques, pédophiles et homosexuelles organisées par un frère de l'établissement. Selon Buisson, des gens fortunés de la région, masqués, payaient cher pour y participer. Un second frère, plus âgé, était présent à titre de photographe. Contrairement au premier, il ne participait jamais aux échanges, ne touchait jamais aux jeunes. Il faisait des photos qui étaient revendues à travers le monde, à gros prix. Les quatre jeunes et le frère qui organisait les séances portaient toujours un loup lorsque des photos devaient être prises. Les quatre étudiants avaient été recrutés par le plus jeune frère. Ils participaient volontairement aux séances, en échange de divers avantages : responsabilités et liberté au sein de l'établissement, dollars déposés dans des fonds accessibles à l'âge adulte, promesse d'être admis dans n'importe laquelle des facultés de l'Université, en plus d'appuis financiers éventuels pour des projets personnels. Le plus jeune frère aurait recruté un cinquième garçon, qui aurait participé à une seule séance, la dernière du groupe. À la fin de la soirée, il se serait enfui en menaçant de tout révéler. Un des participants serait parti à sa suite pour le raisonner. Le cinquième garçon ne serait pas revenu ce soir-là, mais son corps aurait été retrouvé quelques jours plus tard, flottant sur la rivière Saint-François. La dernière fois que j'ai rencontré Buisson, il avait décidé de raconter son histoire publiquement. Il jugeait qu'on avait abusé d'eux. Mais il comptait d'abord en parler aux trois autres, pour qu'ils passent aux aveux avec lui. « Des gens importants », disait-il, qu'il ne serait pas facile de convaincre. J'ai tenté de l'en dissuader, avoua-t-elle. Je ne croyais pas vraiment à son histoire. Je me disais que, de toute manière, tout cela avait eu lieu il y a bien longtemps. Vous savez, on a beaucoup sali l'Église au cours des dernières années. C'est bien de révéler les histoires sordides pour empêcher qu'elles ne se poursuivent ou se répètent. Mais on ne peut refaire le passé. Toute cette mauvaise publicité a beaucoup nui aux œuvres catholiques et à leur financement, partout à travers le monde.

Samuel et Félix restèrent sans mot dire. Sœur Bernadette laissa son regard errer au-dessus des flots. Samuel rompit le silence :

– Quel est le lien entre la Villa Larezo, cet appareil photo et ce qui se passe aujourd'hui? demanda-t-il.

– Je n'ai plus revu Buisson, sauf à la télé. Puis, j'ai été envoyée ici. À l'aéroport, je suis tombée sur la une de *La Presse*. On a retrouvé le corps de Buisson pendant au bout d'une corde, chez lui. Suicide, ont conclu les policiers. J'étais bouleversée. Il m'avait fait confiance. Et je l'ai peut-être laissé tomber au moment où il avait le plus besoin de moi.

Elle fit une pause.

– D'un autre côté, poursuivit-elle, peut-être fabulait-il? Rien ne prouve que ce qu'il m'a raconté soit vrai... Arrivée ici, j'apprends qu'un vieux frère de Sherbrooke, le frère Marcel, qui enseignait la photographie au Collège au moment des événements, loge à la villa. Magnifique coïncidence! Je décide de tenter le coup et de lui mettre la une sous le nez, pour voir sa réaction. Il tombe alors sous le choc et des larmes se mettent à couler sur ses joues. Il dit: « Albert Buisson. Seigneur! Qu'avons-nous fait... » Puis il poursuit la lecture de l'article. Et, d'un coup, sa douleur se change en terreur. Je vois la peur dans son regard. Il semble étouffer. Il tente de parler, mais aucun son ne sort de sa bouche. C'est là qu'il saisit l'appareil photo. La suite est telle que je vous l'ai racontée. Voilà.

De nouveau, le silence s'installa entre eux: sœur Bernadette surfant entre ses principes, sa loyauté envers les œuvres de l'Église et sa culpabilité; les deux garçons se jouant et se rejouant le récit pour être certains d'en comprendre toutes les facettes. Samuel rompit le silence:

– La réaction de Marcel laisse croire qu'il s'est bien passé quelque chose au Collège, dans les années 1950. Et Marcel semble avoir été impliqué. Pourquoi ne pas aller trouver la police maintenant?

– Parce que je veux savoir de quoi il retourne avant de déclencher un autre scandale, répliqua la sœur. Pour le moment, il n'y a ni crime ni témoin, que des suppositions.

– On pourrait regarder l'appareil photo de plus près, proposa Félix.

Les autres acquiescèrent.

Voilà comment les garçons plongèrent dans une intrigue aussi sordide qu'embrouillée.

24

Sœur Bernadette, Samuel et Félix récupérèrent le cabas à la consigne et montèrent à la chambre. Sœur Bernadette se rendit à la salle de bain et revint avec une boulette de papier humide.

— Voyons voir cet appareil photo, dit-elle. C'est peut-être la clé de toute cette affaire.

Sur quoi, elle sortit l'appareil et essuya le sang séché sur le boîtier. Elle le fit ensuite tourner entre ses doigts pour observer toutes ses facettes. Elle sentait bouger un objet à l'intérieur chaque fois qu'elle changeait l'angle de l'appareil. Elle poussa un bouton, et le panneau au dos du boîtier s'ouvrit. Elle inclina l'appareil vers la fenêtre pour mieux voir à l'intérieur. Au fond du compartiment à pellicule brillait un objet rond. Elle le prit entre ses doigts et le porta à la hauteur de ses yeux. Il s'agissait d'une bague dorée gravée d'une croix, derrière laquelle brillait un soleil stylisé rappelant l'iconographie médiévale.

— Une bague magique? demanda Félix, sourire en coin.

— Montrez-moi, dit Samuel en tendant la main.

Il prit la bague qu'il observa attentivement.

— Avec la croix, on dirait bien un symbole

religieux. Pourquoi pas le sigle d'une société secrète? Ça vous dit quelque chose? demanda-t-il à sœur Bernadette en donnant la bague à Félix.

— Non, répondit-elle. J'ai vu bien des symboles religieux au cours de ma vie, mais celui-ci ne me rappelle rien de particulier. Attention, je ne suis pas une spécialiste en iconographie religieuse.

— De toute manière, ce symbole-là n'appartient pas nécessairement à un ordre religieux spécifique, non? lança Félix. C'est peut-être simplement une gravure sans signification précise. Je veux dire : on n'est pas nécessairement devant le grand mystère du second millénaire...

Sœur Bernadette poursuivit son examen de l'appareil, sans rien trouver d'intéressant.

— On n'est pas beaucoup plus avancés, laissa-t-elle tomber, dépitée.

— Voyons le journal, proposa Samuel. Vous avez dit que Marcel avait paniqué à la lecture de l'article. C'est peut-être là que se trouve l'explication?

Félix posa le journal sur le lit et tous trois se mirent à lire en silence, passant aux pages intérieures lorsqu'ils eurent terminé la première partie de l'article à la une.

Sœur Bernadette exhala un profond soupir.

— À moins que quelque chose ne m'échappe, je ne vois rien là-dedans qui puisse nous aider. Prochaine étape, tenter de trouver à quoi peut bien être associée l'image sur la bague. Je devrais pouvoir faire quelques recherches à la bibliothèque du Vatican. Je dois m'y rendre dans deux semaines. De votre côté, vous pourriez jeter un œil au Collège?

Les deux amis virent s'ouvrir une brèche. Complices, ils y entrèrent sans ménagement.

— Pour ça, il faudrait qu'on soit à Sherbrooke, répliqua Félix.

— Et le voyage de retour peut être *long*, ajouta Samuel. Surtout en stop. On a bien des billets de retour, mais on doit prendre l'avion à Bruxelles...

— Autrement dit, en déduisit sœur Bernadette, agacée par leur petit jeu, il vous faudrait des subsides pour rentrer au pays?

— Ce n'est pas absolument nécessaire, commença Félix, ironique. Mais puisque vous l'offrez si généreusement...

— Au fond, renchérit Samuel, le coût du train, deux nuits à l'hôtel et un *per diem* alimentaire pour deux jours devraient suffire, non?

— Je crois que ce serait largement suffisant, acquiesça sœur Bernadette en fronçant les sourcils.

Ainsi fut réglée la question du retour. Nul besoin d'en discuter plus longuement, les deux amis n'y tenaient plus. Ils avaient foulé le sol du vieux continent et transporté leurs états d'âmes sur les routes belges, françaises et italiennes, sans pour autant découvrir le sens de l'existence... À un détail près, cependant: ils avaient compris que le mouvement est un bon antidote à l'ennui, mais que même le mouvement lasse.

Poussés par l'enthousiasme de participer à une enquête et la perspective de donner, peut-être, un sens à leur vie, même de façon temporaire, les garçons consentirent aisément à garder le secret sur l'affaire, du moins pour quelque temps encore.

Par mesure de précaution, ils brûlèrent les pages ensanglantées du journal au-dessus de l'évier de la salle de bain. Sœur Bernadette se rendit à la banque et obtint des devises italiennes, françaises et belges. Elle jeta au passage, dans une poubelle publique, le reste de *La Presse*.

La nonne fit un croquis de la gravure, que les Québécois emporteraient avec eux. Ces derniers décidèrent d'un itinéraire de retour, puis ils prirent le train pour Bruxelles. Ils avaient prévu un arrêt à Nice, question de flamber quelques-uns des francs de sœur Bernadette au Négresco, casino aperçu lors de leur passage dans la ville.

De retour à Bruxelles, les deux amis passèrent un coup de fil à Thomas, le type qui les avait pris en stop à l'arrivée et leur avait fait promettre de lui donner des nouvelles au retour. Il les invita chez lui et organisa une petite fête impromptue. Mot d'ordre aux copains : apporter une variété de bières belges pour initier les Québécois en visite.

Habitués à la *Budweiser*, brassée à l'américaine, les deux profanes s'initièrent rapidement aux délices maltées et houblonnées des bières belges. Ils tolérèrent les gueuzes et les lambics, avec la *Mort Subite*, la *Cantillion* et la *Lindemans*; ils préférèrent les trappistes avec la *Chimay* et l'*Orval*; ils trouvèrent des airs de famille à la *Stella Artois* et à la *Cristal*, première pils apparue en Belgique, selon leurs hôtes; ils en pincèrent pour les *Leffe*, *Maredsous*, *Duvel* et *Ter Dolen Triple*, des bières d'abbaye, et ils adoptèrent sans retenue la *Hoegaarden* et la *Blanche de Bruges*.

Tous firent bombance, burent sans retenue, décrétèrent l'alliance québéco-belge éternelle et se jurèrent amitié à jamais. Samuel s'endormit entre les seins généreux d'une Bruxelloise et Félix dans les bras marron d'une jeune femme d'origine algérienne. Après deux mois de plaisirs solitaires et d'occasions manquées, les deux amis goûtaient enfin les plaisirs charnels partagés. Au moins, ils n'auraient pas à mentir aux copains!

Le retour se fit sans trop de turbulences. L'avion atterrit à Mirabel et ils prirent la navette jusqu'au terminus Berri-UQAM, à Montréal, puis un autobus jusqu'à Omerville, non loin de Sherbrooke, où habitait la mère de Samuel. Les deux amis arrivèrent sans prévenir, provoquant la surprise, la joie et moult questions. Lorsque l'excitation baissa d'un cran, ils se préparèrent un énorme spaghetti sauce à la viande et s'endormirent à cinq heures du matin, après avoir visionné tous les épisodes manqués de la populaire série *Lance et compte*, généreusement enregistrés par maman.

DEUXIÈME PARTIE

25

Le retour au pays marqua le début d'une période courte, mais intense, de réjouissances. Accueillis presque en héros, comme des êtres à part qui avaient osé s'écarter du droit chemin tracé par la vie pour partir à l'aventure, Samuel et Félix firent les paons pendant tout le mois de mars.

Ils racontèrent abondamment leur périple, accentuant, au besoin, autant la hauteur des obstacles rencontrés que les actes de courage qui avaient été nécessaires pour les franchir. Ils avaient convenu de ne rien dire au sujet de l'affaire Buisson et, de fait, ils en vinrent à l'oublier pendant un temps.

Les fêtes amicales, dans les bars où ils avaient eu leurs petites habitudes avant le grand voyage, succédaient aux rencontres familiales. Partout ils suscitaient grand intérêt, notamment auprès des ex-copines. C'est ainsi qu'Hélène flirta avec Félix, qui savoura son odeur quelques fois encore avant de comprendre qu'il ne l'aimait plus. Et que Marie chercha les bras de Samuel, qui trouva finalement quelques vertus à Loulou, puis à Anik, Geneviève, Michèle...

Mais la carrière de coqueluche n'offre pas de perspectives d'emploi stable et, surtout, elle s'avère peu rémunératrice. Il advint que l'intérêt de leur entourage pour les deux garçons s'estompât en même temps que ceux-ci se retrouvaient sans le sou. Heureusement, les mamans acceptaient toujours de les héberger et les papas toléraient, non sans occasionnelles remontrances, qu'ils éclusent quelques-unes de leurs bières en leur absence, pour meubler les après-midi de désœuvrement.

L'oisiveté ne pouvait toutefois pas durer et Félix comme Samuel se mirent à chercher un emploi. Ce dernier trouva du travail, une vingtaine d'heures par semaine, à la radio locale. Il prit la barre d'une émission, diffusée tard en soirée, sur les chansonniers québécois. Son amour des poètes du terroir trouva quelques échos et les cotes d'écoute bondirent sensiblement.

Quant à Félix, il contacta Gilbert Tardif au bureau de circonscription du ministre de l'Environnement. Paul Rivest dominait la course officiellement lancée à la direction du Parti libéral. Comme Félix montait à bord d'un train en marche, on ne lui offrit qu'un job de coordonnateur à temps partiel. Son travail consistait à organiser diverses actions politiques afin de susciter l'adhésion des jeunes au parti et d'obtenir leur vote à la convention prévue en juin.

Malgré tout restait une forme de silence, de solitude qui ne quittait jamais les méandres de leur âme à la dérive. La sensation d'être un navire, sans voiles ni gouvernail, perdu au beau milieu de l'océan. Un espace de vide morbide, petit, mais affamé, qui ne trouvait satiété que dans le regard amoureux de l'autre, la femme ou la mère, ou encore dans les aventures imaginaires où pouvait enfin briller le héros.

Ils en étaient donc là, un lundi matin, lorsqu'ils se rencontrèrent au Café Blabla. Félix venait de commander un café au lait lorsque Samuel passa la porte.

— *Ciao amigo*! lança Félix. Bien dormi?

— Bien, mais pas assez longtemps, répondit-il en s'asseyant. Élisabeth est venue me rejoindre à la station hier, vers minuit.

— Ah! Et vous avez discuté toute la nuit de la contribution des chansonniers québécois à la chanson francophone, je parie? Bande d'intellectuels dépravés.

Samuel fit signe à la serveuse de lui apporter la même chose qu'à son copain. Il raconta ses aventures, puis il en vint à l'affaire Buisson. L'image de sœur Bernadette s'imposa à l'esprit de Félix.

— Ça t'arrive de penser à Bernadette et à l'affaire Buisson? demanda-t-il à Samuel.

— Pas trop.

— Moi non plus. En fait, je n'y avais pas pensé depuis le retour. Tu te souviens de là-bas? On voulait enquêter! Maintenant, bof... Pourtant, à Bordighera, ça semblait tellement vrai, tellement important!

Le café arriva. Acide, juste ce qu'il faut. Épicé, un petit goût de cacao. Onctueux, chaud, délicieux!

— Ça, dit Samuel, c'est une histoire tellement tirée par les cheveux qu'on en perd le poil sur les orteils, si tu veux mon avis. Au fond, qu'est-ce qui dit qu'elle ne nous a pas menés en bateau? À part le suicide de Buisson, elle a peut-être tout inventé. Même la mort du frère Marcel. On a bien vu une voiture de police, mais c'est tout.

— Hum... La thèse de la folle, ou de la mystique, avec ses sigles religieux.

— D'un autre côté, rien n'empêcherait qu'on jette un œil à la bibliothèque du Collège. Qui sait, peut-être qu'on trouvera un dessin semblable à celui qui est gravé sur la bague trouvée dans l'appareil photo.

— Bravo! Belle figure libre! Un beau cent quatre-vingts degrés! En patin artistique, je t'aurais donné une note parfaite là-dessus.

— N'est-ce pas?

C'est ainsi que le désœuvrement replongea les deux amis dans l'affaire Buisson. Pour le meilleur ou pour le pire.

26

La bibliothèque était silencieuse. Peu d'étudiants s'y trouvaient. Les deux compères se dirigèrent vers le comptoir de prêts. La vieille dame les reconnut immédiatement. Ils lui avaient donné pas mal de fils à retordre au cours des sept années et demie passées au collège. Elle les accueillit tout de même avec le sourire.

Samuel lui indiqua qu'ils souhaitaient trouver une image vue lors de leur voyage en Europe. Ils croyaient qu'elle avait un lien avec l'Église catholique, avec l'ordre qui avait fondé le Collège ou avec le Collège lui-même.

La vieille dame leur fit signe de la suivre et ils traversèrent la bibliothèque. Elle balayait les rayons du regard et, de temps à autre, en tirait un volume qu'elle chargeait sur leurs bras. Au bout de quelques minutes, ils tenaient chacun une pile de documents de quarante centimètres.

– Si vous devez trouver quelque chose, dit-elle, c'est sans doute là-dedans que vous trouverez. Amusez-vous bien!

Déjà découragés devant la tâche à accomplir, ils marchèrent vers une table de travail et s'y installèrent. Samuel posa la reproduction de l'illustration sur la table entre eux et ils se mirent au travail. À mesure qu'ils tournaient les pages, leurs pensées s'envolaient vers l'Italie; ils revivaient le départ précipité de Bordighera, revoyaient l'appareil photo ensanglanté et se remémoraient la confession de sœur Bernadette. Ils recommençaient à y croire. Et si c'était vrai? se disaient-ils.

Leur déception n'en fut que plus grande lorsque, vers quatorze heures, ils fermèrent le dernier volume sans avoir trouvé quoi que ce fût. L'enthousiasme était au plus bas lorsque Félix pensa aux mosaïques des diplômés, poussiéreuses, qui meublaient les murs des couloirs du Collège, près du laboratoire de chimie.

— Tu savais, toi, que Buisson avait étudié ici?

Samuel hocha la tête de gauche à droite.

— On pourrait aller voir de quoi il avait l'air sur les photos au troisième, tu te souviens?

— Ouais, on n'a rien à perdre. Selon Bernadette, ça se serait produit pendant l'année scolaire 1956-1957 dans la cohorte de deuxième année. Buisson aurait eu son diplôme trois ans plus tard, en 1960. Allons voir.

Ils arpentèrent les couloirs pendant une quinzaine de minutes avant de trouver une série de grands tableaux blancs encadrés sur lesquels étaient disposées les photos des diplômés du Collège. Ils s'arrêtèrent devant celui de 1960. Les photos étaient placées en ordre alphabétique.

Ils cherchèrent des yeux, observant attentivement chacune des photos et le nom inscrit en dessous. Rien. Ils se regardèrent, incrédules, puis passèrent de nouveau les photos en revue. Rien n'y fit. La photo de Buisson ne s'y trouvait pas! Ils étendirent leurs recherches de 1955 à 1961. Toujours rien. Ils ne purent aller plus loin: les années ultérieures à 1961 devaient se trouver ailleurs. Peu importait...

La colère les gagna. Ils se sentaient maintenant tout dégonflés après le regain d'intérêt qu'ils avaient eu pour l'affaire. Mais surtout, ils étaient humiliés de s'être fait avoir, en grand.

– La petite sœur Bernadette, lâcha Samuel. Un grand cœur sur pattes, hein, Félix?

– La vieille hypocrite! Pourquoi nous faire croire que Buisson a étudié ici? Pourquoi toute cette histoire?

– Pour masquer autre chose. Il fallait que son récit soit crédible. Le Collège, le frère Marcel, un ancien d'ici.

– Oui, mais pourquoi? Elle n'a quand même pas tué un petit vieux à coups d'appareil photo.

– Je ne sais pas. Mais si son objectif était de le récupérer, l'appareil, c'est fait. On s'est laissé embarquer comme des amateurs.

Leur conversation fut interrompue par l'arrivée de l'appariteur du laboratoire de chimie. Ils reconnurent l'homme, qu'ils saluèrent. Puis ils quittèrent les lieux.

– Tu as encore le numéro de Bernadette? demanda Samuel.

– Oui, à la maison. Tu as l'auto?

Samuel fit oui de la tête.

Ils s'engouffrèrent dans la vieille Renault Fuego

de Samuel. La plainte des amortisseurs leur rappela qu'ils avaient pris quelques kilos depuis leur retour d'Europe. La voiture roula une dizaine de minutes et Samuel la gara dans l'entrée chez Félix. Il était près de trois heures de l'après-midi. Fin de soirée à Bordighera. Bon moment pour appeler sœur Bernadette.

Félix composa le numéro. Après un long moment d'attente et plusieurs sonneries, une voix féminine répondit, en italien. Félix demanda sœur Bernadette. Il répéta le nom plusieurs fois, sans que l'autre semble comprendre. Irrité, il raccrocha, croisant le regard interrogateur de Samuel.

– Elle ne comprenait rien.

– Elle ne voulait pas comprendre. Elle a peut-être reçu pour consigne de bloquer les appels provenant de jeunes francophones?

Félix haussa les épaules.

– Je ne sais pas comment c'est pour toi, mais moi, j'en ai assez. Je fais une croix là-dessus. Fini, terminé, basta!

Samuel était du même avis.

Ce dernier partit préparer son émission du soir à la station de radio, tandis que Félix trouvait refuge dans *Le Prince*, de Machiavel.

27

Mardi matin, Félix reçut un appel de Gilbert Tardif, qui l'invita à luncher à la Falaise Saint-Michel, le resto français haut de gamme en ville. Le bras droit de Paul Rivest arriva à midi pile. Toujours débordé, il gardait néanmoins l'air calme de celui qui reste en plein contrôle en toutes circonstances. C'était sans doute vrai. L'homme préservait un certain espace entre sa vie émotive et son travail. Il faisait de son mieux, ce qui était beaucoup. Pour le reste, il laissait à la vie le soin de s'occuper de ce qu'il ne pouvait changer. Plusieurs voyaient en lui un gestionnaire froid et calculateur. Ils avaient raison. Mais c'eût été une erreur de le croire sans âme.

Il jeta un coup d'œil au menu et commanda un Perrier et le plat du jour: bavette et frites, accompagnées d'une salade niçoise. Félix opta pour la saucisse de Toulouse. Gilbert Tardif entra dans le vif du sujet.

— La campagne n'avance pas à notre goût. On a la faveur des militants, mais l'équipe de Lynda Stoneway travaille fort auprès des associations de circonscription. Comme tu le sais sans doute, à cinq semaines du congrès, quarante pour cent des délégués n'ont toujours pas été élus. Dans les circonscriptions, les présidents attendent de voir comment le vent va tourner. Si on laisse faire Stoneway, elle va les faire manger dans sa main avant longtemps. Elle va noyauter le congrès et gagner au vote... Je connais plusieurs présidents influents au pays. Paul m'a demandé de jouer au commis voyageur et de contrer Stoneway, région par région.

Le serveur apporta le Perrier et emplit deux verres. Gilbert Tardif poursuivit:

— Je vais quitter la circonscription pendant quelques semaines. Pierre Lacasse va prendre ma place. Ce qui laisse son poste vacant. Tu veux augmenter le rythme et prendre la responsabilité des jeunes de la région?

Félix tenta de masquer sa joie. Se fût-il laissé aller qu'il se serait mis à danser sur la table! Profil élevé, rémunération correspondante, proximité du pouvoir: le job idéal, quoi. Gilbert Tardif sourit.

— Tu commences après-demain. Tu vas coller aux fesses de Lacasse pendant quelques jours, le temps de te mettre au parfum des principaux dossiers. Bienvenue dans l'équipe!

Ils discutèrent stratégie et priorités en vidant leurs assiettes. Au dessert, Félix engloutit une crème brûlée et un expresso bien tassé. Gilbert Tardif orienta la conversation sur un plan plus personnel et raconta quelques histoires liées à sa vie familiale. Félix se mit alors en quête d'un sujet qui lui permettrait de masquer la vacuité de sa vie personnelle, tout en le rendant intéressant aux yeux de son mentor politique. «Tiens, pourquoi ne pas lui parler de sœur Bernadette? » se dit-il.

Félix rompit donc son vœu de silence et lâcha le morceau:

— On a rencontré une sœur de Sherbrooke à Bordighera. Elle prétend avoir reçu la confession d'Albert Buisson. Tu sais, le comédien qu'on a trouvé pendu?

Gilbert Tardif acquiesça.

— Il lui aurait avoué avoir fait partie d'un groupe pédophile, au Collège, dans les années 1950. D'autres élèves auraient été impliqués, des frères... Une histoire de fous!

Le téléavertisseur de Gilbert Tardif sonna. Il regarda le numéro et leva les yeux au plafond en soupirant.

— Je dois y aller. Tu crois que c'est sérieux, cette histoire? Elle va ébruiter l'affaire?

— Non. Elle est toujours en Italie. D'après moi, elle débloque complètement.

— C'est que, même les gens qui débloquent peuvent causer des problèmes. Je sais que notre candidat a étudié au Collège dans ces années-là. Tu comprends?

— Je comprends que ce n'est pas le temps de laisser une bonne sœur divaguer en public, répondit Félix, qui commençait à regretter son indiscrétion.

— Exactement. S'il fallait que ça sorte, nos adversaires sauteraient là-dessus comme la misère sur le pauvre monde. Avant qu'on ait le temps de s'apercevoir qu'on a affaire à une folle, on pourrait avoir perdu la course.

— Comme je te dis, on n'a pas à s'inquiéter pour l'instant. Si ça bouge, je t'en reparle.

Préoccupé, Gilbert Tardif aurait préféré obtenir plus d'information. Mais il devait partir. Il régla la note et quitta le restaurant.

28

Le lendemain au studio, assis face au micro, Samuel s'adressait aux auditeurs.

– Vous venez d'entendre la pièce *Le Géant Beaupré,* tirée de l'album éponyme de Beau Dommage, lancé en 1974 et vendu à trois cent mille exemplaires. Le groupe invente un nouveau genre, marqué par une poésie urbaine qui prend sa source dans les quartiers de Montréal, un genre caractérisé par la richesse de ses harmonies vocales. Au retour de la pause, on savoure les délices sonores d'un des plus importants albums québécois, *L'Heptade* du groupe Harmonium.

Samuel ferma le micro pendant que le régisseur lançait une série de publicités. Il fit un peu d'ordre dans ses papiers et roula une cigarette. La silhouette de Félix apparut dans la fenêtre donnant sur le couloir, au moment où il posait son briquet sur la table devant lui. Il lui fit signe d'entrer.

– Hé, *amigo*! lança-t-il d'un air enjoué. Qu'est-ce que tu fais là?

– Je suis venu voir mon vieux copain pour lui annoncer une bonne nouvelle, répondit Félix.

– O.K., attends-moi une minute...

Il fit signe au régisseur, rouvrit son micro et annonça la prochaine pièce.

– Alors? fit Samuel.

– J'ai rencontré Tardif hier, dit Félix. Il me prend dans l'équipe à temps plein!

– Wow! Génial! Tu reprends le collier. Moi qui pensais que tu en avais assez.

– Ouain... pour l'instant, disons que c'est ce qu'il y a de mieux. Et puis, si Rivest devient premier ministre...

Félix regretta aussitôt ce qu'il avait presque dit.

– Je te croyais plus puriste que ça!

– Un instant! C'est juste que...

– Ben non, je blague. Bravo!

Ils furent interrompus par le bruit de l'interphone. Le régisseur annonça:

– Samuel, encore ta mère au téléphone.

– Quoi? lança-t-il, irrité. À cette heure-là? Je te jure, elle me colle aux baskets aujourd'hui. Dis-lui que je suis occupé; je vais la rappeler demain.

– Ça fait trois fois qu'elle appelle ce soir, répondit le régisseur. Tu es sûr que tu ne veux pas prendre l'appel?

– Certain, répondit-il en se tournant vers Félix. Des fois, il faut imposer ses limites, non?

Après un long silence, la voix du régisseur se fit entendre de nouveau:

– Bon, elle a laissé un message pour toi. Il paraît que quelqu'un a appelé à la maison. Une certaine sœur Bernadette. Il faudrait que tu la rappelles. Elle a laissé un numéro.

Félix et Samuel se regardèrent, interloqués.

– Une revenante, laissa tomber Félix.

– Je pensais qu'on n'entendrait plus jamais parler d'elle, répliqua Samuel.

– Qu'est-ce que ça veut dire?

– Aucune idée, mais on va le savoir.

Samuel fit tourner trois autres pièces de *L'Heptade* avant de clore l'émission. Ils durent céder le studio à l'animateur suivant, qui prenait la relève jusqu'au lendemain matin. Samuel guida Félix dans un petit bureau attenant à la régie et alla récupérer le numéro auprès du régisseur. Il revint dans le bureau et demanda :

– Le gentil ou le méchant?

– Je dirais le gentil, répondit Félix. Elle s'avance; il faudrait l'accueillir avec... courtoisie. Mais comme c'est à toi qu'elle a laissé le message, c'est toi qui dois la rappeler. En mettant des gants blancs.

Samuel poussa un long soupir. Il préférait jouer le méchant. Il composa le numéro et Bernadette répondit dès la seconde sonnerie :

– Bonsoir, ici sœur Bernadette.

– Sœur Bernadette? Samuel St-Germain à l'appareil.

– Samuel! Enfin! J'ai essayé de vous rejoindre toute la journée. J'ai eu votre numéro par Georges Labrie. Je suis rentrée au pays hier soir.

– On n'espérait plus de vos nouvelles, répliqua froidement Samuel.

– Oh! Je suis désolée. J'étais débordée. Le retour s'est bien passé, pour vous deux?

– Oui, oui, ça baigne. Félix est justement avec moi.

— Tant mieux. Alors, vous avez pu garder le silence?

Samuel mit la main sur le combiné et dit à Félix, à voix basse:

— Elle demande si on a pu garder le silence.

Se rappelant sa conversation avec Gilbert Tardif, Félix sourit, mal à l'aise. Samuel reprit:

— Sans problèmes. De votre côté?

— Finalement, mon séjour à Rome a été reporté de quelques semaines. En fait, j'en arrive à peine. J'ai passé plusieurs jours à la bibliothèque du Vatican, j'ai posé plein de questions. Rien. On dirait que l'illustration sur la bague trouvée dans l'appareil photo n'a rien à voir avec quoi que ce soit d'officiel. Comme tu disais à Bordighera, ça n'a peut-être aucune signification particulière.

Le temps d'une pause, sœur Bernadette reprit:

— Vous avez trouvé quelque chose, de votre côté?

— Justement, répondit Samuel, d'un ton devenu glacial. On aimerait bien vous en parler en personne. Vous êtes ici pour un bout de temps?

— Probablement plusieurs semaines. Nous avons commencé à rénover la villa pour accueillir des touristes. Mais la municipalité nous met des bâtons dans les roues. J'ai dû laisser le dossier aux avocats de la congrégation envoyés sur place. J'attends que ça débloque pour aller superviser la suite des travaux.

— Bien. On peut se voir demain?

Samuel fit signe à Félix, qui lui indiqua qu'il ne pourrait pas se libérer avant dix-neuf heures.

— Absolument! répondit la sœur. Pourquoi pas au Loubard, à dix-neuf heures?

Surpris, Samuel marqua une pause. Il imaginait mal la sœur débarquer dans le petit bistro branché, accoutrée de son habit de nonne! Décidément, elle n'avait rien de banal. Il confirma leur présence, raccrocha et regarda Félix.

— *Allora*?[5] demanda ce dernier

— *Allora*, elle croit encore à son histoire, on dirait! Rendez-vous demain. Et où, crois-tu?

— Au couvent?

— Non. Au Loubard!

— Quoi! Elle est malade! Je n'ai pas envie d'être vu là avec une bonne sœur au gabarit à la Louis Cyr!

— Pourtant, c'est ce qui va arriver.

— Bon. J'ai bien hâte de la voir changer d'air quand on va lui envoyer que son histoire c'est de la foutaise.

— Genre: sœurette, c'est bien beau l'histoire de Buisson, mais il n'est même pas diplômé du Collège. Étrange, non?

— Et puis: alors, c'était quoi, ce petit appareil photo couvert de sang?

Dignes représentants de la génération de la satisfaction immédiate, les deux garçons savouraient déjà l'instant. Ils le consommaient, même. Avec délectation.

— Tu sais quoi? reprit Samuel. On devrait en profiter pour l'enregistrer! Le sang sur l'appareil

5. *Alors?*

photo, c'est quand même inquiétant. Si elle a quelque chose à se reprocher, on aura au moins des preuves. Et puis, on a un peu été mêlés à tout ça.

– Ouais! s'enthousiasma Félix. Bonne idée! Tu dois bien avoir ce qu'il faut pour ça ici? Un petit magnétophone, quelque chose du genre.

Les amis rigolèrent. Demain, ils allaient bien s'amuser!

29

Assis dans la salle de conférence du bureau de circonscription, Félix écoutait les dernières consignes de Gilbert Tardif. Autour de la table, l'énergie était palpable. L'équipe de Paul Rivest avait le vent dans les voiles. Dans la région, à tout le moins, les membres des assemblées générales élisaient systématiquement des délégués favorables au député de Sherbrooke. Ailleurs au pays, c'était moins clair. Mais on avait confiance.

La première journée de Félix en compagnie de Pierre Lacasse s'était bien déroulée. Les dossiers étaient tenus avec rigueur et Pierre Lacasse était un excellent coach. La transition se ferait en douceur.

Félix avait décidé de ne pas ramener le sujet de sœur Bernadette. Gilbert Tardif avait bien d'autres chats à fouetter. De toute façon, il aurait une bonne idée, dès ce soir, des intentions de la sœur.

Gilbert Tardif annonça la fin de la rencontre et tous se levèrent. Anik, une collaboratrice de longue date, accompagna Félix au vestiaire.

— Tu as le goût de prendre un verre avant de rentrer? demanda-t-elle.

– Ce n'est pas le goût qui manque, mais le temps, répondit Félix, franchement désolé. Je suis occupé ce soir. On se reprend?

– Sûr, répondit la jeune femme en souriant.

Félix enfila son manteau de velours côtelé et sortit. En attendant l'autobus qui le mènerait à quelques pas du Loubard, il constata que l'image d'Anik flottait dans sa tête. Il essayait de penser à autre chose, mais elle revenait invariablement, se lovant contre son âme romantique.

Toujours dans la salle de conférence, Gilbert Tardif faisait le point sur la journée avec Paul Rivest, qu'il avait joint au téléphone à Ottawa.

– Pour le reste, tout se passe bien. Après ta tournée, la semaine prochaine, j'irai me promener à travers le pays. J'ai déjà placé quelques rencontres à l'agenda.

– Parfait, Gilbert, dit Paul Rivest. J'ai besoin de toi. Et dans la circonscription?

– Je passe la main à Lacasse. Il est solide. De toute façon, ici, c'est dans la poche. J'ai mis le jeune Félix Roche dans les souliers de Lacasse. Il prend la relève juste avant ta tournée des jeunes, la semaine prochaine.

– Ah! oui, Roche. Un bon potentiel. Il pourrait faire de belles choses pour le parti, éventuellement.

– Un potentiel qui s'ignore, ajouta l'organisateur. S'il cessait de perdre son temps à se chercher et commençait à s'investir à fond, on pourrait faire quelque chose avec lui.

Gilbert Tardif fit une pause, but une gorgée de café et reprit:

— Justement, il faut que je te dise quelque chose. Félix a rencontré une bonne sœur qui raconte une histoire à propos d'orgies avec des jeunes du Collège, dans les années 1950. C'est ton époque, non?

Le sang cessa de circuler dans les veines du ministre. Son cœur arrêta de battre un instant, juste un instant. Mais il n'en laissa rien paraître. Affronter le regard du public année après année lui avait permis de développer toutes sortes de qualités. Dont celle de dissimuler ses émotions lorsque c'était nécessaire.

— Euh... oui. Drôle d'histoire. Jamais entendu parler de ça.

Gilbert Tardif perçut une légère hésitation. Il enfonça le clou.

— Pour l'instant, je ne vois rien d'inquiétant. Juste un électron libre qui divague. Mais s'il fallait que ces allégations sortent publiquement, ça détournerait les médias de ta campagne.

— O.K. Je pense qu'il est préférable de jouer ça en douceur. Il faut juste qu'on sache ce qui se prépare, s'il se prépare quelque chose. Tu peux compter sur Félix Roche?

— Je crois bien. Je vais voir ça avec lui.

— Parfait. Tiens-moi au courant.

30

Paul Rivest raccrocha le combiné, poussa un long soupir et se frotta les yeux. Il se leva et marcha vers la fenêtre de sa chambre d'hôtel. Elle offrait une superbe vue sur le canal Rideau, au-delà duquel scintillaient les lumières de Hull. Le passé était débarqué dans sa vie à un bien mauvais moment, quelques semaines plus tôt. Buisson qui voulait tout révéler. Quelle folie! Puis la mort de deux hommes. Une autre folie!

Il avait pardonné à Parenteau la mort de Simard, à l'époque. Ils n'en avaient jamais parlé, ni entre eux ni avec les autres. Mais en le voyant entrer dans le dortoir, détrempé, au petit matin, tous avaient compris.

Nul n'avait été surpris d'apprendre qu'on avait retrouvé le corps du garçon dans la rivière. Cela avait été une forme de délivrance. Un sentiment abject, mais bien réel.

Néanmoins, Parenteau lui était alors apparu comme une bête étrange, un être dangereux. Qu'il ait ainsi pu prendre une vie lui avait inspiré le plus grand dégoût. Et la peur. Mais après quelques semaines, le malaise s'était estompé. Rivest avait écrasé le souvenir dans les méandres de son esprit.

Peu à peu, ils étaient redevenus de grands amis, piliers l'un pour l'autre, partenaires indéfectibles d'un long voyage pour gagner la guerre, pour gagner la vie.

Cette terrible nuit avait mis fin à leurs activités. Le temps de la paie était venu. Et ils avaient engrangé la moisson, tirant de Paul-Émile Vanier jusqu'au dernier cent du marché. Buisson aussi avait fait son chemin. Mais il était trop romantique, trop tourmenté. Il n'avait pu tenir le cap. Quant à Béland, on aurait déjà pu dire, trente ans plus tôt, qu'il ne deviendrait jamais autre chose que ce qu'il avait montré, dernièrement, lors de la rencontre au Reine-Élisabeth : un mort vivant. Bien mort, maintenant.

Vanier avait poursuivi son ascension dans la hiérarchie du collège, tirant au besoin des ficelles nouées bien au-delà de l'établissement. Seul le destin du photographe demeurait une énigme. Mais il n'avait jamais posé de questions. Mort, sans doute, comme la plupart des clients de l'époque. Pour ceux-là, il n'y avait pas de quoi s'inquiéter. Ils n'avaient jamais vu leur visage.

Ses pensées revinrent à Parenteau, son vieux compagnon de route. Comment avait-il pu? Une fois encore! Non, deux fois. Deux fois. Deux vies... De quel droit? Pour protéger quoi, au juste? Ou se protéger de quoi? De la honte, sans doute. Du regard dérobé. De la pitié. De l'opprobre du peuple, des amis, de la famille, de sa compagne. Pour protéger un empire financier, un rêve de grandeur, peut-être. Même cela, Rivest pouvait y croire, désormais. Et puis, qui avait envie d'aller en prison pour un meurtre commis trente ans auparavant? Il pouvait comprendre son refus de faire face à la musique, pas les moyens pour l'éviter.

Le destin fait parfois preuve d'une grande ténacité. Car, malgré tout ce temps passé et tous ces événements, tout risquait encore de déraper. À cause d'une bonne sœur! Et de Félix. Pouvait-il vraiment se convaincre que le jeune homme n'essaierait pas d'en savoir plus?

Et si, avec la sœur, ils se mettaient à poser des questions? Ils iraient voir du côté du Collège, évidemment. C'est ce qu'il aurait fait, lui. Il valait mieux prévenir Vanier. Apaiser le feu en douceur. Au moins jusqu'à ce qu'il devienne premier ministre.

Il sortit son carnet noir et trouva le numéro personnel de Vanier, qu'il composa.

– Oui? répondit le directeur général du Collège.

– Paul-Émile?

– C'est moi. Rivest?

– Oui. Tu es seul?

– Oui, ça va.

– Tu as su, pour Buisson et Béland?

– Évidemment.

– Tu as parlé à Buisson, comme je te l'ai demandé? Des excuses de la part de celui qui a brisé sa vie, peut-être que ça lui aurait fait du bien...

Paul-Émile Vanier garda le silence un instant.

– J'ai appelé au bout de quelques jours. Il n'a jamais répondu.

– Il n'a pas eu le temps, répondit Rivest, cinglant.

– C'est pour ça que tu m'appelles? demanda Vanier.

Paul Rivest se calma, puis expliqua la situation au religieux.

– Une sœur? interrompit Vanier. Sœur Bernadette?

– Aucune idée.

– Elle est en mission à Bordighera. Elle était avec le frère Marcel lorsqu'il est mort. Je le tiens de la supérieure de la villa.

– Le frère Marcel, c'est le photographe? demanda Rivest. Qu'est-ce qu'il faisait là-bas?

– Il voulait quitter le pays il y a de nombreuses années. Je l'ai envoyé en Italie.

– Mort naturelle? s'inquiéta Rivest.

– Sans aucun doute. Crise cardiaque, devant la sœur Bernadette.

– C'est lui qui aurait raconté cette histoire à ta Bernadette?

– Je ne sais pas. Il faudrait en savoir plus de ton jeune, Félix Roche.

– Mollo avec Roche. S'il sait que je m'intéresse trop à cette histoire, ça va éveiller ses soupçons. Mieux vaut avoir l'air de traiter cette affaire de haut. Comme un irritant sans aucun fondement, qu'on doit tout de même gérer en raison de ses implications possibles pour le déroulement de la campagne. Et toi, tu peux voir du côté de la sœur?

– Pas vraiment. Je ne la connais pas personnellement. Donc, je risque de voir sœur Bernadette et le jeune Félix Roche venir fouiner par ici?

– Oui. Il faut la jouer en douceur. Il ne s'est

rien passé. Ce sont des racontars ridicules. Il faut tenir le coup, encore quelques semaines au moins. Pour toujours, si possible.

Rivest allait terminer la conversation lorsqu'il pensa à Parenteau.

— En passant, pas un mot à Parenteau.

— Aucun risque, je n'ai pas eu de contact avec lui depuis des années.

— S'il t'appelait, ne lui parle pas de sœur Bernadette ou de Félix. Il est trop dangereux.

— Simard, Buisson, Béland... Tu crois qu'il recommencerait?

— Tu en doutes? Allez, profil bas. On attend de voir si ça bouge de l'autre côté et on avisera, le moment venu.

31

Samuel avait choisi une petite table en retrait. Il entamait une pinte de bière pression lorsqu'il vit Félix franchir la porte du Loubard. Il lui fit signe avec la main. Félix se fraya un chemin entre les clients et s'assit, sans enlever son manteau. Samuel exhiba un magnétophone de la taille d'un baladeur, ainsi qu'un fil se terminant par un micro-cravate.

— Je mets le magnéto dans ma poche, tu vois? Il suffit de trouver un endroit pour exposer le micro.

— Hum... plus facile à dire qu'à faire. Tu pourrais l'accrocher sur ta chemise, sous ton anorak à demi ouvert?

Félix se pencha pour aider Samuel à fixer le micro. Les deux garçons tentaient de trouver la bonne hauteur pour qu'il capte bien le son, sans pour autant être visible. Ils étaient complètement absorbés dans leur travail lorsqu'ils sentirent une présence derrière eux. Ils levèrent les yeux en même temps pour voir l'imposante silhouette de sœur Bernadette, bras croisés, qui les observait d'un air amusé.

— Bonsoir, les garçons, dit-elle avec un sourire. Vous semblez plutôt occupés. Je peux vous aider?

Piteux, Félix et Samuel lui indiquèrent une chaise libre.

— Je suis déçue, reprit-elle en s'assoyant, non sans prendre soin de placer sa longue robe de nonne. Vous auriez pu penser à une caméra vidéo...

Elle regarda les deux amis d'un œil faussement sévère. Félix ouvrit la bouche, mais elle le coupa :

— D'abord, les besoins primaires.

Elle fit signe au serveur, qui la regarda d'un air surpris. Elle commanda une pinte de bière, puis se retourna vers les garçons :

— Bon, qu'est-ce que tout ça signifie?

— Disons que... commença Félix. Disons qu'on a un peu perdu confiance en vous.

— Je dirais même, renchérit Samuel, que nous avons beaucoup perdu confiance en vous.

— Ne vous en faites pas, répondit la sœur. Ça va s'arranger! Pour l'instant, racontez-moi tout. Le retour, tout ça...

Samuel et Félix racontèrent leur histoire. Ils en arrivèrent finalement à leur visite à la bibliothèque du Collège.

— On a tenté de trouver une image semblable à celle de la bague, dit Samuel. Rien. Puis, on a eu l'idée d'aller voir la photo de Buisson sur les mosaïques des diplômés. Encore rien. Buisson n'est même pas diplômé du Collège. Comment expliquez-vous ça, ma sœur?

— Peut-être qu'ils n'ont simplement pas affiché sa photo, répliqua-t-elle d'un air incrédule devant la fragilité de la confiance des garçons.

– Peut-être qu'il n'y avait rien à afficher, laissa tomber Samuel.

Le serveur apporta la bière de sœur Bernadette, qui en avala une bonne lampée.

– Écoutez, reprit-elle, j'ai vu la réaction du frère Marcel. Je suis convaincue que Buisson a étudié au Collège. Vous avez bien regardé toutes les mosaïques?

– Pas de doute, dit Félix. On a commencé par celle de 1960, l'année où Buisson aurait dû avoir son diplôme. Selon ce que vous nous avez dit, il était en deuxième année lorsque les événements se sont produits: l'année scolaire 1956 - 1957.

Sœur Bernadette ferma les yeux un instant.

– Mil neuf cent soixante-deux, dit-elle. Il a eu son diplôme en 1962. Comment arrivez-vous à 1960?

– Fin de sa deuxième année en 1957, dit Félix. Trois ans plus tard, 1960. Voilà.

Sœur Bernadette se mit à rire. De petits gloussements au départ, qui se transformèrent rapidement en éclats bruyants et incontrôlés qui attirèrent l'attention des tablées aux alentours.

– Vous avez fait vos calculs en vous basant sur un cours de cinq ans! réussit-elle à articuler. À l'époque, on était dans le système du cours classique. Et au Collège, on obtenait son diplôme après sept ans d'études. Sept ans, les garçons!

Hilare, sœur Bernadette regardait la mine embarrassée des garçons. Elle reprit:

– Supposons que vous vous rendiez au Collège demain et que vous trouviez la photo de

Buisson parmi celles des diplômés. Que feriez-vous?

– J'imagine qu'on aurait le goût de reprendre notre petite enquête, répondit Félix.

– À la bonne heure! dit sœur Bernadette. Et puis, ce garçon dont a parlé Buisson, celui qu'on a retrouvé mort dans la rivière. J'imagine qu'on a écrit là-dessus dans le journal, au moment du drame.

– Il faudrait fouiller les archives de *La Tribune*, proposa Félix.

– Bonne idée! s'exclama la sœur, dont l'enthousiasme gagnait peu à peu les garçons. Quoi d'autre?

Félix et Samuel échangèrent un autre regard, puis se tournèrent vers la sœur, penauds. Elle reprit :

– Supposons que nous ayons envie d'identifier les autres personnes impliquées dans l'affaire, à l'époque. Que ferions-nous?

Les deux amis restèrent cois.

– D'accord, dit la sœur. Ces jeunes partageaient un secret. Une certaine intimité. Comment découvrir ces liens entre eux?

– Peut-être qu'ils se fréquentaient en dehors des séances? proposa Félix.

– Peut-être, opina Samuel. Mais c'est peut-être complètement le contraire. Ils n'avaient pas nécessairement le goût de se voir après ça.

– En tout cas, poursuivit Félix, c'est une piste. S'ils étaient copains, ils devaient faire des activités ensemble, participer aux mêmes projets.

— O.K., concéda Samuel. Alors, on devrait trouver des traces de cela dans les archives du Collège. Comme des photos où on les voit ensemble, des articles du journal étudiant qui parlent d'eux, je ne sais pas...

Sœur Bernadette sourit. Samuel alluma une cigarette et posa son briquet, un Zippo, sur la table. Il continua :

— Pas facile de trouver ce genre d'information là, mon Félix.

— Non. Mais on n'a pas beaucoup mieux pour l'instant.

— À moins d'aller voir les parents de Buisson. Peut-être qu'ils se rappellent quelque chose?

— Attention! coupa sœur Bernadette. Ils peuvent avoir été impliqués, qui sait? Mieux vaut les traiter comme des suspects. Les garçons, nous allons devoir nous transformer en rats de bibliothèque et remuer de la poussière...

Tous les trois s'entendirent pour relancer l'enquête. Ils convinrent de rester discrets, autant pour éviter que l'affaire devienne publique que pour ne pas éveiller les soupçons. Si les événements relatés par Buisson avaient eu lieu, des personnes impliquées pouvaient toujours être en poste au Collège.

Ils se répartirent le travail. Sœur Bernadette irait faire des recherches à *La Tribune*. Quant aux garçons, ils retourneraient à la chasse aux mosaïques, puis tenteraient de mettre la main sur les archives du Collège.

32

Le lendemain matin, sœur Bernadette se rendit en taxi aux bureaux de *La Tribune*. L'accès aux archives du journal ne posa aucun problème. Elle se retrouva devant une rangée de classeurs contenant sur microfiches toutes les pages du journal depuis sa première parution. Elle trouva rapidement le classeur contenant les fiches des années 1956 et 1957.

Elle fit un calcul rapide. Disons dix pages en moyenne par jour, environ vingt-cinq parutions par mois, pendant dix mois, de septembre 1956 à mai 1957 : deux mille cinq cents pages à survoler. Trop long! La mort d'un adolescent n'est pas chose courante. On avait dû mentionner la nouvelle à la une. Si elle se concentrait sur la première page, il ne lui restait que deux cent cinquante pages à parcourir. Oui, c'était une bonne stratégie!

Sœur Bernadette plaça une première microfiche sur la paroi de verre et alluma l'écran. Un système de projection permettait d'agrandir le minuscule contenu de la microfiche. Elle pouvait ainsi regarder rapidement la photo de chaque page du journal.

Elle se mit au travail.

33

Pendant ce temps, les deux amis retournèrent au Collège. Samuel n'était attendu à la station de radio qu'en début de soirée. Quant à Félix, il avait pris le vendredi de congé. Il devait travailler dimanche en vue de l'arrivée de son candidat dans la région le lundi suivant. Ils se rendirent directement au laboratoire de chimie. Sur le mur, ils repérèrent rapidement la mosaïque de 1961 qu'ils avaient déjà fouillée du regard lors de leur visite précédente.

– Bon, où se trouve celle de 1962? demanda Samuel.

– Par ici, il n'y a plus rien, en tout cas, répliqua Félix.

Puis, en se tournant vers une lourde porte au bout du couloir, il poursuivit:

– De l'autre côté, je crois qu'on arrive dans l'aile réservée aux chambres des frères.

– Ça m'étonnerait que certaines mosaïques soient accessibles aux élèves et que d'autres ne le soient pas.

– Peut-être un étage en dessous, alors?

Ils empruntèrent l'escalier et descendirent. Cette section du deuxième était essentiellement occupée par les bureaux des enseignants. Ces derniers y recevaient, à l'occasion, des élèves qui souhaitaient obtenir des explications additionnelles sur la matière enseignée en classe. Ils y rencontraient également des élèves turbulents avec lesquels une petite conversation à caractère disciplinaire s'imposait.

Félix et Samuel entraient dans cette seconde catégorie. Ils reconnurent donc les lieux. Mais ils n'eurent pas le loisir de se remémorer de poignants souvenirs : la mosaïque de 1962 se trouva immédiatement dans leur champ de vision. Et la photo d'Albert Buisson hurlait sa présence.

Le jeune homme avait alors les cheveux taillés en brosse, comme ses camarades. Il portait la tête légèrement penchée vers l'avant. Son visage, dénué de sourire, ainsi que son regard vague, donnait une impression de mélancolie. Les deux garçons l'observèrent longuement, en silence. Puis Félix proposa d'aller boire un café dans la grande salle des élèves.

Ils montèrent l'escalier et traversèrent trois longs couloirs qui débouchaient directement dans une salle vide.

— On dirait bien que ça recommence à être vrai, laissa tomber Samuel. Sucre et lait, dans ton café?

Il s'approcha du comptoir de la cafétéria pendant que Félix choisissait une table sur laquelle avait été laissé un exemplaire de *La Tribune*. Il s'assit sur une chaise et regarda autour de lui, se remémorant de nombreux souvenirs associés à cet endroit : discussions, rigolades, parties de cartes. Il y reviendrait dans une semaine avec Paul Rivest lors de la tournée des établissements scolaires de niveau secondaire et collégial. On pouvait être membre du parti et voter pour son chef dès l'âge de seize ans. Ils allaient faire le plein de partisans!

Il saisit le journal qui traitait justement de la course au leadership. Il commença à lire l'article à la une lorsque Samuel revint.

– Alors, tu vas avoir un job à Ottawa quand Rivest va être élu, tu penses?

– Je ne sais pas, répondit Félix en prenant le gobelet de café tendu par Samuel. Pour l'instant, en tout cas, ses affaires vont bien et c'est la seule chose qui compte. Il était à Vancouver, hier. Un journaliste relate qu'un député du NPD a dit qu'il serait prêt à changer de parti si Rivest gagnait la course!

– Hein? Pas très prudent. Il aurait mieux fait d'attendre que Rivest gagne avant de déclarer ça publiquement. Qui c'est, ce député?

– Je ne sais pas, attends...

Félix tourna la page pour lire la suite de l'article.

– Voyons voir... Ah! Steve O'Brian, dans Kootenay East, Colombie-Britannique. Hum... Il va peut-être quitter le NPD plus tôt qu'il ne le pensait, surtout si...

Félix se tut.

– Hé! reprit-il tout à coup. Robert Shaw a été mis à la porte!

– Quoi? Bob Shaw! Comment ça?

– Première nouvelle que j'en ai. J'étais avec lui pas plus tard qu'hier. On planifiait justement la tournée de Rivest, la semaine prochaine.

— Et alors?

— Il y a un article ici. Il paraît que l'organisation de Rivest l'a remercié. Aucune explication sur les motifs. Remarque, ça ne me surprend pas trop. Super gentil, mais pas très efficace. Qu'est-ce que tu en penses?

Samuel ne répondit pas. Il fixa Félix, puis le journal, et revint à Félix.

— Où as-tu lu ça?

— Juste ici, répondit-il, en pointant du doigt un entrefilet.

— Pourquoi l'as-tu lu? Je veux dire, tu lisais l'autre article, non?

— Oui. Mais je connais son nom. Il a dû me sauter aux yeux.

— Tu lisais l'autre article de la une. Tu tournes la page pour lire la suite. Ton œil est attiré par un nom connu dans un autre article, juste à côté...

— Et alors? demanda Félix, interrogateur.

— Le frère Marcel qui pète un plomb en lisant l'article de *La Presse*. Selon sœur Bernadette, il est passé de la peine à la peur, brusquement.

— Mais oui! dit Félix, qui vit immédiatement où Samuel voulait en venir. On a bien relu l'article, on n'a rien trouvé pour expliquer sa réaction, mais on n'a pas cherché ailleurs sur la page!

— Voilà! Mais cette page, elle est dans un site d'enfouissement italien, ou partie en fumée.

— Ils en ont peut-être gardé un exemplaire à la bibliothèque, répliqua Félix en se levant.

Tout excités, ils abandonnèrent leur café et allèrent en vitesse à la bibliothèque.

34

Dans les locaux de *La Tribune*, sœur Bernadette retirait la microfiche qui se terminait par la dernière parution de mars 1957. Elle n'avait encore rien trouvé. De septembre à mars, sept mois. Rien. Elle commençait à douter. Plus que trois mois avant la fin de l'année scolaire. Elle poussa un long soupir, inséra la mince pellicule de plastique contenant les parutions d'avril et reprit le travail. Après quelques minutes, un titre à la une attira son attention.

Le corps du jeune Francis Simard retrouvé dans la rivière Saint-François

SHERBROOKE, 13 avril 1957 - Le jeune Francis Simard a été retrouvé mort, hier matin, flottant sur la rivière Saint-François près du centre-ville de Sherbrooke. Les policiers qui ont repêché le corps du garçon ont pu constater qu'il avait une profonde blessure à la tête.

Selon un policier, le garçon pourrait avoir été frappé à la tête, puis balancé dans la rivière ou encore, il pourrait être tombé dans la rivière et avoir heurté une pierre au pied de la chute, à la hauteur de la rue Marquette. Pour l'instant, l'enquêteur affecté à l'affaire ne rejette ni l'hypothèse du meurtre ni celle de l'accident.

L'autopsie devrait permettre de déterminer ce qui, de la blessure ou de la noyade, a entraîné la mort du collégien.

Le garçon de 14 ans, pensionnaire au Collège de Sherbrooke, avait disparu sans laisser de traces mercredi dernier. Il avait été vu pour la dernière fois à la bibliothèque de l'établissement, vers 18 heures, immédiatement après le souper. Restées sans nouvelles, les autorités du Collège avaient contacté la famille, puis les services de police, dès le lendemain matin.

Dans l'entourage du jeune homme, on ne s'explique pas sa disparition, encore moins sa mort. Son père, ému, a déclaré que son fils Francis était un garçon heureux, qui n'avait que des amis. Une affirmation que confirme un groupe d'élèves rencontrés aux abords du Collège en milieu de journée, hier. L'un d'eux prétend toutefois que Francis Simard traversait une mauvaise passe, qu'il parlait souvent de son père, duquel il s'ennuyait beaucoup.

La direction du Collège a décidé de resserrer la liberté de mouvement des élèves placés sous sa responsabilité.

La sœur ne trouva aucun article sur la disparition de Francis Simard avant le 13 avril. Mais plusieurs articles lui avaient été consacrés après cette date. L'autopsie avait révélé que le garçon était sans doute déjà mort lorsqu'il était tombé à l'eau. Quant à sa blessure à la tête, elle résultait apparemment de sa chute sur une pierre. En raison de l'absence de mobile, la police avait rejeté la thèse du meurtre. Le garçon s'était probablement promené sur la rive escarpée de la rivière, près de la chute Marquette. Il aurait alors dérapé, se serait frappé la tête contre une pierre et serait tombé à l'eau.

Sœur Bernadette imprima tous les articles relatifs à l'affaire. Au standard, elle tenta de rejoindre Samuel, absent. Elle laissa un message sur le répondeur et rentra au couvent.

35

Au comptoir de la bibliothèque, la vieille dame expliqua aux garçons que les archives sur microfiches n'étaient mises à jour qu'aux trois mois. Les journaux de février ne seraient pas disponibles avant deux semaines. S'ils voulaient chercher dans les piles de journaux conservés sur place, libre à eux. Mais elle ne pouvait garantir qu'ils y trouveraient le numéro convoité. Plusieurs disparaissaient dans le sac des étudiants...

Évidemment, ils tentèrent le coup. La vieille dame les conduisit dans une petite pièce adjacente à son bureau. Elle montra du doigt plusieurs boîtes alignées contre le mur. S'y entassaient les exemplaires de quatre quotidiens différents, depuis le début de l'année. Plus de quatre cents exemplaires en tout. Ils repérèrent rapidement les boîtes marquées *La Presse* et regardèrent les dates. Heureusement, les journaux étaient classés en ordre chronologique. Ils trouvèrent ceux de février et passèrent les premières pages en revue. Ils reconnurent immédiatement la une qui annonçait le suicide d'Albert Buisson. Samuel glissa le journal sous son bras. Ils revinrent dans l'aire principale de la bibliothèque et choisirent une table, en retrait.

Samuel y posa le journal et l'ouvrit à la page 6, où se trouvait la suite de l'article sur Buisson. Juste à côté, un second article, toujours dans la catégorie des faits divers, leur sautait maintenant aux yeux.

Un homme retrouvé mort au fond d'un ravin

COATICOOK, 9 février 1989 – Le cadavre d'Yves Béland a été retrouvé, hier, gisant au fond d'une gorge à Coaticook. La police retient pour l'instant la thèse de l'accident. Selon un employé du parc des Gorges, l'homme dans la quarantaine avait l'habitude de se promener presque chaque jour à travers les sentiers aménagés. Il lui arrivait souvent de «sauter la clôture» pour s'aventurer en des endroits plus isolés, mais aussi plus dangereux. C'est lors d'une de ces incartades que l'homme aurait perdu pied et fait une chute pour s'écraser, quinze mètres plus bas.

La thèse du suicide a été évoquée par les policiers après que ses proches eurent témoigné de la nature dépressive de l'homme, surtout au cours des derniers jours. Une autopsie est en cours.

Les garçons terminèrent la lecture en même temps et Samuel leva la tête vers Félix.

– Deux morts, laissa-t-il tomber. Un suicide, un accident.

– Récapitulons, proposa Félix. Quatre étudiants sont impliqués dans une affaire de réseau pédophile alors qu'ils fréquentent le Collège dans les années 1950. À l'époque, un cinquième étudiant, recruté par le groupe, est retrouvé mort. Jusque-là, ça va?

Samuel acquiesça et reprit le récit:

– Des années plus tard, l'un des quatre survivants décide de dévoiler l'affaire publiquement. Il projette d'en parler aux trois autres avant de passer à l'acte. On ne sait pas s'il l'a fait ou pas. Ça tient toujours la route, Félix?

Son compagnon opina et poursuivit à son tour:

– Peu de temps après, cet homme, Buisson, est retrouvé mort. Tout comme Yves Béland, qu'on présume maintenant avoir été impliqué dans les événements.

– À l'époque, ajouta Samuel, un frère prend des photos des séances. Trente ans plus tard, en apprenant la mort des deux ex-étudiants, frère Marcel, un photographe du Collège, est terrorisé.

– Ça nous laisse deux ex-étudiants toujours en vie, conclut Félix. Deux hommes qui veulent laisser le passé où il est, loin derrière.

– On oublie un troisième personnage, Félix. Le frère, plus jeune que le photographe. Celui qui organisait les séances. Des trois, c'est lui qui a le plus à perdre, non?

Les deux garçons se regardèrent en silence, mesurant tout le poids de cette nouvelle hypothèse. Samuel était friand d'intrigues. Il n'aimait rien tant que de se retrouver au centre de petites magouilles. Il en avait d'ailleurs échafaudé quelques-unes, dans lesquelles Félix avait mis un pied, parfois les deux, non sans avoir d'abord livré d'épiques combats à sa conscience. Samuel aimait les zones d'ombre; Félix, la lumière. Tous deux partageaient toutefois un trait de caractère commun: la couardise. Ils livraient de grands combats, bien sûr, mais confortablement calés dans un fauteuil... Le chantage à sœur Bernadette et la rencontre qui avait suivi demeuraient d'ailleurs le haut fait de toute leur existence, mais maintenant cette histoire prenait une tournure franchement inquiétante.

Samuel reprit:

– Si Yves Béland n'a pas étudié ici en même temps que Buisson, toute cette théorie tombe à l'eau. C'est donc la première chose à vérifier. Viens, on retourne aux mosaïques!

– Oui, acquiesça Félix en se levant. Mais d'abord, on s'informe à propos des archives!

Il retourna au comptoir pendant que Samuel glissait le journal sous son chandail. Il demanda à la vieille dame la permission de consulter les archives témoignant de la vie des élèves au Collège dans les années 1950. Elle leur expliqua qu'elle n'avait plus aucun document de la sorte à la bibliothèque. Elle réfléchit un moment, puis saisit le téléphone pour appeler au musée du Collège. Elle s'entretint un moment avec le préposé, puis raccrocha.

– Nous avions pas mal de vieux papiers ici il y a quelques années. Mais il n'y avait personne pour les consulter et j'avais besoin d'espace pour les nouveaux livres. Je les ai envoyés au musée, dans des cartons. Les documents y sont peut-être encore. Allez-y, le préposé vous attend.

Les amis retournèrent à l'étage réservé aux

bureaux des enseignants et se plantèrent devant la mosaïque des diplômés de 1962. Juste à gauche d'Albert Buisson, la photo d'Yves Béland confirma leurs craintes. Le jeune homme avait le regard triste, sombre sous de minces sourcils, et de larges cernes se creusaient sous ses yeux. Yves Béland, Albert Buisson. Deux suicidés? Deux victimes?

36

Les deux garçons montèrent l'étroit escalier menant au musée du Collège, situé au quatrième étage de l'aile de l'administration. Ils débouchèrent dans une vaste salle, haute de deux étages, entourée, au second, d'une profonde mezzanine. Les murs orange étaient couverts d'objets de toutes sortes et de dizaines de présentoirs vitrés, en bois, qui occupaient la plus grande superficie du plancher. Animaux empaillés, insectes piqués dans la mousse de polystyrène, pierres semi-précieuses ou simples métaux constituaient l'essentiel de la collection, axée sur les sciences naturelles.

Le préposé au guichet, un grand adolescent, discutait avec un groupe d'élèves. Lorsqu'il vit les deux amis arriver, il se dirigea vers eux.

– C'est vous qui souhaitez creuser un peu l'histoire du Collège? Vous y trouverez certainement beaucoup de poussière, ajouta-t-il avec un sourire.

Il leur fit signe de le suivre et retourna vers l'escalier. Ils montèrent à la mezzanine.

– Il n'y a pas longtemps que je travaille ici. Depuis octobre l'an dernier, en fait. Pour payer mes études. Quand madame Boutin m'a parlé des boîtes, j'étais sceptique. Puis, je me suis souvenu du débarras, en haut. Elles y sont peut-être. Nous verrons ensemble ce qu'il en est.

Il les guida vers une vieille porte en chêne, tout au bout d'une rangée consacrée aux petites bêtes de la forêt québécoise. Derrière des vitres se tenaient immobiles, dans un décor approximatif de sous-bois, un lièvre, une gélinotte huppée, un castor, une loutre, un tamia et quelques mulots. Les renards et les porcs-épics devaient s'être arrêtés dans une autre rangée.

Le préposé déverrouilla la porte et tous trois pénétrèrent dans une pièce plutôt étroite, mais profonde, où s'entassaient quantité d'objets qui n'avaient pas trouvé place dans la salle d'exposition du musée.

– Cherchons des boîtes, proposa-t-il.

Ils cherchèrent quelques minutes et Félix trouva finalement cinq grosses boîtes de carton empilées derrière une énorme structure de métal traversée par des planches couvertes d'animaux empaillés.

– Oui, je crois que ça y est! lança l'adolescent avec enthousiasme.

Ils tentèrent de déplacer la structure, mais une chouette leur tomba dessus.

– Bon, trop dangereux, dit-il. Je vais voir si je peux faire nettoyer tout ça dans les prochains jours. Vous pouvez revenir vers la fin de la semaine prochaine? demanda-t-il.

Déçus, Félix et Samuel se résignèrent. Ils reviendraient. Leur hôte les raccompagna jusqu'à la porte du musée et ils se serrèrent la main. Les deux garçons descendirent l'escalier et se retrouvèrent sur la rue Marquette, où ils décidèrent d'aller jouer au billard en buvant une bière chez Hubert, le père de Félix.

37

Les amis arrivèrent à l'appartement d'Hubert Roche, absent pour le moment. L'entrée donnait sur la salle à manger, adjacente à la cuisine. Un escalier menait, un mètre plus haut, à un grand salon ouvert logeant des fauteuils, une télévision, une chaîne stéréo et, surtout, une magnifique table de billard. L'un des murs était fait de vieilles briques rouges d'origine, l'autre était orné de deux anciennes portes de bois, massives, qui donnaient sur la chambre du maître et sur celle des invités. Tout au fond, une porte-fenêtre s'ouvrait sur la chute de la rivière Saint-François.

Félix lança son sac dans un coin et alla chercher deux bouteilles de bière, pendant que Samuel mettait un vieux microsillon de Robert Charlebois.

– Tu pourrais me le prêter, ce disque? demanda-t-il.

– C'est que, ce n'est pas à moi. Faudrait demander au paternel.

– Je suis certain qu'il voudrait. Je pourrais le faire tourner à la radio. Je m'en ferais une copie. De toute façon, il ne s'en apercevrait probablement même pas.

Sur la musique endiablée d'*Entre deux joints,*

Félix plaça les billes dans le triangle de bois, au bout de la table. Samuel ouvrit le jeu.

– Belle casse, dit Félix. Voyons voir si tu vas tenir le rythme, cher Samuel.

– Tu pourrais être surpris, répliqua ce dernier, piqué au vif.

– En tout cas, grosse journée. Mais j'ai un problème avec la petite visite des archives. La semaine prochaine, je suis occupé jusqu'aux yeux. À compter de dimanche matin, je vais être au feu dix-huit heures par jour. Impossible de me libérer pendant les heures d'ouverture du musée. En tout cas, pas avant jeudi matin.

– De toute manière, répondit Samuel, le préposé a dit de le rappeler à la fin de la semaine. Je lui donnerai un coup de fil jeudi et on ira ensemble vendredi.

– O.K., et sœur Bernadette? J'ai hâte de lui raconter pour Yves Béland. C'est gros!

– Oui. Je me demande si elle a trouvé quelque chose à *La Tribune*. Elle a peut-être essayé de nous rejoindre. Je vais prendre les messages à la maison.

Samuel baissa le son de la stéréo et appela chez lui. Lorsque le répondeur s'enclencha, il entra le code à distance qui émit deux courts bips indiquant deux messages : le premier d'Aude, sa mère, qui lui demandait de sortir un plat de sauce du congélateur en arrivant; le second, de sœur Bernadette, qui demandait aux garçons de l'appeler au plus tôt.

Samuel composa le numéro du couvent et eut sœur Bernadette au bout du fil après quelques minutes. Elle proposa une rencontre au Café Blabla, vers dix-huit heures. Samuel consulta Félix, puis donna son accord.

Il revint à la table de billard pour constater que Félix avait mis quatre billes dans les poches, avant de rater la cible. Samuel essaya la douze au coin. La distance était longue et le coup, imprécis; la bille rebondit entre les coussins à l'entrée de la poche, avant de se coller contre la bande. Félix enfila la six, la sept et la une, puis termina la partie avec la huit, qui frôla la douze au passage.

– Bon, j'espère que tu as appris quelque chose, lâcha-t-il, ironique.

– Hum... C'est beau le billard, mais on a rendez-vous, répliqua Samuel en enfilant son coupe-vent.

Ils rangèrent leurs bouteilles vides, éteignirent la chaîne stéréo et sortirent de l'appartement. Le Café Blabla était à moins de dix minutes de marche.

38

Assise sur une banquette, sœur Bernadette écarta les bras devant les garçons.

— Vous me croyez, maintenant? demanda-t-elle.

Samuel et Félix hochèrent la tête. Les trois compères avaient partagé leurs découvertes: l'histoire de Buisson, sa mort et celle de Béland, la réaction du frère Marcel, le jeune Simard trouvé mort dans la rivière, blessé à la tête. Il fallait bien se rendre à l'évidence, Buisson avait sans doute dit vrai.

— Il nous reste maintenant deux hommes toujours en vie, dit Samuel, en plus du frère qui organisait les séances. Mais on ignore leur identité. L'un d'eux est peut-être en danger, qui sait? Je crois qu'il est temps d'aller trouver la police.

Sœur Bernadette leva les yeux.

— Non, répliqua-t-elle, je ne crois pas que ce soit une bonne idée.

— Pourtant, s'étonna Félix, vous y croyez, maintenant. Vous disiez vouloir faire enquête vous-même pour éviter un scandale sans fondement. Du fondement, vous commencez à en avoir, non?

— Oui, mais il me semble tout de même qu'il est trop tôt pour voir la police. Qu'est-ce qu'on a de solide? Rien. Que des suppositions. Une conviction intime que quelque chose de louche s'est passé, mais aucune preuve. Albert Buisson n'est plus là pour témoigner. Son récit est la seule chose qui aurait pu unir des éléments qui semblent autrement n'avoir aucun lien entre eux.

Sœur Bernadette fit une pause et commanda un scotch. Oban, *single malt*. Samuel regarda Félix. Après tout, c'est lui qui voulait aller trouver la police, en Italie.

– Toi, Félix, qu'est-ce que tu en penses? Ce n'est plus un jeu, maintenant. On a peut-être affaire à un criminel en liberté. Et si ça se trouve, la vie d'un des deux survivants, ou même d'un frère, est en danger.

Mal à l'aise, Félix pensa aux paroles de Gilbert Tardif. S'il fallait que la police enquête là-dessus, ça se saurait. Les journaux en feraient leurs choux gras et la campagne de Paul Rivest aurait du plomb dans l'aile. Coincé entre sa loyauté envers Samuel et son désir de voir son candidat triompher, il pencha du côté de ce dernier.

– Tu exagères, Samuel. Même si la mort de Buisson et Béland est imputable à un tueur en liberté, je ne vois pas pourquoi les survivants seraient en danger. S'ils sont encore vivants, c'est qu'ils n'ont rien à craindre.

Samuel n'en revenait pas. Était-il le seul à évaluer correctement la situation? Un homme en avait peut-être tué deux autres pour les forcer au silence. Peut-être trois, même, si on comptait Francis Simard, mort dans la rivière en 1957. Plutôt que de lui opposer les forces policières, on allait discuter de son cas autour d'une table? Et continuer à jouer aux apprentis enquêteurs?

Sœur Bernadette devina les pensées du jeune homme et y coupa court :

– Samuel, c'est aussi une question de stratégie. Si la police débarque avec ses gros sabots, elle va ameuter tout le monde. Les lapins vont rentrer dans leurs trous et on ne découvrira plus rien. Ensemble, on peut aller beaucoup plus loin, beaucoup plus vite, en avançant dans l'ombre.

Samuel se résigna à contrecœur. Il garda ses doutes pour lui, mais il en parlerait à son père le plus tôt possible. Officieusement. Lui saurait le conseiller.

Les deux amis convinrent d'examiner les archives du Collège à la fin de la semaine suivante. Pendant ce temps, sœur Bernadette entreprendrait une tournée des établissements religieux de la région. Peut-être dénicherait-elle dans une chapelle ou une église une image semblable à celle de la bague trouvée dans l'appareil photo du frère Marcel.

39

Le dimanche, Félix révisa l'agenda de Paul Rivest avec Pierre Lacasse. C'était sa dernière journée de coaching. À compter du lendemain, il tiendrait seul les rênes de l'organisation jeunesse dans la circonscription. Les prochains jours allaient être déterminants. La tournée de Paul Rivest dans les établissements scolaires visait à recruter un maximum de jeunes qui allaient, le moment venu, élire des délégués favorables au candidat en vue du congrès au leadership du parti. Lacasse avait établi la plupart des contacts avec les groupes de jeunes libéraux dans les établissements scolaires. Lorsque aucun groupe n'était présent dans un établissement, on contactait directement la direction. L'idée était de rencontrer un maximum d'élèves.

En général, le processus était le même : d'abord, obtenir l'autorisation de rencontrer les élèves, fixer la date et l'heure de la rencontre, puis s'organiser avec les responsables de la logistique pour faire installer une estrade et un lutrin dans une salle fréquentée par les jeunes. La salle ne devait être ni trop grande – on aurait eu l'impression que le candidat n'attirait pas les foules – ni trop petite. Il fallait ensuite installer un système pour amplifier la voix, puis obtenir des informations sur la vie étudiante locale, question de préparer quelques commentaires amusants qui seraient insérés dans le discours. La visite était ensuite publicisée par des annonces à la radio étudiante et dans le journal étudiant, ainsi que par des affiches et du bouche à oreille.

Le jour de la visite, le candidat était reçu par les membres de la direction, qui lui faisaient faire une rapide visite des lieux. Pendant ce temps, les collaborateurs locaux chauffaient la salle. Le candidat montait finalement sur l'estrade, sous les applaudissements. Quatre ou cinq sympathisants, stratégiquement disposés dans la salle, suscitaient le mouvement. Le candidat prononçait son discours et répondait finalement à quelques questions, dont une ou deux, préparées d'avance, lui permettaient de renforcer ou d'illustrer les messages clés de son discours. Il quittait ensuite prestement la salle; les gens importants sont très occupés.

Après le départ du candidat, on vendait des cartes de membre du parti. On constituait ainsi une liste de sympathisants qui allaient ensuite être invités à participer à l'assemblée d'investiture.

Félix passa donc la journée à réviser l'agenda de la semaine, à préparer des notes pour les discours de son candidat et à ajouter des dizaines d'éléments à sa liste de choses à faire le lendemain.

40

Sœur Bernadette entreprit ses promenades régionales. Elle profita de la belle journée pour se rendre au sanctuaire de Beauvoir. Sis au sommet d'une petite montagne de cent quinze mètres, au nord de la ville, le sanctuaire est dédié au Sacré-Cœur de Jésus. Fondé au début du XXe siècle par l'abbé Joseph-Arthur Laporte, il regroupe aujourd'hui un grand chalet, une chapelle en pierre, une petite chapelle à ciel ouvert et quelques kilomètres de sentiers courant à travers les arbres. Elle fit le tour des différents bâtiments, sans rien trouver qui ressemblât, de près ou de loin, à l'illustration sur la bague. Elle fit tout de même une longue promenade dans les sentiers en tentant d'imaginer comment elle pouvait faire progresser l'enquête.

Sa conscience semblait avoir fait la paix avec les décisions prises depuis le début de l'affaire. Ne comptait plus que le désir de connaître la vérité avant tout le monde. Au fond, qui était mieux placé qu'elle pour soupeser le bien et le mal et décider de la marche à suivre?

41

Au même moment, Samuel se rendait au camp de chasse familial, situé au fond d'un bois près du quatrième rang de la municipalité de Stoke, à une trentaine de kilomètres à l'est de Sherbrooke. Arrivé près de l'étroit chemin serpentant entre les champs à l'abandon, il descendit de sa voiture. Deux profonds sillons boueux avaient été creusés par le passage des camionnettes. Il risquait fort d'y laisser le dessous de sa voiture s'il tentait de s'y aventurer. Sans compter que rien ne garantissait qu'il réussirait à remonter la pente, une fois rendu en bas. Il poussa la large porte de la clôture et descendit vers le chalet, à pied.

Garée près du camp, Samuel reconnut la jeep de son père. Il poussa la vieille porte de bois et se retrouva seul à l'intérieur. Il vit immédiatement la bouteille de Balwenie Single Wood sur le comptoir. Il s'en servit un verre et alla s'asseoir sur la petite galerie baignée de soleil.

Deux scotchs plus tard, il vit apparaître Vincent au bout du sentier.

— Salut 'pa! cria-t-il.

— Hé! Samuel. Il y a longtemps que tu es arrivé?

– Non, pas trop.

– Tu n'as pas l'air dans ton assiette.

– Non, non, ça va. Quoi de neuf?

– J'arrive de la cache à chevreuil. Le plancher était en train de céder. J'ai réparé ça. Et toi?

– Tranquille.

Vincent posa ses outils sur la galerie pendant que Samuel allumait une cigarette. Il s'assit directement sur les planches.

– Tu ne roules plus tes propres cigarettes? demanda Vincent avec un sourire ironique. Tu t'embourgeoises, mon fils.

– Disons que j'en avais assez de passer mon temps à cracher du tabac. Avec le boulot à la radio, j'ai les moyens, maintenant.

– Bon. Et si tu me disais ce qui te tracasse?

– Hum... C'est juste une histoire qui a commencé en Europe. À Bordighera, en fait.

Vincent attendit la suite, sans regarder son fils. Pendant que Samuel parlait, tous deux observaient l'orée de la forêt, à quelques dizaines de mètres devant eux. Un lièvre s'approcha, puis repartit aussitôt en sautillant, les fesses en l'air. À mesure que Samuel déroulait son histoire, sa conviction de faire la bonne chose s'affirmait.

Depuis que son père avait quitté la famille, quelques années plus tôt, leurs relations étaient marquées par une forme d'oscillation permanente. Détestant Vincent pour ce qu'il avait fait - partir - et l'aimant pour ce qu'il était, Samuel était constamment déchiré entre ces deux pôles, l'un le poussant vers lui, l'autre lui dictant de s'en éloigner. C'est ainsi qu'il n'arrivait pas à trouver la paix avec son père. Qu'il souffrait constamment de son incapacité à suivre ses élans naturels et à s'ouvrir à lui. Il ne laissait jamais transparaître la moindre faiblesse devant cet homme qui l'avait abandonné, lui, lorsqu'il avait quitté sa mère. Il savait bien, maintenant, que ce n'était pas si simple. Le départ du père ne signifiait pas le rejet du fils. Mais dans l'œil de l'enfant qu'il avait été, ça n'avait pas été autre chose.

Ce jour-là, pourtant, il sentait que Vincent saurait lui indiquer la route à suivre.

Pendant que Samuel progressait dans son récit, Vincent, de son côté, sentait une profonde lassitude le gagner. Il avait vu son fils gaspiller son temps depuis nombre d'années. Avec son copain Félix, il traînait de classe en classe, d'un projet douteux à l'autre, année après année, sans jamais s'engager à fond ni bâtir quelque chose de valable. Aujourd'hui encore, il ramenait une autre chimère pour pimenter le jour. Des méchants, une conspiration et des gentils pour redresser les torts. Les jeunes aiment bien ce genre d'histoires, mais, chez Samuel, ça allait vraiment trop loin. Il le laissait se mentir à lui-même depuis toujours. Cette fois-ci, il en eut assez. Il était temps d'administrer un électrochoc, sinon, son fils n'irait nulle part.

— ... je commence à trouver que c'est trop gros, conclut Samuel. Toi, tu es policier, qu'est-ce que tu en penses?

— J'en pense que passer ton temps à rêver, tonna Vincent, ça n'a pas l'air de te faire beaucoup de bien. Tu aimes ça, les magouilles? Alors, vas-y! Cesse d'en parler en buvant le scotch des autres bien assis sur la galerie. Grouille-toi le cul et va faire ton cours de policier, tiens! Avec ça, tu pourras sauver tout le monde que tu voudras.

Sur ce, il ramassa ses outils et entra dans la cabane. Bouillant de colère, rempli du sentiment d'avoir été trahi, Samuel quitta les lieux sans dire un mot.

Quelques minutes plus tard, Vincent rangeait ses outils en pensant à l'histoire de son fils. Il reconnut qu'il y avait là plusieurs faits étranges. Mais il avait si souvent vu ses collègues faire fausse route en tirant des conclusions hâtives sur la base d'événements nébuleux pour lesquels on trouvait finalement des explications banales, qu'il avait développé avec le temps un solide esprit critique. Il regrettait tout de même sa réaction. Il aurait été si simple de rassurer Samuel en lui promettant qu'il allait s'informer auprès des enquêteurs de l'affaire Buisson et de l'affaire Béland. En rentrant chez lui, il se promit de passer un ou deux coups de fil et de reparler à son fils.

Mais il ne le fit pas, car en retournant au quartier général le lendemain matin, il prit connaissance de nouvelles informations qui allaient relancer l'enquête sur les motards de la région. L'histoire de Samuel allait être reléguée au second plan pendant quelque temps.

42

La tournée de Paul Rivest donnait d'excellents résultats. Le courant passait bien entre lui et les élèves, qui achetaient des cartes de membre du parti en grande quantité. En une journée et demie, il avait visité une dizaine d'écoles.

Le mardi, à l'heure du lunch, le candidat entrait au Collège. L'aspirant-chef du Parti libéral fut accueilli par le directeur général, Paul-Émile Vanier, et par quelques dignitaires. En dépit de son âge et de la simplicité de son habillement, il émanait du frère Vanier une force paisible. Ses yeux vifs, son haut front et ses cheveux d'un blanc immaculé, mais drus, renvoyaient l'image d'un bon père de famille. Il s'approcha de Paul Rivest.

Les deux hommes se serrèrent la main chaleureusement, puis le directeur général présenta ses collègues au candidat. Le politicien leur sourit et fit quelques blagues sur le sort de ceux qui étaient passés par le Collège. En retrait, Félix observait la scène et il s'émerveilla de la fluidité avec laquelle son candidat entrait en contact avec les autres. Il avait sous les yeux une bête sociale au sommet de son art.

L'un des rôles de Félix était de s'assurer du

respect de l'agenda. Quant à Paul Rivest, il jouait le jeu de manière à laisser croire à ses interlocuteurs qu'ils étaient de commerce si agréable que, s'il n'en tenait qu'à lui, il prolongerait volontiers la rencontre. Il incombait donc à Félix de lever le poignet de manière ostentatoire, de pointer sa montre et de laisser tomber un «Monsieur, nous sommes attendus» avec un air contrit. Il avait répété la scène si souvent depuis le début de la semaine qu'elle s'était transformée en un automatisme d'un grand naturel.

Il en fut ainsi, une fois de plus. Paul Rivest s'excusa auprès de ses hôtes venus l'accueillir. Le directeur général invita le candidat à le suivre et appela l'ascenseur qui devait les mener à la grande salle des étudiants. Suivi de l'attachée de presse du candidat, Félix monta avec eux.

Paul Rivest fit un excellent discours et gagna la sympathie de la grande majorité des étudiants présents. Ces jeunes étaient si peu politisés qu'il leur suffisait qu'un candidat vienne les voir pour qu'ils lui accordent leur appui. Félix jugea que son candidat avait tout de même dérapé, pendant la période de questions, en rivant le clou à un étudiant qui avait osé remettre en question le bilan du gouvernement en matière d'environnement. Piqué, Paul Rivest avait alors fait une interminable énumération des investissements à travers le pays, ne s'arrêtant que lorsque le jeune homme se fut rassis, raillé par ses camarades. Pour Félix, le candidat aurait dû profiter de l'occasion pour *éduquer* le jeune homme, en bon père de famille, plutôt que de se comporter en bagarreur de ruelle et de l'humilier devant ses pairs.

La tournée régionale se poursuivit jusqu'au lendemain midi. Après le départ de Paul Rivest, Félix colligea les noms et coordonnées des personnes qui avaient contribué au succès de la tournée : présidents de comités étudiants, gestionnaires d'établissement, etc. Il ajouta quelques annotations pour certains, puis envoya la liste au bureau d'Ottawa. À partir de modèles, un attaché politique allait faire imprimer des dizaines de lettres de remerciement, toutes semblables, que le candidat signerait en vitesse au cours de ses prochains déplacements.

Il fit également dresser la liste des nouveaux membres du parti et contacta quelques leaders étudiants locaux qu'il mit en contact avec des leaders d'autres établissements scolaires à travers le pays. Il fallait mettre sur pied, au plus tôt, un réseau d'appuis national qui, telle une locomotive, allait entraîner le vote des jeunes délégués dans son sillage.

De son côté, Samuel ne donna pas de nouvelles. Il partagea son temps entre le studio et sa chambre, chez sa mère, à Omerville. Profondément blessé par la réaction de son père, il ruminait de sombres pensées. Un tel déni de confiance lui était insupportable. Il songea à couper définitivement les ponts avec Vincent. Mais le besoin de retrouver son regard bienveillant était trop fort. Inconsciemment, il cherchait une façon de regagner l'estime de son géniteur en prouvant sa valeur. Comment y arriver, sinon en résolvant l'énigme Buisson?

Quant à sœur Bernadette, elle poursuivait sa tournée des établissements religieux à la recherche d'une image semblable à celle de la bague trouvée dans l'appareil photo du frère Marcel. Ses pèlerinages la menaient chaque fois un peu plus loin de Sherbrooke. « Si ça continue comme ça, se disait-elle, je vais bientôt me retrouver au pied de l'oratoire Saint-Joseph! »

43

Le jeudi après-midi 13 avril, Félix passa un coup de fil au musée. Le préposé parut gêné lorsqu'il reconnut Félix.

– Écoutez, je suis désolé. Finalement, il n'y avait rien d'intéressant dans ces boîtes.

Surpris, Félix demanda des explications, mais l'adolescent paraissait de plus en plus mal à l'aise.

– Le directeur général a décidé de jeter les boîtes, je n'y peux rien. Si vous avez des questions, vous devriez l'appeler.

Félix raccrocha, décidé à tirer l'affaire au clair. Il recontacta le standard du Collège et demanda à parler à Paul-Émile Vanier, qui prit l'appel.

– Monsieur Vanier, bonjour. Félix Roche à l'appareil.

– Félix Roche... Bonjour, jeune homme. Alors, satisfait de la visite de monsieur Rivest dans nos murs?

– Tout à fait! Le ministre semblait très heureux de sa rencontre. Il devrait d'ailleurs vous envoyer un mot bientôt pour vous remercier.

– Oh! Ce n'est rien, allez!

Félix aborda la question des archives. Il lui expliqua qu'il travaillait à un projet d'émission de radio avec son copain Samuel St-Germain, un ancien du Collège. Le sujet: la vie des jeunes au cours de la période précédant la Révolution tranquille. Il relata sa discussion avec madame Boutin, de la bibliothèque, puis sa visite du musée avec le préposé. Marchant sur des œufs, il termina, en disant:

– Nous avons bien vu les boîtes, mais elles étaient inaccessibles. Le préposé devait les faire dégager cette semaine. Or, je viens de lui parler. Il paraît que les archives ont été jetées?

– J'entends bien votre déception, cher Félix, répondit le frère Vanier d'un ton emphatique.

– C'est vrai, nous aurions bien aimé avoir accès à ces documents. Vu l'importance du Collège pour la région.

– Imaginez-vous donc que ces boîtes ne contenaient finalement rien d'intéressant. Que de vieux volumes utilisés en classe par les enseignants, à l'époque. Ainsi que des documents purement administratifs sur les finances de l'établissement. Comme il fallait faire de l'espace, j'ai demandé qu'on se débarrasse de tout ça.

– Hum... Tout de même, nous aurions pu y jeter un coup œil. Peut-être que les archives sont encore accessibles. On pourrait les récupérer?

– Je vous assure, cher Félix, qu'il n'y avait rien là qui aurait pu alimenter votre sujet. De toute manière, il est trop tard, elles ont été détruites. Je suis désolé...

– Détruites? C'est que...

– Bon, je dois vous laisser là-dessus, j'ai beaucoup de travail. Au revoir, et bonne chance.

Sur quoi le frère Vanier raccrocha. Abattu, Félix posa le combiné à son tour. Les archives représentaient leur dernier espoir d'en savoir plus sur cette affaire sans devoir poser de questions aux personnes liées, directement ou indirectement, à ce drame. Le contenu des archives aurait permis d'avancer, sans éveiller les soupçons, sans risquer que l'affaire devienne publique. Il donna un coup de fil à Samuel.

— Félix? Salut, vieux. Quoi de neuf? Tu as appelé au Collège?

— Justement. Il y a deux minutes. Tu sais quoi?

— Je vais savoir bientôt. Du moins, je l'espère...

— J'ai parlé au directeur général. Il dit qu'il n'y avait rien d'intéressant dans les boîtes. Que du vieux matériel scolaire et des rapports financiers.

— *Avait*?

— *Avait*! Parce qu'elles n'existent plus. Poubelles...

— Comment ça?

— Il dit qu'elles ont été détruites.

Félix raconta en détail son étrange conversation avec le préposé du musée, et sa conversation avec le frère Vanier.

— Pourquoi faire ça si vite? demanda Samuel. Et puis, de vieux manuels scolaires, il y en a encore plein la bibliothèque. Pourquoi jeter ceux-là? C'est bizarre...

— Bizarre. En tout cas, il reste qu'on n'a plus rien à quoi s'accrocher.

— Pas si vite, mon Félix. Et si on retournait au musée?

– Pour quoi faire?

– Juste pour voir, entendre, poser quelques questions...

Le musée fermait à vingt et une heures ce soir-là. Ils s'y donnèrent rendez-vous vers dix-huit heures.

44

À leur arrivée, ils reconnurent le préposé au guichet. Le jeune homme lisait une bande dessinée : *Achille Talon méprise l'obstacle*. Félix sauta sur l'occasion :

— Il est pas mal celui-ci, non?

Le grand adolescent rougit en reconnaissant ses interlocuteurs.

— Euh... Oui, très bon, répondit-il. Je les ai tous. Tous lus, relus et encore relus. Je ne me lasse pas! Et puis j'ai pas mal de temps pour ça ici.

Félix sourit.

— Justement, dit-il, vous avez certainement eu le temps de réfléchir à toute cette histoire d'archives, non? Vous ne trouvez pas ça bizarre?

— Euh... non. En fait, je vous l'ai dit, c'est une décision de la direction. Je n'ai rien à voir là-dedans.

Samuel s'impatientait. L'adolescent avait l'air de vouloir entrer dans le plancher et il avait certainement de bonnes raisons pour ça! Il fallait les entendre.

— Écoute, mon gars, coupa-t-il en s'approchant tout près du préposé. Veux-tu bien m'expliquer pourquoi le DG – le DG! – du collège s'occupe de gérer de vieux papiers poussiéreux?

Le garçon blêmit, puis raconta son histoire en parlant à toute vitesse.

– Quand vous êtes partis, j'ai voulu faire sortir les boîtes du débarras. Mais comme le responsable est absent pour un mois, on m'a dit de m'adresser au directeur général. Quand je lui ai parlé des boîtes, il a eu l'air surpris. Il m'a demandé si elles avaient été ouvertes. J'ai répondu que non, qu'il fallait justement les faire déplacer pour savoir si vos archives se trouvaient dedans. Il m'a ordonné de ne pas toucher à ça. Le lendemain, deux hommes en bleu de travail sont venus faire le ménage dans le débarras. Ils ont chargé les boîtes sur un chariot. Le frère Vanier a ouvert les boîtes et regardé ce qu'il y avait dedans. Il les a refermées, puis s'est mis à pousser le chariot vers l'ascenseur. En passant devant moi, il m'a dit qu'il n'y avait rien là d'intéressant. Que des vieux documents financiers. Qu'il allait les jeter lui-même, sur-le-champ.

– On a appelé le frère Vanier tantôt, intervint Samuel d'un ton conciliant. Il avait l'air de savoir que c'est nous qui voulions les archives. Tu lui as donné nos noms?

– Impossible, répliqua l'adolescent. Je ne sais même pas qui vous êtes. Il a dû parler à madame Boutin, à la bibliothèque.

– Bon, reprit Félix d'une voix calme. Tu as fait ce que tu avais à faire. On ne voulait pas t'inquiéter, tu comprends? Simplement, nous aurions vraiment aimé voir ces archives.

– Oui, je suis désolé, répondit le préposé, rasséréné par l'attitude de Félix.

Félix regarda Samuel, qui opina. Les deux garçons tendirent la main au préposé et le remercièrent. Au moment où ils allaient se retourner, l'adolescent les interpella, la voix basse.

– Un instant! Je ne devrais pas en parler, mais c'est vraiment bizarre...

Samuel et Félix se rapprochèrent. Le préposé poursuivit:

– Je me serais attendu à ce que les boîtes se retrouvent au sous-sol, au débarcadère, avec les autres rebuts. Mais en sortant d'ici, hier soir, j'ai vu le frère Vanier sortir du petit stationnement réservé à la haute direction. Sur le siège arrière, j'ai reconnu deux des boîtes d'archives.

Interloqués, les deux garçons échangèrent un regard.

– Et les autres boîtes? demanda Samuel.

– Dans le coffre, j'imagine, répondit l'adolescent.

– Et il a toujours sa grosse Mercedes, le frère Vanier? demanda Félix.

– Une BMW. Pas mal pour un religieux, hein? Mais les apparences sont sauves. Il paraît que même la maison qu'il habite appartient officiellement au Collège.

– Et où habite-t-il? demanda Félix.

– Je n'en sais rien.

– Il t'a vu? demanda Samuel.

Le jeune homme hocha la tête.

– Non. J'étais caché derrière le conteneur à déchets.

Les deux amis, satisfaits, sourirent au garçon, le remercièrent, puis quittèrent le musée.

45

Samuel et Félix marchèrent jusqu'au SPM, un petit café de quartier non loin de là.

— Vanier ne voulait pas qu'on fouille dans les boîtes, commença Félix après avoir commandé deux cafés. Deux conclusions : un, les boîtes contiennent quelque chose d'intéressant pour nous, en lien avec l'affaire Buisson; deux, le frère Vanier sait qu'il y a une affaire Buisson et que nous nous y intéressons.

— Et trois, lâcha Samuel, je veux ces boîtes et je les aurai!

Soudain, l'air décidé, il se leva et alla au comptoir où il demanda à la serveuse de lui prêter un répertoire téléphonique. Il chercha le nom Vanier, sans succès.

— Son numéro doit être confidentiel, grogna-t-il.

— Tu pourrais demander à ton père de le trouver, sans lui expliquer toute l'affaire.

— Mon père va rester en dehors de ça. Non. Il faut mettre la main sur les archives au plus vite. Si ça se trouve, il les a peut-être détruites pour vrai. Il faut savoir où il habite et voir ça de plus près.

— Tu veux dire : entrer chez lui?

— Non seulement je le dis, mais on va le faire!

Sans être convaincu du bien-fondé du projet,

Félix aimait bien l'idée de repérer l'endroit où habitait Vanier.

— On devrait peut-être aller voir s'il est toujours au Collège à cette heure-ci, proposa-t-il.

— Si sa BMW est encore là, ajouta Samuel, on se poste dans la rue et on attend. Quand il part, on lui colle aux fesses.

La voiture de Paul-Émile Vanier était toujours dans le stationnement réservé aux dirigeants du Collège. Rien sur le siège arrière. Assis dans la Fuego de Samuel, garée dans l'entrée du stationnement de la cathédrale, en face du Collège, les deux jeunes hommes attendaient de voir se pointer le nez de la BMW.

— Tu dois entrer en studio à quelle heure? demanda Félix.

— Vingt heures trente au plus tard. Mon émission est prête.

— Bon. Encore une heure.

Samuel alluma la radio et syntonisa une chaîne dédiée à la chanson francophone romantique: Cité Rock Détente. À la blague, on la nommait parfois Cité Rock Déprime, tant les pièces choisies donnaient envie de s'ouvrir les veines.

— C'est pas stimulant, ta musique. demanda Félix.

— Ben quoi? C'est relax.

— Ringard...

— Ringard toi-même!

— Je ne parlais pas de toi, mais de ce que tu écoutes. C'est comme si tu étais nostalgique d'une époque que tu n'as même pas connue! Et puis, en comparaison, Pink Floyd, c'est de la musique de fête foraine.

Samuel grogna et sortit de la voiture. Il fit quelques pas vers l'arrière, en bordure d'un petit boisé, ouvrit sa braguette et s'installa pour pisser. Il lui fallait toujours plusieurs secondes pour se mettre en train. Félix baissa la vitre et l'encouragea:

– Allez, Samuel! Allez, Samuel!

Samuel lâcha un long soupir en regardant au ciel. Imaginer une source, un ruisseau, de l'eau qui s'écoule... Ses efforts allaient être récompensés lorsque se fit entendre le klaxon de la Fuego, qui lui coupa toute inspiration. En colère, il rangea son artillerie pendant que Félix se fendait d'un grand rire moqueur. Il remonta dans la voiture, bien décidé à semoncer vertement son compagnon.

– Bravo, Félix! Très drôle. Tu te souviens qu'on est censés faire le guet? Être discrets? Ne pas se faire...

Il fut interrompu par deux gros yeux blancs qui projetèrent leur lumière directement sur le pare-brise de la voiture.

– Merde! dit Félix. C'est Vanier!

Les deux faisceaux lumineux quittèrent la Fuego et balayèrent le boisé quand la voiture tourna à gauche sur la rue Marquette. C'était bien la BMW de Vanier.

– Allez, suis-la! ordonna Félix.

– Attends un peu, répondit Samuel. Si on démarre tout de suite, ça va être louche. Surtout après le bruit que tu as fait. C'est certain qu'il nous a vus...

— Le bruit que j'ai fait! Fallait peut-être pas se planquer juste en face de la sortie, non?

Samuel démarra et s'engagea sur Marquette. Plus bas, coin Frontenac, la BMW venait de repartir au feu vert en direction nord. Le jeune homme n'était pas un expert de la filature, mais il connaissait bien la ville: les rues, les courbes, les feux de circulation. Mais ce qui l'aidait surtout, c'est que Vincent lui avait montré quelques trucs, plus jeune, lors des balades du dimanche après-midi. Il se tenait donc à bonne distance de la BMW, laissant une voiture entre lui et sa cible lorsque c'était possible; il perdait parfois même la cible de vue, mais rétablissait le contact visuel à l'approche des intersections. Ainsi, il pouvait traquer le gibier sans éveiller ses soupçons.

Deux minutes plus tard, la Fuego s'engagea sur le pont Terril en direction est, juste à temps pour voir Vanier virer à droite, puis encore à droite, pour descendre sur le chemin Saint-François, qui longeait la rivière. Samuel accéléra et, à la suite de Vanier, roula vers le nord. À mesure qu'ils s'éloignaient de la ville, les intersections, les commerces, les maisons et les autres artefacts de la civilisation se faisaient plus rares. Séparées par une distance d'environ trois cents mètres, les deux voitures roulèrent pendant une dizaine de minutes.

— Tu crois qu'il s'en va loin, comme ça? demanda Samuel.

— Peut-être qu'il a une maison près du sanctuaire de Beauvoir. Il y a de grandes propriétés dans ce coin-là.

– Comment le sais-tu?

– Ça remonte à l'époque où j'avais ma petite entreprise d'entretien paysager avec Ruccolo. On avait une cliente par là. Dis, on peut avoir un peu de chaleur dans ta bagnole?

Félix tentait, sans succès, de faire fonctionner le chauffage.

– Ça ne fonctionne plus depuis hier.

– Attention, il ralentit!

Les feux arrière de la BMW venaient de s'allumer. La voiture tourna à droite dans une allée bordée de cèdres, puis s'immobilisa. Par réflexe, Samuel freina.

– Continue, dit Félix. C'est une entrée privée. On reviendra tantôt.

La Fuego passa devant la BMW. Vanier était sorti de sa voiture et ramassait son courrier dans une vieille boîte aux lettres en aluminium. Samuel roula encore quelques centaines de mètres, puis s'immobilisa en bordure de la route.

– Bon, je pense qu'on l'a, dit Samuel, tout heureux. On attend quelques minutes, puis on repasse devant. Si la voiture n'y est plus, on s'arrête plus loin et on va explorer.

– Explorer!? demanda Félix. Il est là, ce soir. On ne va pas faire exprès de l'alerter!

– Du calme, mon Félix. Je ne dis pas qu'on va entrer. On va simplement s'approcher de la maison. Il faut bien savoir s'il vit seul, non?

– Seul? Mais c'est un frère! C'est certain qu'il vit seul.

– Qu'est-ce qu'on en sait? Ils se sont peut-être

installés à deux ou trois là-dedans. Et puis, qu'il soit frère, ça ne veut rien dire.

– O.K., mais on garde nos distances. On s'approche de la maison, mais on reste sous le couvert des arbres.

– Ça, c'est s'il y a des arbres, répondit Samuel.

Il embraya, fit un virage en épingle et repartit dans l'autre direction. Ils dépassèrent l'entrée où s'était arrêté Vanier. Samuel gara la voiture sur l'accotement et les deux garçons en sortirent. Ils marchèrent vers l'allée et constatèrent qu'elle montait sur une petite colline. Ils décidèrent de s'y engager. S'il fallait se cacher en vitesse, ils n'auraient qu'à passer à travers les cèdres qui bordaient la voie carossable.

Il ne fallut qu'une dizaine de pas pour que cette éventualité se matérialise. Le ronronnement d'un moteur se fit entendre. Les garçons s'élancèrent au pied des grands cèdres et passèrent à travers les troncs. Ils se retrouvèrent de l'autre côté, étendus dans les hautes herbes et les arbustes, sur le sol froid et mouillé du printemps. En maugréant tout bas, ils revinrent vers les cèdres pour tenter de voir ce qui se passait dans l'allée. Une Honda Prelude rouge tournait au ralenti près de la boîte aux lettres. Le plafonnier s'alluma et baigna de lumière un jeune homme aux cheveux roux tenant un bout de papier. Le garçon regarda l'adresse sur la boîte aux lettres, puis reporta de nouveau les yeux sur le bout de papier. Semblant satisfait, il éteignit la lumière, embraya et monta dans l'allée.

Félix et Samuel le regardèrent s'éloigner. Ils le

perdirent de vue à un détour de l'allée. Ils entendirent le moteur tourner encore quelques secondes, puis s'arrêter.

— Il vient de garer l'auto, dit Félix.

— Oui, répondit Samuel. J'ai mal vu ou il avait drôlement l'air d'une tante, ce gars-là? Genre: prostitué mâle.

— Arriver à cette heure-ci chez un vieux frère, vérifier l'adresse... Je dirais que ton hypothèse en vaut une autre. Ça voudrait dire qu'il habite seul. Plus besoin d'aller voir.

— Non, non, oublie ça. Tu ne t'en tireras pas si facilement. On va quand même aller jeter un coup d'œil.

Félix céda une fois de plus devant la détermination de son ami. Il n'allait pas le laisser entrer seul dans la gueule du loup, non?

Ils revinrent dans l'allée et poursuivirent leur ascension. Après quelques minutes de marche, ils débouchèrent sur un vaste terrain gazonné. Sur la gauche était plantée une imposante maison de bois aux larges fenêtres à carreaux bordées de volets blancs. Sur la droite, un cabanon délabré. Derrière, un immense champ entourant un étang. Le tout ceinturé d'une forêt mature de feuillus et de conifères.

— S'il y avait un chien? demanda Samuel, tout bas. Je n'aime pas trop les chiens.

— On l'aurait entendu japper quand le jeune est arrivé, le rassura Félix.

— À moins qu'il ne soit dans la maison.

— Tu vois une niche, ici?

— O.K., viens, on va essayer de voir à l'intérieur!

Samuel entraîna Félix sur la gauche. Ils progressèrent par à-coups, restant chaque fois à l'abri d'éventuels regards, en se cachant derrière divers obstacles: arbres, troncs, arbustes. Ce n'était pas difficile, le terrain en était parsemé. Ils firent le tour de la maison, sans jamais s'en approcher à plus de quarante mètres. La plupart des pièces n'étaient pas éclairées. Dans celles qui l'étaient, toutes au rez-de-chaussée, on avait tiré ce qui semblait être d'épais rideaux de velours rouge.

Le froid commençait à avoir raison de la volonté des deux amis.

— De toute façon, dit Félix, on n'apprendra rien de plus ce soir. Et puis, je suis gelé.

— Tu as surtout les jetons, répliqua Samuel en rigolant.

Ils revinrent dans l'allée et descendirent la colline en direction du chemin Saint-François. En route, ils décidèrent de revenir dès le lendemain matin. Ils tenteraient alors d'entrer dans la maison de Vanier et de trouver les archives.

— Mais si elles ne sont pas là? demanda Félix. Peut-être qu'il les a déjà détruites?

— On ne le saura pas tant qu'on ne sera pas allés voir.

— Bon. Et si on se barre avec les boîtes, Vanier va s'en apercevoir. S'il déposait une plainte à la police?

— Je ne pense pas qu'il va parler à la police. Notre hypothèse, c'est qu'il veut cacher quelque chose, non? Et ce quelque chose, on a une petite idée de ce que c'est...

Mal à l'aise, Félix repensa à sa conversation avec Gilbert Tardif. Aurait-il parlé à Rivest, qui aurait parlé à Vanier le jour de la visite au Collège? Peut-être. Ses cogitations furent interrompues par le juron de son compagnon.

– Merde! Mon auto!

– Quoi, ton auto?

Félix leva les yeux et vit une voiture de police s'éloigner, suivie d'une dépanneuse sur laquelle on avait chargé la Fuego.

– Voiture abandonnée, stationnement interdit, quelque chose du genre, grogna Samuel. On n'a pas été partis plus d'une demi-heure!

– Zélés... Juste quand il ne faut pas. On va la retrouver à la fourrière, non?

– J'imagine...

– En attendant, il va falloir se farcir des kilomètres de marche. Au moins jusqu'à la station d'essence.

En colère et dépités, les garçons marchèrent deux heures durant. Vers dix heures trente, ils arrivèrent transis et grelottants chez le pompiste, d'où ils appelèrent un taxi. Samuel appela à la station de radio pour expliquer son absence. On lui servit un généreux bouillon de reproches, assaisonné de quelques injures. On accepta toutefois de passer l'éponge s'il animait les deux émissions de nuit du week-end.

Extenués, les garçons retrouvèrent leur lit vers minuit.

46

Le lendemain matin, le soleil dispersait lentement la brume du matin sur la rivière. La rosée achevait de sécher sur le bitume et le toit des voitures. Confortablement assis dans une Jetta bleue, café à la main et cigarette au bec, Félix et Samuel faisaient le guet à partir du stationnement d'une station-service, sur le chemin Saint-François.

— Heureusement que ta mère a pu te prêter l'auto, dit Samuel.

— Ouais, répondit Félix. Sa collègue, qui habite à côté, va aller chercher Isabelle vers huit heures.

— Tu penses qu'on est trop tard?

— Ça m'étonnerait. À l'heure où il a dû se coucher!

— Qu'est-ce que tu vas faire, pour le boulot? Ton ministre va te chercher partout!

— Très drôle, répliqua Félix sans lâcher la route des yeux. Je vais appeler tantôt. Je vais laisser un message expliquant que je suis malade et que je vais rentrer en après-midi seulement.

— Ça ne sera pas difficile. Si tu te voyais l'air...

Les deux amis avaient le teint blême, les yeux vitreux et le tour des paupières d'un rouge translucide. La petite balade nocturne avait laissé des traces. Ils tentaient de se donner un air assuré, mais tous deux étaient terrorisés à l'idée de ce qu'ils s'apprêtaient à faire: commettre un vol par effraction.

Vers huit heures quinze, Félix entra passer son coup de fil et acheta deux nouveaux cafés. Il revint à la voiture juste à temps pour voir passer la BMW de Vanier.

— Voilà notre homme, dit Samuel.

— Ça veut dire qu'on entre en scène, répondit Félix.

En dépit du nœud qu'il avait dans l'estomac, il démarra et roula en direction de la maison de Paul-Émile Vanier. Arrivé sur place, il s'engagea dans l'allée et monta vers la maison.

La plus élémentaire prudence - Vanier pouvant revenir à tout moment - les aurait menés à procéder différemment. D'abord, ils auraient dû s'équiper de talkie-walkie, puis poster l'un d'eux à la station-service pour continuer à faire le guet pendant que l'autre entrerait dans la maison pour chercher les archives.

Peut-être trop craintifs pour manœuvrer seuls, les deux amis avaient décidé de tout faire ensemble. Félix gara la voiture près de la maison. Ils en sortirent, enfilèrent des gants et se dirigèrent immédiatement vers la porte principale. Fermée à clé. Ils firent le tour de la maison. La porte arrière résista également. Ils essayèrent d'ouvrir les fenêtres. L'une d'elles, donnant sur le sous-sol, n'offrit aucune résistance. Ils entrèrent.

Ils se tenaient dans une large pièce sombre aux

murs de pierres. Félix repéra l'interrupteur près de la porte et alluma. Ils étaient dans un débarras rempli d'objets hétéroclites. Sur le mur de gauche étaient alignées une lessiveuse et une sécheuse, ainsi qu'un profond lavabo de forme cubique. Ils passèrent la porte menant à une seconde pièce, plus sombre encore. Samuel alluma sa torche électrique et balaya les murs. Il s'arrêta devant un second interrupteur, que Félix actionna. La lumière fut.

Au fond de la pièce trônait un gros foyer à combustion lente. Sur le mur de gauche, des bûches s'empilaient jusqu'au plafond. À droite, des boîtes. Sept. Les boîtes du musée. Les archives.

Les deux garçons échangèrent un sourire victorieux. Fébriles, ils s'agenouillèrent à côté des boîtes. L'une d'elles était ouverte. Manifestement, Vanier avait eu l'intention de les brûler. Le temps avait manqué, peut-être. Ils ouvrirent les autres boîtes pour en examiner rapidement le contenu : albums de diplômés, exemplaires du journal étudiant, etc. Ils avaient trouvé!

— Bon, on a les archives, dit Samuel. Viens, on va aller voir en haut.

— Es-tu fou? On en a assez fait pour aujourd'hui.

— Juste un petit tour, allez! Je commence à y prendre goût.

Félix secoua la tête. Déterminé à quitter les lieux au plus vite, il referma les boîtes.

— Aide-moi à porter ça près de la fenêtre, dit-il.

De mauvaise grâce, Samuel s'exécuta. Ils transportèrent les boîtes dans l'autre pièce. Samuel sortit le premier. Félix lui passa les boîtes une à une, alla fermer les lumières, puis sortit à son tour. Ils chargèrent les boîtes dans la Jetta, refermèrent la fenêtre et montèrent dans la voiture. Ils quittèrent la propriété sans être vus.

Ils roulaient en direction du centre-ville lorsque Samuel poussa un long cri de victoire :

– You-hou! On l'a eu, mon vieux! On l'a eu!

Félix se mit à rire aux éclats et tous deux se félicitèrent chaleureusement.

À l'approche du pont Terril, Félix revint aux considérations pratiques :

– On les met chez toi, les boîtes?

– Impossible, ma mère va me poser des questions, répondit Samuel. Même chose chez mon père. Et toi?

– Pareil. Pas de place chez papa, trop risqué chez maman. C'est curieux, des mères.

Les deux amis réfléchirent au problème, sans trouver de solution pratique.

– On pourrait demander à sœur Bernadette. Elle aurait peut-être une idée.

Félix s'arrêta devant un dépanneur. Samuel descendit de l'auto et marcha jusqu'au téléphone public, fixé sur le mur du bâtiment. Sœur Bernadette prit l'appel après quelques minutes. Le jeune homme lui expliqua la situation.

Paul-Émile Vanier avait prétendu que les boîtes ne contenaient que de vieux manuels scolaires et des documents financiers. Ce qui était faux; ils en avaient maintenant la certitude. Il avait prétendu avoir détruit les archives. Ce qui était encore faux;

les archives étaient dans la voiture. Précisément, ces archives, Samuel et Félix ne savaient pas quoi en faire. Chose certaine, il fallait les étudier attentivement.

Sœur Bernadette réagit d'abord avec inquiétude.

— Il vous a empêchés de consulter les archives?

— C'est ça, répondit Samuel.

— Donc, il s'inquiète. Il a quelque chose à cacher: l'affaire Buisson. Il devait être impliqué, personnellement.

— Probablement.

— Il sait donc que vous vous intéressez à l'affaire?

— Évidemment, Félix lui a parlé!

— Et vous avez vraiment dérobé les boîtes chez lui? ajouta-t-elle d'un ton incrédule.

— Heu... oui, répondit Samuel.

— Après avoir demandé officiellement l'accès à ces archives? Après vous être clairement identifiés?

— Oui.

— C'est que, cher Samuel, à moins qu'on ait affaire à un parfait idiot, ne croyez-vous pas qu'il aura tôt fait de déduire que c'est vous qui avez dérobé les documents?

— ...

— Et s'il avait l'impression que votre intérêt pour les archives n'avait rien à voir avec l'affaire Buisson, ne croyez-vous pas qu'il risque fort de réviser cette impression à très court terme, Samuel?

— J'imagine, se défendit Samuel, mais puisqu'il

a quelque chose à cacher, il n'ira certainement pas trouver la police...

— Sans doute. Mais quelqu'un a déjà tué deux personnes pour les contraindre au silence. Cette personne saura bientôt que vous êtes en possession de documents qui pourraient la mettre dans l'embarras. Vous avez des somnifères, à la maison?

Samuel prit soudainement conscience de la gravité de la situation.

— Il faut tout ramener là-bas, dit sœur Bernadette. C'est trop risqué.

Samuel ne pouvait se résoudre à un tel abandon. Il lui proposa de la rappeler dans quelques minutes. Il raccrocha et revint vers la voiture pour exposer la situation à Félix.

— Non, déclara Félix, catégorique. Pas question de rapporter les archives. La clé s'y trouve peut-être. Il faut prendre le temps de les analyser.

— On pourrait les prendre en photo, faire des copies?

— Il y a trop de matériel, on va manquer de temps. À moins d'en faire une partie aujourd'hui, de les rendre ce soir et de les reprendre demain pour finir le travail?

— Et s'il se décidait à tout brûler ce soir? Trop risqué.

À court d'idées, les garçons ruminèrent en silence. Ils fumèrent une cigarette en regardant devant eux.

— Je ne crois pas qu'ils vont s'en prendre à nous, lâcha finalement Félix.

— Pourquoi?

— Ils ont peut-être éliminé Buisson et Béland, mais c'était au début du processus. Ils pouvaient raisonnablement croire qu'aucun des deux n'avait laissé de traces.

— Et alors?

— Avec nous, c'est différent. On travaille ensemble. Ils ne savent pas ce que nous savons ou pas, les preuves que nous avons ou pas. Comment pourraient-ils s'imaginer qu'on enquête sur une affaire comme celle-là sans avoir pris de précautions?

— Genre?

— Genre : rédiger une déclaration et la laisser à un proche, un témoignage à rendre public s'il nous arrive quoi que ce soit.

— Tu as rédigé une telle déclaration?

— ...

— Moi non plus.

— Mon argument, c'est que c'est facile d'imaginer qu'on l'a fait. Et puis, ils doivent bien se douter que si on avait quoi que ce soit de solide, on serait déjà allés à la police.

— O.K., j'achète l'idée.

— De leur position, il est préférable de nous observer, de nous mettre des bâtons dans les roues s'il le faut et d'attendre pour voir.

— O.K., Félix, on garde les boîtes.

Samuel rappela sœur Bernadette et lui annonça leur décision.

— Je me doutais bien que vous ne changeriez pas d'idée si facilement, dit-elle. Rendez-vous dans trente minutes au domaine des pères franciscains, sur la route de Lennoxville. Je vous ai trouvé un refuge. On y reçoit généralement des désespérés qui viennent y faire une retraite fermée. Nous y serons en paix.

Sœur Bernadette attendait les deux garçons à l'entrée du domaine. Elle les guida jusqu'à la cabane numéro 33, à l'extrémité nord du terrain, tout près du boisé et juste à côté de l'étang. Ils empilèrent les boîtes dans la cambuse, puis sœur Bernadette s'excusa. Elle devait rentrer immédiatement. Elle reviendrait les voir en soirée.

Quant à Félix, il était attendu au bureau. Samuel décida d'entrer immédiatement en studio pour préparer son émission de radio. Ainsi, les deux amis pourraient se rejoindre ici pour examiner les archives de dix-huit heures trente à vingt heures trente. Ils verrouillèrent la porte en sortant.

47

Félix alla chercher Samuel à la station de radio et l'emmena à la fourrière, où ils récupérèrent sa voiture, moyennant la rondelette somme de cent trente-cinq dollars. Ils se rendirent ensuite au domaine des pères franciscains, après avoir acheté deux énormes cafés.

Samuel s'assit devant les boîtes posées sur la table.

— En tout cas, on ne peut pas dire que celui qui a constitué ces archives prenait son travail au sérieux. T'as vu le fouillis?

Félix approcha une lourde chaise de bois et s'assit en face de lui.

— Hum... fit-il en balayant les documents des yeux. Maintenant, par où commencer?

Il tira un document du lot et en observa la couverture de cuir.

— Les albums de diplômés, peut-être.

Il l'ouvrit. Outre les photos des élèves, chacune accompagnée d'un court texte rédigé par un camarade, on y trouvait une quinzaine de pages de photos annotées couvrant l'ensemble de la période d'étude. Une tradition encore à la mode aujourd'hui. Les étudiants y apparaissaient souvent en petits groupes, dans le cadre plus ou moins formel d'activités étudiantes.

Samuel chercha pendant quelques minutes et trouva un album sur lequel apparaissait l'inscription *1962*.

– On devrait voir les bouilles de Buisson et Béland dans celui-ci, dit-il.

Il ouvrit l'album à la section présentant la photo de chaque étudiant et un texte d'accompagnement. La photo des deux défunts était sur la première page.

Buisson y était décrit comme un garçon brillant et dynamique, mais parfois sombre. On le disait promis à un bel avenir s'il arrivait à s'intéresser à autre chose qu'au théâtre. Le texte était signé par Robert Boucher. Le commentaire sur Béland donnait plutôt l'impression d'un garçon solitaire, premier de classe, certes, mais dont la vie sociale se limitait à bien peu de chose. Le texte était signé par Luc Descarie.

Félix nota le nom des deux signataires. À répertorier l'identité de ceux qui se trouvaient associés aux deux garçons, ils allaient peut-être retrouver plusieurs fois les mêmes noms. Si l'hypothèse se confirmait selon laquelle les cinq complices et victimes des séances orgiaques étaient également complices dans la vie, les mêmes cinq noms devraient fréquemment apparaître ensemble. Si, en plus, ces cinq noms étaient fréquemment associés à la réussite, à des privilèges, ils pourraient raisonnablement croire avoir identifié correctement les cinq garçons, bourreaux ou victimes.

Samuel vint s'asseoir à côté de Félix.

— Regarde, dit-il en pointant du doigt, Robert Boucher. C'est lui qui a écrit le texte de Buisson.

— Va donc voir Luc Descarie, demanda Félix.

— Tiens, juste là, indiqua Samuel.

Ils observèrent un instant la mine du jeune homme et poursuivirent l'examen des diplômés de 1962. Ils reconnurent quelques figures notoires: Serge Frigon, ministre à Québec; Claude Kelty, maire de la ville; Hubert Lachance, criminel notoire affilié à la bande de motards locale; Gino Mancini, qui offrait des services de pompes funèbres - c'est lui qui avait pris en charge l'enterrement de la grand-mère de Félix; Michel Parenteau, entrepreneur à la tête d'un empire médiatique - notamment propriétaire de la station de radio où travaillait Samuel; Paul Rivest, ministre de l'Environnement et bientôt premier ministre du Canada; Rock Sévigny, avocat réputé dans la région; et Alain Vandal, qui avait connu ses heures de gloire dans la Ligue nationale de hockey.

— Belle brochette de vedettes, siffla Samuel.

— Avec ton patron et mon patron dans le lot! répliqua Félix.

— Tu pourrais lui parler de cette histoire-là, à Paul Rivest.

Félix pensa à ce lunch avec Gilbert Tardif. Celui où, convaincu d'avoir été victime d'une supercherie, il avait parlé de sœur Bernadette et des allégations de Buisson.

— T'es malade? Je me vois mal aller embêter le futur premier ministre avec une histoire pareille!

– Surtout qu'il pourrait être impliqué, dit Samuel. C'est vrai, après tout. Buisson aurait dit que des gens importants faisaient partie du lot.

– Ben oui! Pourquoi pas? Tout comme une barbote du lac des Nations pourrait ouvrir une école de vélo...

Ils s'attaquèrent bientôt aux autres photos de l'album. Celles où l'on voyait les élèves en petits groupes au cours de diverses activités. Sur chaque photo étaient inscrites une date et une brève description de l'événement: *1960, l'équipe du journal au travail,* ou encore *1962, une autre victoire de l'équipe de rugby!*

Dans un laborieux chaos, les deux amis naviguèrent à travers les archives pendant plus d'une heure, en notant des noms, des événements et des dates sans voir apparaître ne serait-ce que le début d'une réalité plus large que celle qu'ils avaient sous les yeux: une suite de noms, d'événements et de dates.

– Je ne vois pas comment on peut arriver à quelque chose, laissa tomber Samuel, découragé. Il y a beaucoup trop d'information à traiter. On commence à peine et j'ai déjà oublié la moitié des noms qu'on vient de voir.

– Moi qui comptais sur ta mémoire. Parce que la mienne...

Ils furent interrompus par une suite de bruits secs. On frappait à la porte. Ils se retournèrent pour entrevoir l'imposante silhouette de sœur Bernadette à travers la vitre. Samuel alla ouvrir.

– Bonsoir, les garçons! aboya la religieuse,

tout sourire. Alors, graine de brigands, vous avez trouvé quelque chose?

À voir la mine déconfite des garçons, elle comprit qu'ils n'avaient pas beaucoup progressé. Elle s'essuya les pieds et s'approcha de la table.

— Joli désordre, laissa-t-elle tomber en regardant la pile de documents épars. Pas étonnant que vous n'arriviez à rien, ajouta-t-elle. Pour trouver une aiguille dans une botte de foin, il faut avoir beaucoup de patience ou beaucoup de méthode. Idéalement les deux. Mais vous me semblez n'avoir ni l'une ni l'autre.

D'un air accablé, elle s'assit à la table et leur fit signe d'approcher. Elle les invita d'abord à faire l'inventaire du matériel disponible. Puis, à classer les documents par type et en ordre chronologique.

Il y avait là des documents couvrant la période allant de 1952 à 1970, qu'ils classèrent en neuf piles distinctes: dix-huit albums de photos de diplômés, cent quarante-quatre exemplaires du journal étudiant, cent soixante-deux du bulletin d'information du Collège, les procès verbaux des dix-huit assemblées annuelles de l'association des étudiants, dix-huit affiches des mises en nomination au Gala annuel du mérite scolaire et autant d'affiches félicitant les gagnants, dix-huit affiches de mises en nomination au Gala sportif annuel et, encore une fois, autant d'affiches de félicitations aux gagnants. Finalement, la dernière pile contenait divers documents, les inclassables.

— Maintenant, dit sœur Bernadette, il faut trouver un moyen d'extraire l'information pertinente et de l'organiser. Des idées?

Les deux garçons la regardèrent, démunis.

— On fait un petit effort? relança-t-elle.

— Extraire l'information, ça va, dit Samuel. Des noms, des événements, des dates. Mais organiser l'information... Peut-être avec un ordinateur?

Félix réfléchit un instant. Il avait appris à utiliser les bases de données avec le directeur de l'organisation du parti, dans la circonscription. On s'en servait pour le pointage. On contactait un maximum de citoyens pour connaître leur orientation politique. Le jour des élections, on s'assurait que les sympathisants allaient voter. L'outil avait prouvé son efficacité. Une fois les données entrées, on pouvait analyser l'information, voir des liens entre divers éléments. Il en parla aux deux autres.

— L'idée de la base de données me plaît, dit sœur Bernadette. Mais on va plutôt travailler avec une bonne vieille méthode manuscrite. On se fait un tableau géant. On inscrit chaque nouvel événement sur une ligne. Puis on note le nom de chaque personne présente dans une colonne. Chaque fois qu'une personne est associée à un événement, on fait un X au croisement de la ligne et de la colonne appropriée.

Samuel approuva.

— Si l'hypothèse selon laquelle les élèves traînaient ensemble en dehors des séances est juste, on devrait les voir ensemble dans plusieurs événements. On commence par ceux où on trouve Buisson, Béland et Simard. Puis, on identifie les deux élèves qui sont souvent aux mêmes événements. À la fin, on devrait avoir plusieurs événements avec des X dans les mêmes colonnes. Bon! Il nous faut du papier quadrillé et des crayons.

— À la pharmacie de Lennoxville? proposa Félix.

— Allons-y!

Les garçons allèrent chercher le matériel, puis s'attelèrent à la tâche. Sous la supervision de la religieuse, ils constituèrent un tableau géant formé de vingt-quatre feuilles quadrillées, qu'ils fixèrent au mur. Sœur Bernadette leur fit quelques recommandations et prit congé lorsque ses deux acolytes s'attaquèrent aux archives. Ils avaient convenu de se concentrer sur les archives des années 1955 à 1962, celles couvrant la période durant laquelle les victimes avaient fréquenté le collège.

Samuel prit l'album des diplômés de 1962, Félix les huit numéros du journal étudiant de 1955. Au tableau, à côté du nom de chaque événement, ils inscrivirent le nom des personnes présentes suivi du titre de l'archive de laquelle ils avaient tiré l'information. Vers vingt heures, ils avaient complété une trentaine d'inscriptions. La tête pleine de dates et d'images, ils décidèrent de suspendre le travail. Samuel devait aller à la station de radio, Félix voulait aller au lit. Ils convinrent de continuer le lendemain, en après-midi.

Ce soir-là, Félix s'endormit en écoutant à la radio les vieux succès québécois des années 1960 que faisait tourner Samuel. Les images des archives revenaient danser dans sa tête. Elles prenaient vie, s'animaient dans son esprit brouillé par le sommeil imminent. Il voyait comme dans un vieux film ces adolescents d'avant : avant la Révolution tranquille, avant l'entrée dans la modernité, avant que ne se lézardent les divers carcans qui confinaient toute une nation dans une certaine idée d'elle-même, sans ailes, mais satisfaite. Ces jeunes proprets, aux cheveux courts, engoncés dans leur costume de laine. Ces jeunes-là qui avaient déjà commencé à ouvrir grand la fenêtre pour faire advenir « le début d'un temps nouveau ».

Héritier de leurs luttes, de leurs échecs, et de leurs victoires surtout, que restait-il à Félix Roche? Le confort sans défis et sans histoire. « Quel pitoyable retour en arrière! » se disait-il. Il était là, obnubilé par l'instant et prisonnier de *l'hyperconscience* de sa petite personne. Sa jeune vie, constatait-il, était une suite d'instants d'une insatiable vacuité.

48

Le samedi, vers midi, Samuel passa prendre Félix chez sa mère. Ils se rendirent chez les pères franciscains, où ils reprirent le travail entamé la veille. À mesure que s'égrenaient les heures, le mur se noircissait de notes et de X, minutieusement tracés vis-à-vis du nom des personnes associées aux divers événements dont témoignaient les archives.

À quinze heures, sœur Bernadette débarqua avec des sandwichs et du café. Ils mangèrent et fumèrent, puis poursuivirent le travail à trois. En début de soirée, il ne restait plus qu'une pile de documents, qu'ils attaquèrent en redoublant d'ardeur.

— Plus qu'un! annonça fièrement sœur Bernadette en montrant un exemplaire du feuillet d'information mensuel du Collège.

— Mai 1958? demanda Samuel. Le dernier numéro de l'année?

— Oui, répondit-elle.

Les garçons s'assirent à la table pendant que leur complice complétait la grille. Après avoir inscrit le dernier X, sœur Bernadette recula d'un pas. Tous trois avaient jusque-là résisté à la tentation d'essayer de tirer des conclusions à partir des données inscrites dans la grille. Ils avaient attendu de voir le portrait d'ensemble pour éviter les conclusions hâtives, possiblement erronées. Maintenant épuisés, les yeux perclus de fatigue d'avoir scruté les images et les mots pendant de longues heures, mais excités tout à la fois d'être si près du but, ils observaient la grille en silence comme s'ils découvraient une fresque d'une autre époque.

Et cette fresque racontait une histoire, plus clairement que n'importe quel témoignage.

Le dessin formé par une série dominante de cinq X qui, d'un événement à l'autre, revenait avec une étonnante constance, semblait avoir été gravé en relief sur la grille tant il s'imposait avec force à l'œil de l'observateur. On trouvait, associés à la plupart des événements, du milieu de l'année scolaire 1955 au mois d'avril 1957, les mêmes cinq photos, les mêmes cinq noms: Albert Buisson, Yves Béland, Francis Simard, Michel Parenteau et Paul Rivest.

Puis, à partir du mois d'avril 1957 jusqu'à la fin de l'année 1962, deux noms seulement étaient liés à presque tous les événements: Michel Parenteau et Paul Rivest. À l'exception de quelques mentions, Yves Béland semblait avoir disparu de la carte. Albert Buisson était toujours présent, mais on trouvait nettement moins d'occurrences. Et, fait important, son nom n'était plus associé à celui des autres. Quant à Francis Simard, mort, il n'avait plus fait parler de lui.

Paul Rivest. Michel Parenteau.

Et un autre personnage connu: Paul-Émile

Vanier. Sa gestion de l'affaire des archives en avait déjà fait un suspect. Sa présence à divers événements renforçait la thèse de son implication dans l'affaire Buisson. Tout jeune à l'époque, le frère Vanier occupait déjà le poste de directeur général de l'établissement et, à ce titre, il participait aux événements d'importance.

Une surprise! Georges Labrie, dans la mi-vingtaine, apparaissait sur quelques clichés. Enseignant en éducation religieuse, pouvait-on lire sur une vignette. S'il possédait alors la même ouverture d'esprit qu'aujourd'hui, son cours devait être populaire. Une joie pour les élèves, mais une épine dans le pied de l'orthodoxie religieuse!

Sœur Bernadette fut la première à briser le silence.

— Je crois qu'on a trouvé nos cinq élèves, laissa-t-elle tomber.

— Et le metteur en scène, ajouta Samuel, pointant vers la colonne réservée à Paul-Émile Vanier. Mais avec l'affaire des archives, on s'en doutait déjà.

Tous les deux se retournèrent vers Félix, silencieux. La présence de Paul Rivest sur la courte liste était un choc pour tout le monde. Pour Félix en particulier. Les coudes appuyés sur la table en formica, le front au creux de ses paumes et les doigts emmêlés dans ses cheveux frisés, il se massait lentement le crâne.

Le jeune homme avait développé pour Paul Rivest un fort sentiment d'affection, mêlé d'admiration. Pour Félix, Rivest représentait une forme d'idéal. Un homme dynamique, ambitieux, un esprit stratégique, d'une aisance désarmante en société, un tribun inspirant, un débatteur solide. Une star ascendante qui œuvrait dans les hautes sphères du pouvoir politique canadien et y défendait des idées pragmatiques sur le plan économique, mais progressistes en matières sociales.

Félix n'était certes pas indifférent à la proximité du pouvoir et des bénéfices collatéraux qui venaient avec. Il gardait fièrement sa carte d'adjoint spécial du ministre. Il se souvenait avec nostalgie des mois passés à Ottawa, où Rivest lui réservait un traitement particulier. Parmi les attachés politiques du bureau de Hull, comme de celui de la Colline parlementaire, c'était lui que Rivest invitait à souper avec le chef de cabinet et son adjoint. C'était à lui que Rivest demandait son avis concernant toutes sortes de dossiers. C'était lui qui avait accompagné Rivest lors de sa tournée estivale dans l'ouest du pays.

Que toutes ces attentions aient fait partie d'une stratégie visant à l'embrigader, pour assurer son implication future dans la circonscription, lui avait évidemment traversé l'esprit. Mais c'était comme la flatterie : facile à détecter, difficile d'y résister.

Félix releva la tête.

– Que le nom de Rivest soit là ne prouve pas qu'il ait été mêlé à cette affaire, dit-il sèchement. Pour l'instant, ce ne sont que des soupçons.

– En tout cas, répondit Samuel, quand on regarde le tableau, c'est assez frappant!

– Même s'il a été impliqué, ça ne veut pas dire qu'il ait quoi que ce soit à se reprocher.

– Peut-être, mais trois personnes sont mortes. Il reste deux suspects : mon Parenteau, dont je n'ai rien à cirer, et ton Paul Rivest.

– C'est sans compter Vanier. Après tout, c'est lui qui aurait orchestré tout ça. C'est lui qui avait le plus à perdre.

– Vanier doit avoir soixante-dix ans! Il n'est pas mon principal suspect.

– Comment *ton* principal suspect? Aux dernières nouvelles, on est encore trois, là-dedans!

Voyant les deux amis monter le ton, sœur Bernadette passa de l'autre côté de la table et les interrompit d'une voix impérieuse :

Les garçons, restons calmes. Si on résumait les données dont nous disposons, d'accord? D'abord, on a des allégations. Buisson qui affirme avoir participé à des séances orgiaques avec trois autres élèves du Collège. Un cinquième se serait joint au groupe et serait mort, probablement tué. Un frère aurait organisé les séances, un autre aurait pris des photos. Buisson aurait réuni ses trois ex-compagnons pour leur proposer de révéler toute l'affaire au public. Vu son état d'esprit, sa colère, je doute qu'il aurait invité Vanier à cette rencontre. Maintenant, les faits. Peu de temps après, Buisson et Béland sont trouvés morts. Rien ne laisse croire à la police qu'il s'agit de meurtres. Nous savons que Béland fréquentait le Collège en même temps que Buisson et son nom apparaît au tableau, dans notre liste des cinq compagnons. En voyant l'article de journal, le frère Marcel est d'abord triste, puis paniqué. Il fait une crise cardiaque et meurt. Il laisse derrière lui un appareil photo, ainsi qu'une bague ornée d'une gravure inconnue. La mort de Francis Simard, trouvé flottant à la surface de la rivière, a été confirmée dès 1957 et, tout comme Béland, il fréquentait le collège. Paul-Émile Vanier magouille pour cacher l'existence des archives. Leur analyse nous permet d'identifier cinq jeunes, cinq compagnons d'alors.

Plus calmes, Samuel et Félix écoutaient attentivement sœur Bernadette, approuvant d'un signe de tête chacune des affirmations de la nonne. Elle poursuivit :

– Que peut-on déduire de tout cela? D'abord, qu'Albert Buisson a probablement dit vrai. Que le frère Marcel était le photographe, et le frère Vanier, l'organisateur des séances. Que les cinq élèves impliqués sont Buisson, Béland, Simard, Parenteau et Rivest.

Félix approuva cette dernière affirmation à contrecœur.

– Les trois survivants auraient beaucoup à perdre si cette histoire devenait publique. Rivest et Parenteau, parce que toute révélation pourrait freiner leurs ambitions. J'ai lu un article sur Parenteau, récemment, dans un magazine économique. Son entreprise est en train de devenir un des plus importants groupes de presse au pays. Rivest vise le bureau du premier ministre, et le scrutin est pour bientôt. Quant à Vanier, en tant qu'initiateur et organisateur des séances, il porterait la plus grande part de responsabilité dans toute cette histoire. Même s'il n'avait pas participé à la rencontre organisée par Buisson, Vanier pourrait avoir été informé de ses intentions par Parenteau ou Rivest.

Se tournant vers Félix, elle ajouta :

— Je suis désolée, mais pour l'instant on doit sérieusement considérer trois suspects.

Les trente minutes qui suivirent furent particulièrement étranges. En dépit de la gravité de leur découverte, les trois compagnons demeurèrent plutôt silencieux. Ils échangèrent bien quelques banalités, mais discutèrent surtout avec eux-mêmes. L'examen des archives permettait d'identifier des suspects, mais cela ne prouvait rien. Jusqu'à présent, ils ne pouvaient démontrer l'existence d'aucun crime, encore moins pointer des coupables. Ils se justifièrent ainsi de ne pas tout aller raconter à la police. Mais, au fond de lui-même, chacun avait ses propres raisons d'agir ainsi.

Si sœur Bernadette avait maintenant la certitude que les événements décrits par Buisson avaient eu lieu, elle ne savait toujours pas ce qu'il convenait de faire avec cette information. Sa conscience oscillait entre l'ombre et la lumière, entre le silence et la divulgation. Entre le désir que justice soit faite et sa volonté de préserver l'Église, dont les bonnes œuvres faisaient encore du bien à tant de gens.

Félix voyait Rivest comme une victime. À quelques semaines de son accession à la tête du pays, il ne se sentait pas vraiment investi de la mission de faire trébucher l'homme qu'il admirait tant. S'il avait fouillé avec plus de zèle le fond de son âme, il aurait trouvé autre chose : le désir inavouable de participer à la cueillette des fruits du couronnement de son ministre et celui de, peut-être, monter dans un train qui allait donner une direction à son existence.

Quant à Samuel, il avait un compte à régler avec Vincent, son père. S'il y avait des coupables, c'est lui, le rêveur, le magouilleur qui allait leur mettre la main au collet.

Ils en étaient là dans leurs réflexions lorsque Samuel regarda l'heure. Il devait se rendre à la station pour préparer l'émission nocturne. La contrepartie de son absence imprévue à son émission du jeudi précédent. Du petit lait, lui avait-on dit. Faire tourner des chansons d'amour à vous arracher le cœur, et tout le contenu de la cage thoracique au passage. Parler sport, relations interpersonnelles, puis prendre les appels de quelques amoureux éplorés, ex-épouses cocufiées et analystes autoproclamés du jeu du Canadien de Montréal. Belle nuit en perspective.

Ils convinrent de souper ensemble, le lendemain. Sœur Bernadette les invita à la Brasserie King. On y servait, dit-elle, une gargantuesque assiette de vingt-quatre crevettes à l'ail, empilées sur une brochette de poulet, elle-même étendue sur un lit de riz pilaf bordé de quartiers de pommes de terre noyées de beurre. Le tout arrosé de bière vendue au pichet, à un prix dérisoire. Plus se développait l'amitié entre sœur Bernadette et les garçons, plus les pulsions épicuriennes, voire gourmandes, de la religieuse prenaient le pas sur le bon goût. Peu importait, puisqu'elle payait la note.

Les garçons en salivaient déjà de tout l'appétit de la jeunesse.

49

Samuel déposa sœur Bernadette et Félix au coin des rues King et Wellington, en face du Café Blabla. Ils se saluèrent. Sœur Bernadette héla un taxi en direction est, tandis que le jeune homme se dirigea sur Wellington, vers le sud. Il se rendit au bar Le Contact. Un trou dans le mur où l'on servait d'excellents « shooters » de B52. Il salua Piché, un vieux compagnon du Collège, qui s'approcha derrière le bar.

— Salut, Félix! lança-t-il, enjoué.

— Hé! Salut, Bernard. Ça va ce soir?

— Tranquille. Ça devrait commencer à s'animer vers onze heures.

— Tu as des nouvelles de Ruccolo?

— Justement, je lui ai parlé cet après-midi. Il organise une fiesta chez lui la semaine prochaine. Tu y seras?

— Sais pas, répondit Félix, désinvolte.

La vérité, c'est qu'il n'en avait pas entendu parler. Il lui fallait admettre qu'il n'avait pas été un ami très présent ces derniers temps.

Félix avala d'un trait les deux petits verres que Bernard venait de poser sur le bar devant lui. En allumant une cigarette, il compta les amitiés qu'il avait laissées en plan depuis un an. Le voyage en

Europe avait été une bonne idée. Il en parlerait sans doute encore dans vingt ans, soit. Mais il était peut-être temps de passer à autre chose.

– En tout cas, si tu veux le voir, il est censé être au Graf ce soir.

– O.K., Bernard. Merci. Je vais faire un tour.

Il laissa un billet de cinq dollars sur le comptoir, le salua et sortit. Il fit quelques pas en direction nord, traversa la rue et tira la lourde porte de bois du bar Les Graffitis. Il monta l'escalier qui débouchait dans une vaste salle enfumée où tournait à tue-tête un des grands succès des Doors. Le vestiaire n'était pas encore ouvert à cette heure. Il se rendit donc directement au bar, où il commanda une grosse bouteille de *Budweiser*, question de renouer avec ses vieilles amours.

Le Graf était sans doute le seul endroit en ville où boire une grosse bouteille de bière ne vous envoyait pas sur-le-champ dans les poubelles du bon goût. En fait, c'était même devenu un objet de fierté pour une jeune clientèle en quête de singularisation.

Félix observait du coin de l'œil la barmaid qui s'affairait derrière le comptoir en inox. Lui tournant le dos, elle faisait l'inventaire des spiritueux et remplaçait les bouteilles vides avant l'arrivée de la cohue de fêtards qui n'allaient pas tarder à s'emparer du lieu. Le regard de Félix s'attarda un peu trop longtemps sur la peau dénudée, à la jonction de son jean et de son t-shirt moulant. Sa hardiesse lui valut un regard sévère, accompagné d'un joli sourire ironique. « Qu'en conclure? » se demanda-t-il.

Il ferma les yeux un instant et sentit presque

immédiatement une douce chaleur sur son épaule. Il tourna la tête pour se retrouver face à face avec sa collègue, tout sourire, Anik Laferty : menue, cheveux auburn, délicieux yeux marron doux comme le sable, nez retroussé, lèvres fines et deux jolies fossettes aux joues lorsqu'elle vous gratifiait de son magnifique sourire espiègle.

– Anik! s'exclama-t-il. Mais qu'est-ce que tu fais ici?

– Comment, « qu'est-ce que je fais ici »?

– Ben, oui, euh... C'est que, je ne savais pas que tu fréquentais ce haut lieu de la faune néo-rétro-alternative. Une collaboratrice du futur premier ministre, quand même!

– Mais oui. À l'occasion. Surtout ce soir! Il faut fêter ça, non?

– Fêter quoi?

La jeune femme le regarda, surprise. Félix écarta les bras et écarquilla légèrement les yeux en inclinant la tête.

– Allez! Fêter quoi?

– Tu n'as pas quelque chose à fêter, ce soir? insista-t-elle.

Félix fit signe que non. Fêter quoi? La découverte que leur employeur à tous les deux avait probablement été mêlé à l'affaire Buisson? Pas de quoi se réjouir. De toute manière, Anik ne pouvait pas être au courant.

– Anik, arrête un peu, tu veux? Dis-moi ce que je devrais savoir.

– Rien, vraiment. C'est juste que tu avais l'air d'avoir la tête à la fête. Tu bois un verre avec moi?

Félix lui offrit son plus charmant sourire. Elle lui tira la manche et l'entraîna vers une table, à l'écart. Elle y déposa son verre et s'éloigna de Félix qui la suivit des yeux. Il la vit s'approcher d'une table où prenaient place trois jeunes femmes de son âge. Des amies, sans doute. Elle leur glissa quelques mots et elles se tournèrent vers lui. « Pas de soin, se dit-il. On évalue la marchandise? » L'une d'elles dit quelques mots et toutes trois éclatèrent de rire. Félix grinça. Fallait-il s'enorgueillir ou piquer une colère? Anik revint alors et prit place à ses côtés.

– Deux amies et ma sœur, expliqua-t-elle.

– Verdict?

– Mignon.

Leur attirance mutuelle, ce soir particulièrement, était évidente. Les phéromones, peut-être? L'un et l'autre savaient que c'était gagné d'avance. Ne restait plus qu'à jouer le film. Profiter de chaque minute du jeu de séduction avant de toucher le centre de la cible. Ils commencèrent en périphérie et discutèrent boutique un long moment. La campagne, les bons coups des protagonistes, la stratégie de Rivest et les pronostics pour l'élection au congrès. Puis ils se rapprochèrent du centre, parlant du parcours scolaire, de la famille, des amis. Elle avait commencé son bac en droit, mais avait décidé de prendre une année sabbatique pour tâter de la politique. Elle vivait chez maman. Ils glissèrent ensemble dans le centre et partagèrent leurs aspirations profondes, leurs projets personnels. Elle voulait des enfants, elle voulait faire carrière. Elle voulait bien faire les choses, car la vie mérite qu'on la traite ainsi. La question des éventuels conjoints fut posée. Les réponses, négatives, n'étaient que pures formalités. Ils se savaient disponibles.

Leurs genoux entrèrent en contact à vingt-trois heures vingt-sept. Leurs lèvres s'effleurèrent trois minutes plus tard. Vers minuit, entourés d'une foule grouillante, ils n'en pouvaient plus. Ils récupérèrent la voiture d'Anik et roulèrent jusqu'au bout d'un rang, près de l'autoroute, dans le nord de la ville. Ils firent l'amour comme deux adolescents, qu'ils étaient toujours. Trop vite, avec maladresse. Ils n'arrivaient pas à se satisfaire du souffle, de l'odeur, de la peau de l'autre. Ils auraient voulu nager nus dans l'âme de leur nouvel amour. Ils s'endormirent l'un contre l'autre, l'un dans l'autre. Ils firent l'amour une seconde fois au petit matin, lorsque la rosée se fut déposée sur les vitres.

Au réveil, Félix se sentit plein d'elle. « Voici enfin qui je suis, se dit-il. Un amoureux. Un romantique. » Le néant enfin gonflé de passion, tout rond, à la surface duquel il pouvait désormais faire des tours à l'infini, sans chercher de direction précise.

Anik déposa Félix devant chez lui. Ils n'échangèrent pas un mot. Leur regard, désormais amoureux, suffisait.

50

Félix ouvrit la porte sans bruit et descendit au sous-sol. Fourbu, épuisé, mais rempli à en éclater d'un bonheur inusité, il marcha vers sa chambre. En passant devant le répondeur téléphonique, il vit qu'on lui avait laissé un message. Il appuya sur le bouton d'écoute et se laissa tomber sur son lit, les bras en croix. La voix énergique emplit la pièce d'une sonorité métallique :

– Félix! Gilbert Tardif. Le futur premier ministre a besoin de toi à Ottawa pour compléter la préparation du congrès. Rendez-vous avec Lynn Karzow mardi midi, au Fuliwa. Anik Laferty part demain. Vous ferez équipe... En passant, félicitations! Ce n'est pas tous les jours qu'on te donnera une chance pareille.

Le signal indiquant la fin du message s'étira longuement dans le silence de la pièce. Félix resta immobile plusieurs minutes, laissant l'information le pénétrer à petites doses. Il partait pour la capitale canadienne. Il entrait dans la garde rapprochée du futur premier ministre du pays. Il allait être là, non pour écrire l'histoire, mais pour la faire. Peut-être voyait-on en lui davantage qu'il n'en percevait lui-même.

Il devait en parler à Anik, tout de suite! Il n'avait même pas son numéro. Merde! Il trouva l'annuaire et chercha Laferty, rue Argyll. Pourvu que maman n'ait pas repris son nom de fille. Une seule inscription. L. Laferty. Lucille, Lizette? Peu importait. Ce ne pouvait être qu'elle. Seules les femmes ne font inscrire que la première lettre de leur prénom dans l'annuaire. Il composa le numéro. Après deux sonneries, la voix d'un ange répondit.

— Allô?

— Anik!

— Félix.

— Tu dormais?

— J'attendais ton appel.

« Tu n'as pas quelque chose à fêter, ce soir? » Puis, « J'attendais ton appel ». Elle savait! Pour lui aussi, elle savait!

— Tardif a appelé! Je pars.

— Oui! Oui! Tous les deux! On part ensemble? Je passe te chercher demain?

— On m'attend seulement mardi. Lunch avec Lynn Karzow.

Ils discutèrent une bonne heure encore, supputant les responsabilités qu'on allait leur confier, imaginant les possibilités qui s'offraient à eux et rêvant leur vie avant de la vivre.

Félix s'endormit finalement, tout habillé. Il dormit si profondément qu'il n'eut pas conscience de la présence de sa mère lorsqu'elle vint le secouer en fin d'avant-midi. Découragée de voir son rejeton encore au lit à cette heure, elle poussa un long soupir. Irritée, mais pleine de compassion et d'amour maternel, elle ferma les stores en espérant qu'il trouve sa voie, quelle qu'elle soit, au plus vite!

51

Félix arriva le dernier à la brasserie King. Il avait passé le dimanche après-midi à préparer ses bagages et à contacter ses proches. Il avait annoncé la nouvelle à Isabelle et à Hubert. Sa mère avait sauté de joie. Sa tristesse de voir s'éloigner son fils pour quelques semaines était largement compensée par le bonheur de le voir enfin trouver une voie. Peut-être pas la sienne, peut-être pas pour toujours, mais une chance de vivre une extraordinaire aventure. Hubert avait été moins démonstratif, mais il n'en pensait pas moins. Avare de mots, il avait simplement rappelé à Félix qu'il pouvait bien chercher sa destination toute sa vie, s'il le voulait, mais qu'il ne fallait oublier ni son identité ni ses idéaux en chemin.

Lorsqu'il prit place à table, la bière avait déjà été tirée. Après avoir fait signe au serveur d'apporter un verre pour Félix, Samuel attaqua :

— Sœur Bernadette et moi, on est d'accord. On ne peut pas faire grand-chose avec ce qu'on a découvert. Qui sont les bons, qui sont les méchants? Le bourreau est probablement Vanier. Les victimes encore debout : Rivest et Parenteau.

— Confronter Vanier? poursuivit sœur Bernadette. Avec quelle preuve?

– Idem pour Rivest et Parenteau, reprit Samuel. Qui nous dit qu'ils passeraient à table? Ils ont trop à perdre. Bourreaux eux aussi? Complices de la mort de Buisson, de Béland? Encore une fois, quelle preuve avons-nous?

– Bref, dit Bernadette, c'est l'impasse.

Félix acquiesça. Oui, c'était bien l'impasse. Au fond, c'était ça depuis le début, non? Son esprit voguait déjà sur les flots du canal Rideau.

– Mais il nous reste un atout, laissa tomber Samuel, souriant: Georges Labrie.

– Il était là, dit sœur Bernadette. Il a pu voir, entendre. Samuel dit qu'il est proche des élèves. Ce devait déjà être le cas, à l'époque. Peut-être qu'on lui a fait des confidences.

– J'ai passé de longues heures à discuter avec lui. Tu le connais, toi aussi, Félix. Sœur Bernadette également. C'est notre homme de confiance à l'intérieur du Collège.

– Il ne reste qu'à le rencontrer.

– Demain midi, conclut Samuel. Tu te rappelles, Félix? Il sortait tous les jours marcher le long du lac des Nations. On n'a qu'à l'attendre sous le pont. Si on est chanceux, il passera par là. Et pas de danger d'être repérés par Vanier aux alentours du Collège.

Félix approuva. L'idée était bonne. Ils devaient faire un dernier essai pour découvrir la vérité.

Tous les trois mangèrent comme des ogres et burent comme des cochons. Au café, Félix lâcha la nouvelle:

– Je pars pour Ottawa mardi. Paul Rivest veut m'avoir dans son équipe.

– Quoi? sursauta Samuel, indigné. Tu vas travailler aux côtés de Rivest? Et notre enquête? Tu nous laisses tomber?

Félix s'empourpra. Oui, il avait honte de quitter ainsi le navire, comme les rats, et d'abandonner ses amis. Mais les reproches de Samuel lui offraient l'occasion d'occulter ce désagréable sentiment en le noyant dans la colère.

– Je ne laisse tomber personne! objecta-t-il. Je suspends ma participation à l'enquête pour une période indéterminée. Vous vous débrouillerez bien sans moi, ajouta-t-il en détournant le regard.

– Mais Rivest est sur notre courte liste de suspects! lança la sœur.

– Je n'y crois pas. Et même si c'était le cas, peut-être vaut-il mieux être près de lui, non? ajouta-t-il, de mauvaise foi.

Les trois compagnons discutèrent fermement encore un moment, puis sœur Bernadette et Samuel se résignèrent. De toute façon, sa décision était prise. Restait néanmoins le malaise de voir un des leurs pactiser avec « l'ennemi ».

Au moment du départ, ils se fixèrent rendez-vous pour le lendemain, onze heures quarante-cinq, sous le pont au bout du lac. Sœur Bernadette partit en taxi. Félix monta avec Samuel.

– Désolé, mon vieux. J'ai essayé de te joindre aujourd'hui pour te l'annoncer, mais tu n'as pas répondu à mon appel.

– Ça va, Félix. C'est juste que... je ne sais pas. C'est comme si tu nous laissais tomber pour les mauvaises raisons, pour le pouvoir.

Vexé, Félix ne pouvait toutefois pas contredire son vieux pote.

– C'est vrai, il y a un peu de ça. C'est surtout qu'il y a quelqu'un qui veut de moi, tu vois? Quelqu'un qui croit que je peux faire une différence.

– Oui, je vois, dit Samuel.

– J'ai longtemps cru que j'étais un «élu». Que rien ne m'était impossible. Que la vie allait s'aligner devant moi selon mes seuls désirs, mes seules passions. Des fantasmes de petits culs, avant que la vie ne devienne trop compliquée. C'est juste que ce n'est pas ça, le film, finalement. Je suis baisé.

Empathique, Samuel hocha la tête sans quitter la route des yeux pendant que Félix poursuivait.

– J'ai l'impression de jouer dans un film dont je ne connais ni le scénario ni les acteurs. Tout le monde joue un rôle, mais moi, je ne sais jamais trop où me mettre. C'est l'angoisse. Aujourd'hui j'ai envie de jouer dans un autre film, tu vois?

Samuel plissa les lèvres. Il ne comprenait que trop bien.

Félix ajouta:

– Et puis, il y a Anik.

Un feu passa au rouge. Samuel immobilisa la voiture et se retourna vers Félix, interrogateur.

– Anik?

– Oui. Une fille du bureau de Sherbrooke. On a passé la nuit ensemble hier. Elle part pour Ottawa, elle aussi.

La conversation prit un tour résolument plus léger. Félix décrivit Anik avec toute la passion des amours débutantes, sous le regard amusé de

Samuel qui s'enthousiasma du bonheur de son vieil ami.

Au moment où Félix descendait de la voiture, Samuel lui offrit de le conduire à Ottawa, le surlendemain. Félix accepta avec plaisir.

52

Le soleil au zénith baignait la ville d'une douce chaleur qu'aucun vent ne se chargeait de balayer. Georges Labrie allait certainement faire sa marche quotidienne. Il se pointa effectivement vers midi quinze au coin de la rue King et Belvédère, puis s'engagea sur le pont. Quelques minutes plus tard, il descendait l'escalier menant à la voie piétonnière qui longeait le lac en direction du parc Jacques-Cartier. Il fit quelques pas dans l'ombre du pont avant d'apercevoir sœur Bernadette, Samuel et Félix un peu plus loin. Il s'immobilisa quelques secondes, surpris, puis s'approcha d'eux en souriant.

— Mais qu'est-ce que je vois? Mes deux sceptiques préférés et la très digne représentante de Notre-Dame-des-Cœurs! Ici, ensemble? Bordighera vous aura rapprochés, on dirait!

— Monsieur, dit respectueusement Samuel en s'inclinant, sourire en coin.

— Georges, prononça Félix en tendant la main.

— Frère Labrie, dit sœur Bernadette en s'approchant pour lui faire une robuste accolade.

— Mais qu'est-ce qui vous réunit ici? demanda le frère Labrie. Vous m'attendiez?

Les trois amis prirent un air grave. Le plaisir de le revoir fut rapidement évincé par la gravité du sujet dont ils voulaient l'entretenir.

– C'est une longue histoire, commença sœur Bernadette. Marchons.

Ils marchèrent ainsi pendant une vingtaine de minutes le long du lac avant d'atteindre le parc. Les membres du trio se relayèrent à tour de rôle pour lui raconter l'affaire Buisson : la mort de deux hommes, la rencontre avec le frère Marcel à Bordighera, la bague dans l'appareil photo, la recherche dans les journaux et les archives du Collège, la réaction du frère Vanier et l'identification de six personnes potentiellement impliquées dans l'affaire, dont trois étaient encore en vie. Frère Labrie les écouta attentivement, d'un air empathique. Il posa une main apaisante sur l'épaule de sœur Bernadette lorsqu'elle raconta la mort de frère Marcel Desbiens.

– C'est renversant, laissa-t-il finalement tomber. Il y a bien eu quelques rumeurs sur certains frères. Il y en a encore, d'ailleurs. Un tel qui se tient trop proche des élèves quand il y a des attroupements, un autre qui leur caresse le cou pendant les examens. Mais rien de sérieux. Surtout Vanier et Desbiens, jamais entendu quoi que ce soit à leur sujet. Et puis, une telle histoire! Ça semble irréel.

– Pourtant, répondit Samuel, les faits accréditent la thèse de Buisson. Malheureusement, il n'est plus là pour en parler.

– Il ne restait que vous, frère Labrie, dit sœur Bernadette, dans l'expectative. Nous espérions que vous pourriez nous aider à débloquer cette situation.

— Je ne vois pas comment, répondit le frère Labrie. Je suis tellement désolé. Et j'ai peur pour vous. On parle peut-être de meurtre! Je comprends que vous n'ayez pas contacté la police. J'aurais fait la même chose. Mais avez-vous pris des dispositions?

— Des dispositions? interrogea Félix. Quel genre de dispositions?

— En parler à quelqu'un, laisser des traces écrites de cette histoire. S'il fallait qu'il vous arrive quelque chose, personne n'en saurait rien.

Tous les trois se regardèrent, puis hochèrent la tête. Ils avaient bien évoqué cette idée lorsqu'ils avaient volé les archives chez Vanier, mais ils n'en avaient pas reparlé depuis.

— Rien? s'exclama Georges Labrie. Pas un mot, pas une note? Vous jouez avec le feu!

Il réfléchit un instant, puis reprit:

— Voici ce que je vous propose: vous consignez tout par écrit. Vous mettez tout ça dans une enveloppe. Je la garde avec moi. Personne ne sait que vous êtes venus me voir, non? Personne ne pourra faire le lien. Je suis à l'abri et, franchement, j'aime mieux ça. S'il vous arrive quoi que ce soit, je vais avertir la police sur-le-champ!

Les trois amis acceptèrent d'emblée. Un minimum de prudence s'imposait.

— Les archives, elles sont à l'abri?

— Toujours chez les pères franciscains, répondit Samuel.

— Et la fameuse bague?

— Au couvent, répondit sœur Bernadette.

— Tout est en lieu sûr?

— Pour la bague, oui, répondit sœur Bernadette. Les archives, c'est moins clair. On pourrait vous les confier?

— D'accord, répondit Labrie. Et cette bague, à quoi ressemble-t-elle?

Félix dessina la gravure dans le sable en bordure de la voie piétonnière. Elle ne ressemblait à rien de ce qu'il connaissait. L'énigme perdurait. Le frère s'engagea à chercher un moyen de les aider à faire progresser l'enquête.

Sur le chemin du retour, Félix annonça son départ pour Ottawa à son ex-professeur. Celui-ci le félicita chaleureusement. Avec lui près de Vanier, et Félix près de Rivest, peut-être apprendraient-ils finalement quelque chose.

— C'est pour bientôt?

— Je pars demain matin. Samuel vient me conduire. J'espère que sa vieille Renault tiendra la route! Surtout qu'il a le pied pesant.

Samuel protesta, tandis que sœur Bernadette offrait de se joindre à eux. Avec Labrie, ils convinrent de se retrouver dans le stationnement du Carrefour de l'Estrie en fin de journée pour la remise des archives et du «testament». Georges Labrie les garderait en lieu sûr.

53

Samuel monta à bord de sa Fuego qui grinça sous son poids.

— Allez, ma vieille, on va faire mentir les sceptiques! dit-il.

Il s'engagea sur la bretelle d'accès à l'autoroute 10 en direction de Sherbrooke. Il dévia sur la 410 et sortit à Portland. Encore une fois, le soleil faisait valoir ses droits avec beaucoup d'insistance. Samuel aimait rouler, vite autant que possible, avec un bon gros café et en bonne compagnie. La route vers Ottawa allait être une partie de plaisir.

Il bifurqua sur Jacques-Cartier, puis sur Prospect, Malouin et finalement Garant. Félix l'attendait, assis avec Isabelle sur une marche de l'escalier de béton devant la maison. Son copain avait enfilé un costume bleu marine et une cravate dorée. Ils empilèrent tant bien que mal les bagages dans le coffre et sur la banquette, Félix étreignit sa mère et ils prirent la route. Prochain arrêt, le couvent de la congrégation de Notre-Dame-des-Cœurs, où les attendait sœur Bernadette. La religieuse essaya bien de s'asseoir à l'arrière, mais ce fut peine perdue. Trop corpulente! L'homme du jour n'eut d'autres choix que de se déplacer vers l'arrière. Les coudes appuyés sur ses bagages, le sourire fendu jusqu'aux oreilles, il laissa vagabonder sa pensée vers ses amis, ici avec lui, vers le bureau du futur PM et vers Anik Laferty.

Ils s'arrêtèrent pour acheter du café et prirent l'autoroute en direction de Montréal. Chemin faisant, ils discutèrent de leur rencontre avec le frère Labrie. Ils se dirent heureux d'avoir été pris au sérieux et soulagés de savoir le maigre fruit de leurs recherches à l'abri. Sœur Bernadette affirma ne pas avoir perdu espoir de retrouver quelque part l'illustration sur la bague. Samuel lui proposa de l'accompagner dans ses recherches. Sœur Bernadette aboyait de temps à autre contre Samuel, qui conduisait franchement trop vite à son goût.

On dépassa Montréal et on fila en direction d'Ottawa. Sœur Bernadette mit la radio à tue-tête. CHOM-FM diffusait de vieux succès rock des années 1970. Après une dizaine de minutes, Samuel n'en pouvait plus. Il se força tout de même à garder son calme. Il songea qu'engager la conversation lui donnerait une bonne raison de réduire le volume. Ce qu'il fit.

– Vous aimez bien le rock & roll, ma sœur?

– J'adore! On n'a pas souvent l'occasion d'en écouter au couvent. Disons que je me sens un peu seule. À mon avis, fit-elle en souriant, Jésus-Christ aurait été un fan de Led Zeppelin.

– Il aurait pu former un groupe. *The Jesus' Apostoles*, peut-être?

– J'imagine la «cène», intervint Félix, en mimant les guillemets avec les doigts. À la fin de leur carrière, tentant désespérément de reconquérir leurs fans, on aurait pu les revoir dans la *Resurrection Tour*...

Ils éclatèrent de rire. Sœur Bernadette allait renchérir lorsque la voiture se mit à tanguer. Elle tourna la tête vers Samuel. La contraction de sa mâchoire, bien visible, répondit à sa question : le garçon n'était pas en train de s'amuser, il perdait le contrôle! Le regard tendu de Samuel, dans le rétroviseur, envoya le même message à Félix, qui s'agrippa aux dossiers des sièges avant.

La voiture fit une embardée vers la droite, frôlant de près une familiale débordant de jolies frimousses roses. Les mains rivées au volant, Samuel luttait pour garder le contrôle alors que la voiture, imprévisible, partait vers la gauche, puis brusquement vers la droite, dans la plus grande confusion. Il appuya doucement sur le frein et tenta de diriger la voiture vers l'accotement, sans succès. Des coups de klaxon sauvages fusaient de toute part. Derrière eux, les voitures freinèrent en catastrophe, pendant que devant, poursuivant leur course, elles les distancèrent en quelques secondes. On entendit un claquement, comme un ballon qui éclate, et la voiture se mit à tourner sur elle-même. Elle ralentit finalement et finit par s'immobiliser en diagonale, au milieu de l'autoroute.

Sœur Bernadette fit un signe de croix. Samuel laissa fuser un profond soupir en lâchant le volant. Félix se mit à trembler comme une feuille.

– Ah! Le confort des voitures européennes, réussit-il à articuler.

Samuel lui lança un regard noir.

La sœur ouvrit la portière et sortit de la voiture. Elle s'en éloigna de quelques pas, vers l'avant, et regarda la roue.

– Pneu *kaputt*! cria-t-elle.

Samuel vint la rejoindre pendant que Félix criait pour qu'on incline la banquette avant. Le levier ne fonctionnant plus, il était coincé. Samuel revint le libérer et ils allèrent ensemble observer la roue pendant que des automobilistes s'approchaient. Ils leur firent signe que tout allait bien. Un Ontarien en costard, sortant de sa Mercedes, leur indiqua qu'il avait informé les autorités.

Samuel fit le tour de la voiture, sans constater d'autres dommages. Il revint s'accroupir devant la roue avant droite et s'aperçut que la jante elle-même n'était plus droite sur son axe.

– Vous voyez? C'est la jante. Quelque chose s'est brisé, toute la roue s'est mise à onduler et on a perdu le contrôle. Le pneu a éclaté, sans doute à cause de la pression dans tous les sens.

Les deux autres acquiescèrent.

Une voiture de la Sûreté du Québec arriva une quinzaine de minutes plus tard. Un policier recueillit quelques témoignages de l'incident, puis la voiture fut chargée sur une dépanneuse. Des témoins proposèrent à Félix de l'emmener à Ottawa, pendant que Bernadette et Samuel reviendraient à Sherbrooke à bord de la dépanneuse.

Il en fut ainsi.

54

Arrivé à Ottawa, Félix se fit déposer au YMCA de la rue Argyle. Pour quelques dollars, il obtint une chambrette au troisième étage. Il y déposa ses bagages, se brossa les dents et se rafraîchit le visage. Il replaça sa chemise dans son pantalon et saisit sa mallette, puis il sortit héler un taxi qui l'emmena au Fulywa, un authentique restaurant chinois. Il grimpa l'escalier jusqu'au premier et déboucha dans une vaste salle à manger remplie de tables rondes. Il vit Anik Laferty presque immédiatement. Ses fins cheveux auburn tombaient magnifiquement sur ses épaules. Toute menue dans son tailleur bleu foncé rayé, elle se tenait droite et fière, faisant la conversation avec Lynn Karzow. À la droite de Karzow se trouvait Stephen Mainville, membre du cabinet politique du ministre de l'Environnement.

Anik fut la première à remarquer Félix. Elle contint sa joie, mais ses yeux brillants et son sourire radieux indiquèrent au jeune homme que rien n'avait changé depuis leur dernière conversation. Karzow se leva la première, serra la main de Félix et lui souhaita la bienvenue dans la capitale. Le garçon avait travaillé sous ses ordres au cours de son stage au bureau de Paul Rivest. Il connaissait également Mainville, avec qui il avait organisé une tournée de Rivest dans l'Ouest canadien. Anik lui tendit finalement une main, douce et chaude, accompagnée d'un simple « Bonjour, Félix » plutôt formel. Si ses sentiments étaient intacts, il n'était pas question de les rendre publics pour l'instant.

Grande, blonde et plutôt jolie, Karzow était décidément un sympathique personnage, avec qui on avait l'impression de faire copain-copine instantanément. Elle était de nature enjouée, postive, dynamique et volubile. Elle éprouvait un intérêt sincère pour tous les gens qu'elle rencontrait. C'était une femme d'action et une gestionnaire exigeante, qui valorisait la prise de risques et donnait leur chance aux coureurs. Elle reconnaissait avec chaleur les bons coups, mais pointait sans ambages les erreurs.

– Le ministre m'a demandé de vous intégrer à l'équipe. Je connais ton talent, Félix, on a déjà travaillé ensemble. Anik, j'ai entendu parler de toi, toujours en bien. La chimie est bonne entre nous, c'est donc un plaisir de travailler avec vous.

Anik et Félix esquissèrent un sourire.

– Mais l'idée de vous intégrer dans l'équipe d'Ottawa à cette étape de la course ne me semble pas des plus judicieuses. Je l'ai dit à Paul Rivest, je vous le dis aujourd'hui.

Les jeunes gens déchantèrent.

– Vous avez fait du bon travail à Sherbrooke. En fait, la partie est gagnée là-bas. On peut donc sans problème vous affecter ailleurs. Mais dépenser de l'argent pour vous garder ici, alors que vous ne connaissez pas les dossiers, ce n'est pas un investissement optimal. Au moment où vous commencerez à être efficaces, le congrès sera terminé.

Anik resta immobile, Félix but une gorgée d'eau.

– Ce que je comprends de la demande du ministre, c'est qu'il a des projets à long terme pour vous. Il veut profiter de la situation pour vous mettre en contact avec le plus de gens possible, dans l'action, là où les liens durables se créent. Il veut vous voir réagir au stress d'une fin de course, dans une situation d'apprentissage. Bref, il vous met à l'épreuve. Si vous passez le test, vous aurez un bel avenir ici.

Une serveuse poussant un plateau de *dim sum* s'approcha de la table. Karzow désigna plusieurs plats qu'elle posa sur le plateau pivotant au centre de la table. Elle en profita pour verser du thé à Félix, et s'éloigna. Félix but une gorgée et s'adressa à Karzow.

– Tu as certainement des plans pour nous. Qu'est-ce qui nous attend?

– J'ai décidé de vous intégrer à l'équipe des relations publiques nationales. Primo, ça vous permettra de vous familiariser avec les dossiers. Secundo, vous établirez des contacts. Tertio, vous aurez beaucoup de pression!

– Donc, intervint Anik, recherche, rédaction de communiqués, et tout le tralala?

– Exactement. Stephen y travaille depuis plusieurs mois. Il relève du directeur des relations publiques, qui relève de moi. Il va s'occuper de vous.

Félix sourit. Il n'aurait pu rêver mieux que d'atterrir au cœur de la machine à relations publiques de la campagne. On aurait pu lui faire transporter des tables, coller des timbres... Karzow reprit :

– À compter de demain, vous assisterez chaque matin à la rencontre de stratégie, à titre d'observateurs. En ce qui concerne le logement, on a loué quelques maisons près de l'Université d'Ottawa. Une chambre t'attend, Félix. Anik y est déjà installée, elle te montrera. Là-dessus, je vous quitte. Beaucoup de pain sur la planche!

Tous se levèrent pour saluer Karzow.

– Comment te remercier? demanda Félix.

Lynn Karzow esquissa un sourire.

– Aidez-nous à gagner! dit-elle simplement.

La chef de cabinet et directrice de la campagne partie, Stephen Mainville, Anik et Félix discutèrent du rôle qu'ils allaient jouer au cours des prochaines semaines. Mainville leur donna rendez-vous au milieu de l'après-midi, au bureau. D'ici là, il invita Félix à installer ses affaires dans sa nouvelle demeure.

Finalement, Félix et Anik ne s'étaient vus, en tout, que quelques heures. Entre eux, pourtant, existait déjà une grande intimité, une grande complicité, quelque chose aussi comme une grande amitié. Et le désir.

Ils sautèrent dans un taxi en direction de la maison.

55

La dépanneuse quitta le boulevard principal d'Omerville et s'engagea dans les petites rues. Après deux virages, ils arrivèrent devant la maison d'Aude, la mère de Samuel. Le chauffeur déposa la Fuego au fond de l'allée bordant la maison. Le jeune homme régla la note du remorquage avec sa carte de crédit. Il fulminait en raison du « haut taux de sodium » de la facture, plutôt salée. L'animation à la radio n'étant pas très payante, il aurait du mal à faire réparer l'auto.

Il entra et appela un taxi pour sœur Bernadette. Ils discutèrent un moment en attendant le taxi et se promirent de se donner un coup de fil dans les prochains jours, pour faire le point.

Samuel entra dans la maison et fit cuire du bœuf haché qu'il mangea à demi cru, à même la poêle, en avalant de grosses lampées de cola. Heureux pour Félix, il éprouvait tout de même un sentiment d'abandon. L'enquête sur l'affaire Buisson ne menait nulle part. Il restait seul derrière, avec son émission de radio.

Il réfléchit à un moyen de faire réparer la voiture à peu de frais. Il pensa à Gaston Dubreuil, un vieil ami de son père qui l'avait pris en affection.

Gaston avait tenu un atelier de mécanique pendant plus de trente ans. Samuel se revoyait, tout petit, explorant l'atelier pendant que Gaston et Vincent réparaient la vieille Mustang. Il entendait encore son père le gronder quand il renversait un bocal de boulons, grimpait sur l'établi ou tentait, en catimini, d'ouvrir la distributrice de bonbons à l'aide d'un tournevis.

Ses yeux s'embuèrent lorsqu'il se souvint de ce moment béni où, caché au centre d'un amoncellement de pneus usés, il avait entendu Vincent l'appeler: «Samuel! Viens ici!» Son père venait de sortir la voiture du garage. Gaston, les bras croisés, regardait avec satisfaction le petit bijou qui luisait sous le soleil de fin de journée. Assis derrière le volant, Vincent avait ouvert la porte et fait signe à son fils d'approcher. Il s'était tapé sur les cuisses en lui disant: «Viens, c'est toi qui prends les commandes, ce soir.» Hésitant, Samuel avait marché vers la voiture en lançant un regard timide à Gaston. Il s'était assis sur les genoux de son père et avait saisi le volant à deux mains. Vincent avait refermé la porte, salué Gaston, puis il avait doucement appuyé sur l'accélérateur. Père et fils étaient revenus à la maison par les chemins de campagne, fenêtres ouvertes, en écoutant les déchirantes ballades de crooners français à la mode.

Samuel finit de ranger la cuisine et chercha le numéro de Gaston dans l'annuaire. Celui-ci répondit à la troisième sonnerie.

— Allô?

— Gaston, c'est Samuel.

– Samuel! Salut, mon gars! Il y a longtemps qu'on ne s'est pas vus. Ça va bien?

– Pas mal, merci. Et toi?

– Trop! La retraite, j'aime bien. Je pars justement pour la Floride. Je vais passer trois semaines chez ma fille, avec Lorraine. Tu sais que j'écoute ton émission de fin de soirée. C'est bon!

– Merci. Mais je commence à en avoir assez du répertoire québécois.

– Il me semble que tu devrais aller plus loin. Quand tu parles d'économie ou de politique, ça a du bon sens. Tu pourrais animer une émission d'affaires publiques.

– Oui, peut-être. Je vais y penser.

– Bon. Qu'est-ce que je peux faire pour toi?

– C'est que, j'ai failli avoir un accident ce matin sur l'autoroute. Une roue qui s'est mise à faire des folies.

– O.K. Pas de dommages? Personne n'est blessé?

– Juste la roue, toute croche. L'auto est ici chez ma mère, à Omerville.

– Oui, je vois où c'est. Je suis passé par là avec ton père l'an dernier. Tu aimerais que je jette un coup d'œil? Je pourrais faire ça au retour. Ça t'irait?

– Tu me rendrais vraiment service, Gaston. Merci.

– Au plaisir, mon gars. Je te laisse là-dessus. On est en train de charger la voiture.

– O.K. Bon voyage!

Samuel raccrocha, soulagé. Il devrait se passer de sa bagnole pendant un bon bout de temps. Il aurait pu demander à son père la permission d'habiter quelques jours chez lui, à Sherbrooke, question d'être plus près de la station de radio, mais ils n'avaient pas repris contact depuis leur rencontre au camp. Le jeune homme décida plutôt de faire appel à la générosité maternelle. Aude accepterait de lui prêter son auto en soirée.

Il avait hâte de voler de ses propres ailes.

56

Assise à une table de la bibliothèque du couvent, sœur Bernadette révisait le rapport financier de l'établissement. Elle en termina la lecture, satisfaite, et le rangea dans une chemise bleue qu'elle repoussa devant elle. Elle s'étira, laissant son regard balayer les étagères de livres le long des murs. Le soleil du début de soirée, pénétrant par les hautes fenêtres, inondait la pièce.

Elle repensa à la mésaventure de la matinée, puis à l'affaire Buisson. Le frère Georges Labrie allait-il trouver quelque chose? Elle en doutait. Poser ouvertement des questions au personnel du Collège attirerait l'attention sur lui. Sa vie pourrait être mise en danger. Ils en avaient convenu, il devait se faire discret. Mais alors, comment obtiendrait-elle de nouvelles informations? Cette enquête était bel et bien au neutre, une fois de plus.

Bernadette revit subitement le visage de frère Marcel, agonisant, et son mouvement vers l'appareil photo. La fameuse bague était la clé. Une croix, superposée sur un soleil stylisé. Elle devait comprendre la signification de cette gravure! Mais comment? Elle avait déjà visité tout plein d'établissements religieux et passé en revue des milliers d'images. Bon sang! Elle avait même fait des recherches au Vatican! Sœur Bernadette allait succomber au découragement, mais elle se reprit. Il fallait garder espoir! Samuel lui avait offert son aide, elle allait l'accepter. Et avec frère Labrie qui chercherait à l'intérieur du Collège, ils allaient certainement faire des progrès. Elle ramassa ses dossiers et se dirigea vers le réfectoire pour le dîner.

Au cours des quatre semaines suivantes, sœur Bernadette et Samuel cherchèrent l'image de la fameuse croix stylisée dans divers établissements liés à l'Église catholique, dans les musées, les écoles et les bibliothèques. Ils montrèrent une reproduction de l'illustration à de nombreux religieux, comme à des enseignants de l'Université. Georges Labrie contacta Samuel et prit des nouvelles de la bande. Il dut avouer n'avoir rien trouvé au Collège, mais affirmait continuer à chercher, discrètement.

Quant à Félix, il vivait son conte de fées politique et romantique dans la capitale canadienne. Les journées étaient longues et éreintantes. Avancer vers l'inconnu était difficile. Beaucoup de choses à apprendre, peu de repères familiers, peu d'occasions d'épater la galerie. Mais il ne voulait être nulle part ailleurs. Son amour pour Anik grandissait chaque jour. Un amour à facettes multiples, sans complications. Un amour ancré dans la réalité, détaché des fantasmes adolescents d'absolu.

TROISIÈME PARTIE

57

Sœur Bernadette sortit de la chapelle où elle s'était recueillie un moment. L'affaire Buisson n'avait pas progressé et elle sentait qu'elle ne pourrait plus repousser bien longtemps le moment où elle devrait prendre une décision : tout oublier et garder le silence à jamais, confronter les suspects ou tout raconter aux médias. Comme elle passait dans le couloir devant le hall du couvent, une sœur l'apostropha.

– Sœur Bernadette, un appel pour vous, lui dit-elle en désignant un petit cubicule, à quelques pas de là.

La sœur entra dans la minuscule pièce, saisit le combiné et appuya sur le bouton clignotant.

– Sœur Bernadette à l'appareil.

– Ma sœur! Frère Auguste, de l'archevêché.

– Ah! Bonjour, cher ami, dit-elle d'une douce voix qui tranchait avec son habituel ton impérieux. Quel plaisir de vous entendre!

Sœur Bernadette eut quelque chaleur. Elle avait rencontré Auguste tout récemment, lors de ses recherches pour trouver une image semblable à celle de la fameuse bague du frère Marcel. Elle prenait ses vœux de chasteté très au sérieux. Mais entre elle et Auguste, il y avait eu cette espèce de chimie, cette indéfinissable et irrationnelle attirance qui s'impose spontanément parfois entre deux individus. Fallait-il s'en flageller? À quoi bon pester contre un fait - ou un effet - des plus naturels? Après tout, n'était-ce pas là une preuve du miracle de la vie? Mieux valait s'en réjouir et profiter du bien-être afférent. Mais tout en préservant une saine et sainte distance, évidemment.

— Plaisir partagé, soyez-en assurée, très chère, reprit le frère Auguste. Je vous appelle au sujet de ces toiles qui vous intéressaient tant, lors de votre dernière visite.

— Oui! J'ai été étonnée de voir que vous disposiez d'une si large collection. D'ailleurs, j'ai beaucoup apprécié que vous me laissiez voir non seulement les toiles de la cathédrale, mais également celles qui ornent les murs de l'archevêché. Cette balade en votre compagnie fut fort agréable.

— Justement. J'ai trouvé une excellente occasion de poursuivre notre conversation. Figurez-vous que je viens de recevoir trois nouvelles toiles. Elles arrivent de chez un artisan de la région. Nous les lui avions confiées il y a quelques mois pour qu'il les restaure.

Sœur Bernadette ne fondait pas grand espoir dans ce nouvel arrivage, mais la perspective de revoir Auguste l'enchanta.

— Oh! Quelle belle nouvelle. Et vous accepteriez de me les montrer?

— Bien sûr! Mais il ne faudrait pas tarder, car elles ne resteront pas ici très longtemps.

– Vraiment? Et pourquoi donc?

– Ce sont trois portraits d'individus liés à des établissements catholiques de la région. Allez savoir comment nous nous sommes retrouvés avec ces toiles ici. Nous comptons maintenant en faire cadeau aux principaux intéressés.

– D'accord. Quand pouvez-vous me recevoir?

– Jeudi, vers onze heures? Nous pourrions casser la croûte ensemble, après votre visite.

– Jeudi, j'y serai. À bientôt!

Sœur Bernadette raccrocha, légèrement euphorique. Cette fois, elle n'allait pas inviter Samuel. Si elle ne croyait pas vraiment que les toiles d'Auguste puissent receler la clé de l'affaire Buisson, elle dut admettre qu'Auguste tenait peut-être la clé de son cœur.

58

Le jeudi suivant, frère Auguste accueillit chaleureusement sœur Bernadette. Il lui saisit pudiquement les mains pour lui montrer combien il était heureux de sa visite et l'entraîna d'un pas tranquille à travers le dédale de couloirs et d'escaliers de l'archevêché. Il ne fallut qu'une centaine de pas pour que les formules empesées fassent place à une conversation à bâtons rompus. Ils discutèrent de tout et de rien, communiquant un maximum d'informations comme autant de lignes à l'eau, cherchant avidement des points de jonction entre leurs deux univers personnels.

La pétanque et les fléchettes d'Auguste n'eurent pas davantage de succès que les quilles et le bridge de Bernadette. Après tant d'années en marge du marché de l'amour, ils ne savaient plus comment appâter le poisson! Les compositeurs romantiques et les grands philosophes donnèrent naissance à quelques notes au diapason. Mais c'est le cinéma qui engendra une réelle symphonie, les deux tourtereaux s'avouant une fascination incontrôlable pour le septième art. Enchanté d'avoir enfin trouvé une terre fertile, frère Auguste attaqua:

– Je vais à Montréal une fois par mois environ,

pour les affaires de l'archevêché. Je m'organise pour rester une journée de plus. J'en profite pour voir les derniers films. De midi à vingt-deux heures, j'arrive généralement à voir trois films.

– Vraiment? Quelle bonne idée! Surtout qu'ici, on passe rarement les films que j'aimerais voir.

– Triste, tout de même, de devoir aller à Montréal pour voir des films d'auteur, dit frère Auguste.

– C'est vrai, admit sœur Bernadette. Quoique je ne dédaigne pas les superproductions américaines. Un bon film d'action, plein de rebondissements, de poursuites en voiture... j'aime bien!

– Vous devez vous rendre à Montréal de temps à autre, Bernadette? Nous pourrions voir un film ensemble!

Frère Auguste s'était arrêté devant une porte, au bout du couloir.

– Je ferai ce qu'il faut, cher Auguste, je ferai ce qu'il faut, promit sœur Bernadette.

Elle mettait ainsi le doigt dans un engrenage délicieux, qui allait éventuellement lui causer bien des tourments.

Ravi, son coreligionnaire sortit un lourd trousseau de clés. Il déverrouilla, poussa la porte et alluma le plafonnier. Ayant pénétré dans la pièce, il invita la sœur à le suivre.

– Nous avons trouvé trois toiles poussiéreuses oubliées contre un mur dans une pièce où s'entassaient depuis des années une quantité impressionnante de vieux meubles inutilisés et de nombreux bibelots. Il s'agit de trois portraits d'illustres représentants de l'Église catholique qui ont joué un rôle déterminant dans le développement de la région.

D'un signe de la main, frère Auguste invita sœur Bernadette à se diriger vers trois chevalets de bois teint et verni, recouverts d'une étoffe blanche.

– Vu leur piètre condition, l'évêque a décidé de les faire restaurer et d'en faire cadeau aux établissements. Vous savez comme moi que plusieurs bonnes œuvres instaurées par l'Église sont aujourd'hui passées sous la gouverne de l'État. Ce n'est que justice de rappeler le rôle de l'Église dans leur mise sur pied.

Frère Auguste s'approcha du premier chevalet et, tout en tirant l'étoffe le recouvrant, il annonça:

– Sœur Élise Langevin, fondatrice du Pensionnat pour jeunes filles.

Puis, ce fut le tour du deuxième.

– Sœur Simone Tauvet, fondatrice de l'hôpital Saint-Paul.

Finalement, découvrant la troisième toile, il déclara:

– Monseigneur Pierre Duhamel, fondateur du Collège.

À l'évocation du nom du Collège, sœur Bernadette eut un pincement au cœur. Ignorant les deux autres toiles, elle s'approcha du portrait de l'évêque. L'homme, cadré de la taille jusqu'au sommet du crâne, avait été peint en position assise, légèrement de profil, le côté gauche au premier plan, son avant-bras posé sur l'accoudoir du fauteuil. Sous sa calotte, ses cheveux blancs descendaient sur ses oreilles et encadraient un front dégarni, prolongement d'un visage ovale d'une grande sérénité. Ses sourcils foncés et arqués chapeautaient des yeux légèrement globuleux. Ses paupières mi-closes lui donnaient l'air d'un homme fatigué, mais d'une fatigue circonstancielle et temporaire. Autrement, il se dégageait de lui une impression de bonhomie et de santé.

Sœur Bernadette poursuivit son exploration vers le bas de la toile, s'attardant à la grosse croix pendant sur la poitrine de l'évêque. Elle laissa échapper un soupir, alors qu'Auguste repartait de plus belle.

– Si vous aviez vu, Bernadette, l'état dans lequel...

Mais la sœur n'écoutait plus. Son cœur s'était mis à battre à tout rompre lorsque son œil avait été attiré vers la main du prélat. La gravure! Le soleil, la croix! La bague! La bague de l'appareil photo du frère Marcel, maintenant enfermée dans une vulgaire boîte de carton cachée dans le coffre-fort du couvent de Notre-Dame-des-Cœurs. La bague était là, devant elle, au doigt de l'ex-évêque de Sherbrooke et fondateur du Collège!

Sœur Bernadette poussa un cri de joie, puis échappa un sanglot, alors que de grosses larmes se mettaient à couler sur ses joues rondes et lisses. Inquiet, frère Auguste posa délicatement la main sur le bras de la sœur, qui se blottit contre lui, tête baissée, toujours sanglotante. Il appuya pudiquement sa joue contre la tempe de sa coreligionnaire et lui caressa le dos de petits mouvements circulaires. Ils jouirent quelques instants d'une chaleur qui leur avait été si longtemps interdite. Elle l'était toujours, d'ailleurs. Sœur Bernadette se retira doucement.

– Je vous remercie pour ce réconfort, frère Auguste, dit-elle en ravalant ses larmes.

– Je vous en prie, répondit-il.

– Je suis... désolée.

– Que s'est-il passé? Vous voulez en discuter?

– Pas maintenant, non. Plus tard peut-être. Ne vous inquiétez pas.

– D'accord. Si vous avez envie d'en parler, vous savez que vous pouvez me joindre en tout temps.

– Oui. Merci. Je dois partir, maintenant. Oh! Dites-moi, quand comptez-vous remettre cette toile au Collège?

– Une petite cérémonie est prévue bientôt. Vous aimeriez y assister?

– Je ne sais pas. Peut-être. Je vous appellerai d'ici quelques jours.

Sur quoi sœur Bernadette tourna les talons et sortit de la pièce. Frère Auguste la rejoignit et la raccompagna vers la sortie. Il appela un taxi qui la ramena au couvent.

Bernadette avait tant espéré cet instant, cet élément nouveau qui permettrait peut-être d'en savoir plus. Cet élément nouveau qui reporterait à plus tard l'ultime débat avec sa conscience, ce moment où elle devrait décider d'une marche à suivre dans l'affaire Buisson.

Elle se rendit directement à sa chambre et composa fébrilement le numéro de Samuel.

59

Le téléphone s'ébroua dans une pièce sombre au store baissé. Y flottaient des relents d'alcool, de sexe et de vieilles chaussettes. Sur le lit, deux corps endormis se lovaient sous une épaisse couette. De longs cheveux blonds recouvraient un oreiller d'un côté, des pieds velus dépassaient de l'autre.

La jeune femme s'éveilla la première. Du coude, elle poussa dans les côtes de son compagnon.

– Téléphone. Réveille-toi, c'est le téléphone!

Samuel poussa un grognement et, sans ouvrir les yeux, étira le bras pour saisir le combiné sur le coin du bureau, à quelques centimètres de là.

– Allô? répondit-il, la voix tout embuée de sommeil.

– Samuel? Bernadette à l'appareil!

– Oui, ma sœur, articula-t-il péniblement.

– Samuel, nous l'avons! Nous l'avons enfin!

– Tant mieux, ma sœur. On peut s'en reparler plus tard?

– Vous ne comprenez pas, Samuel. La bague, la gravure, je l'ai trouvée!

Le brouillard se dissipa en un instant. Samuel se redressa d'un coup, entraînant avec lui la couverture. Irritée, la blonde à ses côtés le frappa du dos de la main, agrippa un coin de la couverture et se couvrit en se retournant.

– Qui, quoi, quand, où, comment!? énuméra-t-il, le journaliste en devenir prenant le dessus sur le sommeil.

– À l'archevêché. Il faut se voir au plus tôt. Vous pouvez venir à Sherbrooke?

Samuel tourna la tête vers sa compagne d'une nuit.

– Oui, répondit-il. Dans une heure, Café Blabla.

– J'y serai, répondit sœur Bernadette avant de raccrocher.

Le jeune homme reposa le combiné et vint se serrer contre sa dernière conquête. Tout en lui caressant les cheveux, il lui susurra :

– Ma belle, on doit partir. Je dois être au centre-ville dans une heure.

– J'ai compris, répondit-elle d'un ton sec. Vas-y.

– Mais tu sais bien que ma bagnole est hors service. Tu veux bien me déposer? Et puis, tu ne peux pas rester ici.

– Ah ça! J'imagine, oui. Tu sais que j'ai croisé ta mère à la salle de bain ce matin? Tu ne t'es pas empressé, hier, de me dire que tu habitais encore chez tes parents! Quelle belle surprise!

– Oui, bon... avoua-t-il, gêné. Mais c'est temporaire, tu sais. Quelques mois encore, c'est tout. De toute manière, il faut y aller. On prend une douche en vitesse et on décolle, d'accord?

La jeune femme maugréa.

Trente minutes plus tard, ils s'engageaient sur l'autoroute.

60

Samuel s'attendait à voir sœur Bernadette assise devant une grosse pinte de bière pression. Il n'en était rien. Installée à l'extrémité d'une banquette, éloignée des fenêtres, elle buvait plutôt un cappuccino bien mousseux. Samuel la rejoignit. L'heure du lunch étant passée, le café était presque vide. Lorsqu'elle le vit approcher, ses yeux se mirent à pétiller de bonheur. Elle releva les fesses de la banquette pour lui faire la bise et ils s'assirent tous les deux.

– Alors? interrogea Samuel.

– Ce matin, à l'archevêché. Un ami m'offre de venir voir trois toiles qui reviennent tout juste de la restauration. Chacune est recouverte d'une étoffe et il les dévoile une à une, comme dans un film. La troisième représente un homme important: monseigneur Pierre Duhamel.

– Ça me dit quelque chose. Ce n'est pas le fondateur du Collège?

– Exactement, répondit la sœur.

– Il me semble qu'on a déjà vu son portrait quelque part, non?

– Oui! À la cathédrale! Il a été évêque de Sherbrooke.

— On n'avait rien remarqué de spécial, non?

— Non. Mais sur la toile que j'ai vue ce matin, il posait à titre de fondateur du Collège!

— Et alors?

— Et alors... Il pose avec au doigt... commença sœur Bernadette.

— ... la bague du frère Marcel! compléta Samuel.

— Voilà!

Samuel prit une grande inspiration. Ils allaient enfin quelque part! Il fit signe à la serveuse de lui apporter la même chose que sa vis-à-vis.

— La bague de Marcel, c'est la bague du fondateur du Collège. Vous en êtes bien certaine? Aucun doute?

— Aucun. Vous voulez la voir? Je vous emmène à l'archevêché, proposa la sœur.

— Ça va, merci, répliqua Samuel. Donc, ça nous ramène au Collège. Encore et toujours.

— Vous n'avez jamais vu un portrait de Pierre Duhamel pendant toutes vos années là-bas?

— Peut-être il y a longtemps. Aucun souvenir.

— Le frère Labrie en a certainement vu au moins un, accroché quelque part dans l'établissement.

— Probable. Mais si Duhamel avait porté cette bague sur le portrait, il nous l'aurait dit.

Tous deux réfléchirent au sens à donner à cette découverte. Les événements s'étaient produits au Collège. Frère Marcel, apparemment plein de remords, avait désigné l'appareil photo comme s'il recelait une information capitale.

L'information en question s'était révélée être une bague, celle du fondateur du Collège. Que fallait-il en conclure?

– Cette petite magouille durait peut-être depuis des années, proposa Samuel. Peut-être depuis la fondation du Collège.

– Et l'évêque Duhamel aurait été impliqué, lui aussi?

– En fait, il en aurait été l'instigateur. Une manière d'assouvir ses désirs et de se remplir les poches au passage.

La sœur poussa un profond soupir de dépit.

– C'est comme si je me rendais compte aujourd'hui que cette grande maison qui est la mienne est pleine de coins sombres.

– Moi, il y a longtemps que j'ai conclu que l'Église était un ramassis de psychopathes, de petits dictateurs de la pensée et de pédophiles.

Sœur Bernadette le foudroya du regard. Elle pensa à tous ces religieux qu'elle avait côtoyés au fil des ans, des gens extraordinaires, souvent engagés dans de bonnes œuvres et animés d'un profond désir de faire le bien autour d'eux. Il y avait certes quelques spécimens bizarres, comme partout ailleurs, et la doctrine la rendait parfois inconfortable. Mais, dans l'ensemble, elle se reconnaissait dans cette communauté.

– On ne va pas brûler le pommier à cause de quelques pommes pourries, non? aboya Bernadette.

– D'accord, répondit Samuel. Désolé.

– De toute manière, reprit-elle, plus calme,

l'implication de monseigneur Duhamel est hautement hypothétique.

– Reste que si Marcel a caché sa bague dans l'appareil photo, il doit y avoir un lien avec votre évêque.

– Le lien qu'il nous faut découvrir.

Samuel ferma les yeux et se répéta le nom de monseigneur Pierre Duhamel. Peut-être ce nom allait-il évoquer quelque chose. Il laissa son esprit planer d'une image à l'autre, sans contrainte. D'abord lui revinrent assez clairement les images de la cathédrale, qu'il avait visitée avec sœur Bernadette. Il vit le mur de céramiques, les moulures de bois, les colonnes de pierre, puis les toiles dans leur cadre de bois et le portrait de monseigneur Duhamel, vêtu de sa soutane violette. De la cathédrale, son esprit s'envola ensuite jusque dans le hall du Collège : sol de tuiles, plafond haut, long couloir perpendiculaire à l'entrée principale. Là peut-être, il aurait pu voir un portrait du fondateur du Collège. Il se remémora les couloirs multicolores qu'il avait quittés quelques mois plus tôt seulement et les locaux des associations étudiantes du secondaire, adjacents à la grande salle des étudiants, près du bureau des responsables des services aux élèves. Il revit clairement le petit local de la radio étudiante, où il avait passé des heures à faire tourner ses microsillons préférés pendant la pause du midi.

Puis il se souvint de l'escalier menant au sous-sol qui débouchait sur un long couloir dont le mur de droite était percé de grandes baies vitrées donnant sur trois allées en fines lattes de bois, la salle de quilles. Au bout du couloir se trouvait le local de dactylographie et, sur la droite, un autre couloir menant au local de céramique et au local de musique, où il avait appris les rudiments de la clarinette. Il s'attarda à ces souvenirs : la chaotique danse des cuivres, lorsque l'enseignant demandait aux élèves de s'asseoir devant lui, en demi-cercle; la peau battue de la grosse caisse; le vieux piano, auquel sa peinture écalée donnait des airs d'un autre âge; et les cubicules, où répétaient les amateurs de guitare électrique.

Sur le souvenir d'un riff endiablé de guitare se superposèrent finalement des images de couloirs sombres qui dansèrent dans sa tête, mais sans l'emmener ailleurs. Samuel se concentra davantage en espérant que son esprit le guiderait dans la bonne direction. Ce qui arriva.

Il se vit progresser vers la porte tout au bout du couloir peuplé d'ombres inquiétantes, passé le local de musique. Un passage, interdit aux élèves, qui donnait sur un escalier de pierre s'enfonçant dans les profondeurs de la terre. Comme s'il s'y trouvait, Samuel vit au pied de l'escalier un autre petit couloir, comme un tunnel creusé dans la pierre, s'ouvrant sur une grille en fer. Derrière la grille se trouvait la crypte. Il s'en souvenait, maintenant : la crypte où reposait depuis une centaine d'années le corps desséché de monseigneur Pierre Duhamel, fondateur du Collège.

61

Samuel rouvrit les yeux et fixa sœur Bernadette.

– La crypte, laissa-t-il tomber. La bague nous indique d'aller voir dans la crypte.

– De quelle crypte parlez-vous? demanda-t-elle.

– La dépouille de Pierre Duhamel se trouve dans un cercueil de pierre, dans les entrailles du Collège.

– Comment? fit la sœur, surprise.

La serveuse s'approcha et posa un cappuccino mousseux sur la table devant Samuel. Elle lui offrit son plus joli sourire et repartit en balançant les hanches. Le jeune homme la suivit du regard quelques secondes, puis revint à sœur Bernadette.

– Son corps est là, dans le sous-sol du Collège. C'est une section à laquelle les élèves n'étaient pas censés avoir accès. Nous avions réussi à ouvrir la porte. Après quelques minutes d'exploration, nous avions découvert, derrière une grille, une petite pièce arrondie, aux murs de marbre. Au centre, un cercueil de pierre. Autour, de grands panneaux sur lesquels on voyait clairement des noms précédés de titres religieux. On aurait dit de grands tiroirs, comme à la morgue. Mais sans poignées. Nous avions baptisé ce lieu « la crypte ». Elle était sombre et inquiétante, elle nous avait foutu les jetons.

— Mais comment savez-vous que le corps de monseigneur Duhamel s'y trouve?

— Nous avions parlé de notre petite exploration au professeur de céramique. Un grand mince, barbu, pas tout à fait sorti des années 1970, mais vachement sympathique. C'est lui qui nous a mis au parfum, tout en nous faisant promettre de ne plus y mettre les pieds.

— Bon, d'accord. De toute manière, ce n'est certainement pas un secret. Juste un fait anodin, peu connu.

— J'imagine. Duhamel voulait sans doute se mettre à l'abri des vers...

Sœur Bernadette tiqua. Elle n'appréciait pas trop l'humour noir de son vis-à-vis.

— Remarquez, à l'époque, ça avait frappé notre imagination, poursuivit Samuel. Pas parce que c'était Duhamel, mais parce qu'il y avait des macchabées dans notre école!

— Pourquoi chercher du côté de la crypte? reprit-elle.

— C'est comme ça. Une intuition.

— Une intuition? s'exclama la sœur.

Samuel soutint le regard incrédule de sœur Bernadette tout en portant la tasse de café à ses lèvres.

— C'est ce que j'ai dit. Si le nom de Duhamel a ravivé des souvenirs qui m'ont mené vers la crypte, alors qu'à l'époque l'identité des cadavres était sans intérêt, c'est que mon instinct me dit quelque chose.

— Mais encore? demanda la sœur, sceptique.

– Frère Marcel est tellement saturé de remords qu'il s'expatrie en Italie. Il cache dans son appareil photo une bague ayant appartenu au fondateur du Collège où se sont déroulés les événements. Il veut laisser derrière lui une trace, un témoignage de cette horreur.

– Ou encore, coupa sœur Bernadette qui entrait dans le jeu, c'est une police d'assurance. Une preuve qu'il peut menacer d'exhiber si jamais la générosité du Collège lui fait défaut. Après tout, c'est grâce à son ancien employeur qu'il pouvait se la couler douce à Bordighera.

– Ma sœur, vous êtes encore plus cynique que moi...

– Mais ça n'explique pas pourquoi il n'a pas laissé un témoignage écrit.

– Une sorte de testament?

– Par exemple.

– C'est peut-être ce qui nous attend dans la crypte?

– Alors, pourquoi ne pas garder ce testament avec lui? Ç'aurait été plus simple et plus sûr que ce petit jeu de cache-cache.

Samuel réfléchit un instant, cherchant une explication logique à l'étrange comportement du frère Marcel.

– Qu'est-ce que j'en sais? concéda-t-il. Peut-être ne voulait-il pas conserver d'aveux écrits, craignant l'indiscrétion de ses coreligionnaires. S'il avait voulu tout révéler de son vivant, il n'aurait eu qu'à parler. Il ne l'a pas fait. Je crois qu'il voulait que l'histoire soit connue, mais après sa mort.

— Il aurait pu laisser un document chez le notaire ou dans un coffre à la banque? suggéra sœur Bernadette.

— Peut-être n'avait-il pas confiance en eux? Si quelqu'un du Collège, Vanier par exemple, pouvait assurer une foule d'avantages aux participants à sa petite combine, c'est qu'il avait le bras long et beaucoup de contacts.

— Ou alors, proposa Bernadette, songeuse, il luttait avec sa conscience, incapable de se résoudre à tout révéler ou à emporter le secret dans sa tombe.

Samuel remarqua le regard perdu de sœur Bernadette, tout entière à ses pensées. Il eut l'impression qu'elle venait de parler d'elle-même autant que de Marcel.

— Laisser un indice pouvant mener à la vérité, reprit-il doucement, c'était probablement le plus loin qu'il pouvait aller.

— Oui, admit sœur Bernadette. Il voulait que justice se fasse, mais il n'avait pas le courage de l'affronter.

Ils restèrent silencieux quelques minutes. N'y tenant plus, sœur Bernadette commanda deux pintes de bière pression. Elle accepta la cigarette que lui offrait Samuel et ils fumèrent en observant un jeune couple et leur bébé venus manger un sandwich. « L'enfance est une belle chose », pensa sœur Bernadette. S'attaquer à une jeune âme pleine de promesses lui semblait un crime intolérable.

— Donc, reprit-elle, frère Marcel envoie un

message : l'histoire prend son origine au cœur du Collège. C'est possible.

— Et je parie que la clé se cache avec les restes desséchés de votre évêque, répondit Samuel.

— Rien que ça? Et que comptez-vous faire?

— Y retourner. De toute façon, c'est la seule piste que nous avons pour l'instant. Et je doute fort que nous en trouvions une autre.

— Mais ça n'est pas possible! s'exclama-t-elle, outrée à l'idée que Samuel profane la tombe d'un évêque.

Mais sœur Bernadette dut se rendre à l'évidence. C'était une idée abominable, mais c'était tout ce qu'ils avaient. À moins que...

— À moins que la solution soit dans l'histoire du Collège ou dans celle de monseigneur Duhamel. On pourrait aussi creuser de ce côté, non?

— Si vous avez envie de vous fourrer le nez dans les livres une fois de plus, libre à vous. Moi, j'en ai assez. J'ai besoin d'un peu de mouvement. D'ailleurs, j'ai toujours voulu franchir ces fameuses grilles.

— Vous pouvez toujours appeler le frère Vanier, ironisa la sœur. Si vous lui rendiez ses archives, il accepterait peut-être de vous donner la clé de la crypte.

— Je pensais plutôt à une entrée par effraction, répondit-il avec un sourire.

— Pourquoi ne pas en parler au frère Labrie?

— Georges est un vieil ami. Enfin, c'est tout comme. Pas question de le mêler à ça. Si on le prenait à fricoter du côté de la crypte en pleine nuit, il aurait de gros problèmes. S'il sent que la soupe est trop chaude, on ne sait pas de quoi Vanier est capable. Ou plutôt, on le sait, justement. Il risque d'y avoir de la casse. Je vois mal Georges en train de profaner un cercueil.

— Alors, j'irai avec vous!

Samuel réprima un fou rire. Il s'imaginait mal la corpulente sœur Bernadette se faufilant dans les couloirs du Collège, en pleine nuit.

— Je ne crois pas que ce soit une bonne idée, répondit-il finalement. J'imagine que je pourrais entrer au Collège le jour et m'y cacher pour attendre la nuit. Je passerais inaperçu. Je feindrai de visiter de vieux copains. Mais une sœur? On vous remarquera.

— Quand comptez-vous passer à l'action? demanda-t-elle.

— Trop tard pour ce soir, affirma-t-il en regardant l'heure. Demain soir serait idéal. Un vendredi. Presque tout le monde quitte les lieux pour le week-end.

— Et Félix?

Samuel eut un air contrarié. Le souvenir tout récent de la défection de son vieux copain lui laissait un goût amer. Il croyait lui avoir pardonné, mais le ressentiment était revenu. Leur dernière conversation téléphonique avait été plutôt froide, l'un et l'autre constatant qu'ils ne semblaient plus vivre sur la même planète.

— Félix ne s'intéresse plus à l'affaire. Il voit Paul Rivest dans sa soupe.

— Alors que vous, Samuel, vous le voyez plutôt derrière les barreaux...

— Exactement. On laisse Félix en dehors de tout ça pour l'instant. Si on trouve quelque chose, on le met dans le coup. De toute manière, le congrès débute samedi. Il a sûrement autre chose à faire.

Bernadette acquiesça. Elle ne nourrissait pas les mêmes sentiments que Samuel vis-à-vis de Félix. Ce dernier lui avait semblé si heureux lors de son départ pour Ottawa, elle ne pouvait que partager sa joie. S'il fallait que «l'opération crypte» tourne mal, elle préférait qu'il n'y soit pas mêlé. Et à voir la légèreté avec laquelle Samuel semblait prêt à s'embarquer dans l'aventure, ça pouvait bien mal tourner! La nature impulsive et brouillonne des deux garçons ne cessait de la surprendre. Il était temps d'injecter une petite dose de réalisme dans le projet.

— Et s'il fallait que Paul-Émile Vanier ou un acolyte vous surprenne en flagrant délit? interrogea sœur Bernadette. Après ce qui est arrivé à Buisson et aux autres, voulez-vous vraiment agir seul?

Samuel sentit son estomac se contracter. S'imaginer en héros était autrement plus facile que d'en être un dans la réalité. Les paroles de Bernadette venaient de lui laisser entrevoir un coin de cette réalité. Et elle comportait une grande part de risque.

Ses films d'action lui revenant en mémoire, sœur Bernadette reprit:

— Vous avez pensé aux outils dont vous aurez besoin? Aux serrures à crocheter? À un plan d'évasion, au cas où ça tournerait mal?

Samuel la fixa d'un air contrit. Il n'y avait pas pensé.

Ils passèrent l'heure suivante à préparer la profanation de la tombe de monseigneur Pierre Duhamel.

62

Malgré l'agitation quotidienne, la vie à Ottawa s'était installée dans la routine. La fin du bulletin de nouvelles marquait habituellement l'heure d'aller au lit. Les journées commençaient tôt et, le soir venu, certains allaient courir ou faire du vélo le long du canal Rideau avant de rentrer manger une bouchée et de regarder les infos télévisées. La fatigue les poussait ensuite sans ménagement vers leur lit. Mais les deux amoureux avaient du mal à aller dormir sans prendre un peu de temps pour eux. Alors, contrairement à leurs colocataires, ils restaient devant le téléviseur, collés l'un contre l'autre, à commenter en rigolant la vacuité d'un magazine télé sur la vie des stars. S'ils s'en moquaient allègrement, ils prenaient néanmoins un certain plaisir à se gaver de cette information bonbon qui présentait un haut risque d'intoxication si on la consommait avec trop de sérieux. De toute façon, leur rendez-vous télévisuel quotidien était en fait un prétexte pour savourer simplement le bonheur d'être ensemble, amoureux et sans soucis.

Mais ce soir-là, Anik éteignit le téléviseur et vint s'asseoir à côté de Félix, par terre au milieu du salon. Toute la maisonnée était en ébullition, il y avait de l'électricité dans l'air. Le congrès débutait officiellement le lendemain, mais l'inscription des délégués avait eu lieu ce vendredi. L'événement avait d'ailleurs engendré une certaine fébrilité dans l'ensemble de la ville, habituellement paisible. Des délégués, organisateurs et sympathisants des cinq candidats à la direction du parti, provenant de partout à travers le pays, affluaient vers Ottawa depuis le milieu de la journée.

Quant à Anik et Félix, ils étaient sur un pied de guerre. La course était dans sa phase ultime. Qui entre Lynda Stoneway et Paul Rivest, les deux favoris, allait l'emporter? Ces derniers jours, nul commentateur politique sérieux ne se risquait à faire de pronostics. Quelques circonscriptions n'avaient pas encore officiellement donné leur appui à un candidat. Mais elles ne représentaient que quelques dizaines de délégués. Leur impact serait négligeable. En fait, ce serait le comportement des trois autres coureurs en lice qui ferait toute la différence. Jusqu'à présent, prétendant toujours officiellement à la victoire, les candidats se gardaient bien d'exprimer quelque préférence que ce soit envers l'un ou l'autre des meneurs. Mais d'intenses tractations avaient lieu en coulisse et des témoignages anonymes avaient permis à un journaliste de la capitale d'envoyer l'un d'eux dans le camp de Rivest, l'autre dans celui de Stoneway.

La direction du parti avait prévu un scrutin à deux tours, le premier visant à éliminer les candidats ayant reçu le moins d'appuis. Ne resteraient alors pour terminer la course que les candidats qui auraient obtenu le plus de suffrages. On s'attendait donc à ce qu'après le premier tour, prévu au cours de l'après-midi du samedi, deux des candidats défaits recommandent à leurs délégués de voter pour l'un des deux favoris, Rivest d'un côté, ou Stoneway de l'autre.

Le troisième candidat, Peter Stanton, aurait alors un pouvoir considérable au second tour, prévu samedi en soirée. En définitive, son appui à l'un ou l'autre des meneurs allait sceller le résultat du congrès. On présumait donc que Rivest et Stoneway lui faisaient une cour assidue. Mais, jusqu'à présent, le principal intéressé n'avait laissé paraître aucune préférence.

La partie allait donc se jouer dans les locaux réservés au congrès. Et l'un des facteurs déterminants serait la capacité des joueurs à réagir rapidement aux événements : encadrer les expressions de joie ou de dépit des partisans, travailler au corps les indécis, au point de faire barrage, même physiquement, aux approches des autres camps, gérer l'attribution des cadeaux et privilèges visant à s'assurer les faveurs des uns et des autres, coordonner les déclarations publiques d'appuis favorables et contrer les autres, etc.

Toutes ces tactiques nécessitaient le recours à un excellent système de communication. L'usage du téléphone cellulaire étant encore peu répandu, les coursiers étaient des messagers privilégiés. On avait donc confié à Félix et Anik le mandat de localiser une cinquantaine d'individus et de surveiller leurs déplacements tout au long de la journée de samedi. Si on devait communiquer avec quelqu'un, on saurait où le trouver sans délai.

Anik étala sur le tapis le plan du Centre des congrès. Les différentes salles où se dérouleraient les principales activités, ainsi que les salles privées réservées aux candidats, y étaient identifiées. Félix déposa un bout de carton sur le nom des lieux et ils testèrent leur capacité à les identifier de mémoire. Ils firent ensuite quelques exercices les amenant à visualiser l'espace physique du congrès et à situer ces lieux par rapport à une position imaginaire. Ils révisèrent les rondes que devaient effectuer une dizaine de militants, embrigadés dans leur équipe. Finalement, ils mémorisèrent la liste de noms et de photos des cinquante personnalités qu'ils devaient suivre à la trace.

– Bon, je crois qu'on est prêts, affirma Anik.

– Oui, répliqua Félix, ça va aller. Tu as les punaises numérotées?

– Dans ma mallette. Pierre doit apporter le tableau en liège demain matin.

Félix hocha la tête. Il s'approcha d'Anik et tendit les lèvres vers son cou, où il déposa un tendre baiser. Les cheveux de la jeune femme effleurèrent sa joue. Il les repoussa doucement du bout de son nez et lui chuchota quelque chose à l'oreille. Anik sourit d'un air coquin et l'embrassa franchement. Ils rangèrent leur matériel et montèrent à la chambre.

63

Samuel avait l'impression que des milliers de petits dards dansaient à l'intérieur de ses pieds, tourbillonnant en enfonçant, mais juste un peu, leur pointe métallique sous sa chair. Il allait étirer ses jambes pour rétablir la circulation sanguine lorsqu'il entendit tourner la poignée de la porte. Celle-ci s'ouvrit et le plafonnier s'alluma. Le jeune homme se recroquevilla davantage sur lui-même, derrière une pile de boîtes de produits nettoyants. Ce n'était pas chose facile, les derniers mois ayant donné lieu, après la frugalité européenne, à une surenchère gloutonne.

Il prit panique en pensant au talkie-walkie, laissé ouvert. On pourrait entendre, à tout moment, le crachement métallique de la voix de sœur Bernadette tentant de communiquer avec lui! Il allait porter la main à sa ceinture pour fermer l'appareil lorsqu'il entendit des bruits de pas qui se rapprochaient de lui, accompagnés d'une mélodie approximative sifflée avec peu d'enthousiasme. Pétrifié, il attendit qu'on le découvre, imaginant déjà l'air ahuri du visiteur. Pour sauver la face, il tenta de se composer un sourire de circonstance. À défaut d'en trouver un minimalement approprié dans sa palette habituelle, il abandonna l'idée.

Une combinaison de sons, faite de froissements de tissus, du crissement de semelles sur le sol et d'un léger grognement lui indiqua qu'on venait de s'accroupir de l'autre côté des boîtes. Une grosse main velue apparut alors à quelques centimètres de son visage. Elle saisit la boîte du dessus et la tira légèrement. Puis le mouvement s'arrêta, hésitant, et la main disparut.

— Hum... Qu'est-ce que c'est que ce bruit? On dirait de l'eau qui coule! laissa tomber le visiteur pour lui-même, d'une voix râpeuse.

La boîte glissa vers le visage dégoulinant de sueur de Samuel et reprit sa place initiale. Nouveaux froissements de tissus, nouveaux crissements de semelles et grognement senti. Les pas s'éloignèrent en vitesse à l'extérieur de la pièce.

Samuel regarda l'heure: vingt-trois heures quinze. Il étendit ses jambes et fit bouger ses orteils. Il attendit quelques minutes, le temps que son cœur reprenne un rythme normal, avant d'approcher le talkie-walkie de sa bouche et d'appuyer sur le bouton.

— Sœur Bernadette? chuchota-t-il.

Aucune réponse. Il reprit, un peu plus fort:

— Sœur Bernadette, vous êtes là?

— Je vous reçois cinq sur cinq, Samuel. Tout va comme prévu?

— J'ai failli me faire pincer, nom de Dieu! aboya-t-il tout bas.

— Soignez donc votre langage, Samuel. Je ne suis pas certaine que ce soit le moment d'attirer sur vous l'attention du Seigneur.

Samuel ragea et s'essuya le front. Elle pouvait bien lui faire des remontrances, la bonne sœur, installée dans la voiture de la congrégation, de l'autre côté de la rue. Après tout, c'était lui, coincé dans un placard d'entretien au premier sous-sol du Collège, qui s'écartelait les articulations.

Il était entré au Collège en après-midi, pendant une période creuse. Les élèves étaient en classe avec les enseignants, et le personnel de soutien se terrait au bureau. Il était descendu au sous-sol en empruntant l'escalier utilisé par les élèves en affichant l'air heureux et nonchalant du nostalgique qui vient se balader dans son ancienne école pleine de souvenirs. Il avait réussi à se rendre jusque devant les grandes vitres séparant le couloir de la salle de quilles. Il avait rapidement repéré le placard et s'y était glissé en s'assurant que personne ne l'avait suivi. La suite n'avait été qu'une longue et pénible attente. Il avait expérimenté à peu près toutes les déclinaisons de la position assise et en avait même inventé quelques-unes au passage. Malheureusement, ses efforts de création ne l'avaient pas mis à l'abri des courbatures. Il fit un quart de tour sur lui-même, vers la gauche, puis poussa les boîtes devant lui. S'accrochant à la tablette de métal au-dessus de sa tête, il extirpa son corps de sous l'étagère. Il réussit à se mettre debout et remit les boîtes en place. Il s'approcha de la porte et y colla l'oreille. À travers l'épaisse paroi, il entendit un bruit étrange, comme des gloussements. Il entrouvrit la porte de quelques centimètres, pour voir de quoi il s'agissait. Le couloir était couvert d'eau! Il baissa les yeux et vit que l'eau commençait à entrer dans le local. Il referma immédiatement la porte et retourna se cacher sous l'étagère. De là, il appela sœur Bernadette.

— Le couloir est rempli d'eau. Le concierge avait l'air tout énervé.

— Mais qu'est-ce qui se passe?

— Qu'est-ce que j'en sais?

Sœur Bernadette tendit l'oreille. Le son d'une sirène approchait! Elle étira le cou pour mieux voir la rue Marquette. Un camion d'incendie se dirigeait vers le Collège! Le talkie-walkie crépita.

— Et pour la suite du programme, vous avez une idée? demanda Samuel.

— Je crois bien, oui. Les pompiers arrivent au Collège. Ils ont l'air de se diriger vers la cour des élèves. À mon avis, vous êtes en plein déluge, cher ami.

— Bon Dieu de merde! Peut-être un bris de conduite, une fuite d'eau.

— Je vais me déplacer pour voir ce qui se passe. J'aurai un meilleur point de vue du terrain de rugby. En attendant, planquez-vous!

Samuel se tassa davantage dans le coin, tira vers lui d'autres boîtes de carton et attendit. Quant à sœur Bernadette, elle démarra la voiture et remonta la rue pour tourner sur Peel, où s'étaient engagés les pompiers. Elle tourna à gauche au bout et gara la voiture près de la petite église anglicane.

Le concierge était en train de retirer la chaîne bloquant l'accès à la cour. Le camion s'avança jusqu'à l'entrée des élèves et deux pompiers entrèrent, avec des outils. Quelques minutes plus tard, Samuel appela Bernadette.

— On dirait qu'il y a du mouvement dans le couloir.

— Deux pompiers sont entrés avec le concierge. Mieux vaut rester à l'abri.

— D'accord. Silence radio de votre côté. Si vous m'appelez pendant qu'ils sont dans la pièce, je suis cuit. Je vous appellerai chaque demi-heure.

— Soyez prudent.

Au cours de l'heure et demie qui suivit, un pompier revint au camion chercher du matériel, puis retourna dans le Collège. Les pompiers quittèrent finalement les lieux. Pendant que le concierge les escortait à l'extérieur, Bernadette en avertit Samuel, qui en profita pour aller explorer les lieux. Il sortit de sa cache et s'aventura dans le couloir, que l'eau envahissait toujours. Au moins, la fuite semblait contrôlée.

Dehors, une voiture entra dans la cour des élèves. Un homme en descendit, qui était sans doute en position d'autorité par rapport au concierge, car ce dernier l'accueillit avec déférence. Ils entrèrent tous les deux dans le Collège.

Sœur Bernadette avertit Samuel en catastrophe.

— Un homme est arrivé en voiture! lâcha-t-elle. Le concierge l'accompagne en bas. Je les vois à travers la vitre. Ils vont vers l'escalier menant au sous-sol!

— Je me pousse, répliqua Samuel.

S'ils venaient de s'engager dans l'escalier, ils allaient le voir dans quelques secondes! Le garçon courut vers le local où se trouvait sa cache et tira la porte derrière lui. Il se tapit sous l'étagère.

Sœur Bernadette observa pendant une trentaine de minutes l'allée vitrée menant au sous-sol avant de voir remonter l'inconnu. L'instant d'après, la salle des élèves s'illumina. Un homme la traversa et se dirigea vers les bureaux administratifs, du côté de la rue Marquette. Une vingtaine de minutes plus tard, Samuel appela la religieuse.

– Le concierge est revenu, chuchota-t-il. Il a pris son seau à roulettes et la vadrouille. Il doit être en train d'éponger les dégâts.

– D'accord. D'ici, j'ai revu l'inconnu. Il est resté dans le Collège. Ce doit être un membre de la direction. Je l'ai vu se diriger vers les bureaux, en avant.

– Peut-être Paul-Émile Vanier, blagua Samuel, mi-figue mi-raisin, lui que les dernières heures avaient épuisé.

Un peu plus tard, Bernadette vit apparaître une fourgonnette aux couleurs d'une entreprise de plomberie locale. Deux hommes en sortirent et, portant leurs outils à la ceinture, allèrent attendre devant la porte. L'inconnu vint finalement leur ouvrir et les escorta jusqu'au sous-sol.

Bernadette rappela Samuel. Ils tentèrent de reconstituer les événements. Un bris avait causé une fuite d'eau. Le concierge, qui terminait sa semaine de travail, s'en était aperçu au moment de quitter le Collège. Il avait prévenu les pompiers, qui avaient colmaté la brèche. Les autorités du Collège avaient été prévenues. Elles avaient appelé un entrepreneur en plomberie, qui avait envoyé des ouvriers pour effectuer les réparations. On n'avait aucune idée du temps qu'il leur faudrait pour compléter le travail. C'était une sale malchance, mais la mission n'était pas compromise. Elle était suspendue, le temps que le calme revienne au Collège. Samuel devait donc rester sur place et attendre que tout le monde aille dormir. Alors, il pourrait passer à l'action.

Les plombiers vinrent à deux reprises chercher du matériel. Autrement, ils restèrent en bas, à réparer la fuite, présuma Bernadette. Elle n'osait contacter Samuel, de peur de révéler sa cachette.

Elle attendit.

Longtemps.

Si longtemps, en fait, qu'elle perdit la notion du temps qui passe. Elle fit de brèves, mais nombreuses incursions dans le sommeil. En dépit de la tension, l'inaction la portait à perdre le contrôle de son esprit cotonneux, qui cherchait sans cesse à entrer en mode récupération.

Elle gagna sa lutte contre le sommeil vers sept heures trente du matin. Des éclairs zébrèrent le ciel avant même que ne tombe une seule goutte de pluie. Puis le tonnerre fit vibrer la voiture, et l'eau se mit à tomber. Quelques minutes plus tard, les deux hommes remontèrent du matériel du sous-sol. L'inconnu vint les rejoindre et ils descendirent ensemble. Sans doute pour examiner les travaux. Ils revinrent environ une heure plus tard. L'inconnu retourna vers les bureaux, et les ouvriers quittèrent le collège.

Bernadette attendit encore un peu en fumant quelques cigarettes pigées dans le paquet de Samuel. La pluie la contraignant à ne baisser la vitre que de quelques centimètres, la voiture s'emplit de fumée. Le concierge partit finalement. Toutes les lumières s'éteignirent. L'inconnu devait encore être au bureau. Mais personne ne retournerait au sous-sol aujourd'hui, déduisit Bernadette, entre deux quintes de toux.

Elle tenta d'appeler Samuel.

64

Samuel rampait à contresens sur un tapis roulant en tentant d'attraper une cigarette qui dansait dans l'air. Mais il était inéluctablement tiré dans un tunnel de pierres qui allait en se rétrécissant. Des tiges de métal perçaient son corps, des pierres l'écrasaient et une voix criait son nom alors qu'il était emporté dans les flammes.

Il se réveilla en sursaut, couvert de sueur.

– Samuel! Samuel! crachait une voix métallique. Vous êtes là?

– Oui... Oui, répondit-il. Bernadette?

– Où étiez-vous? Ça fait cinq minutes que j'essaie de vous joindre!

– Je m'étais endormi. Désolé, marmonna-t-il d'une voix traînante. Alors, où en sommes-nous?

– Ils sont partis. Sauf l'inconnu de l'administration. Mais toutes les lumières sont éteintes en haut, je crois que vous pouvez y aller.

Samuel secoua la tête et sortit lentement de sa cachette. La lumière du local était éteinte. Le concierge avait dû revenir pendant qu'il dormait! Il ouvrit la porte et s'assura qu'il n'y avait personne dans les parages.

– Je m'engage dans le couloir. Si rien n'a

changé, il me faudra passer une porte, descendre un escalier, forcer la grille de la crypte, ouvrir le cercueil de pierres. Un jeu d'enfant...

Alors, ne perdez pas de temps.

Le jeune homme remit l'appareil à sa ceinture, sortit dans le couloir et tourna à gauche, puis à droite le long des allées de quilles. Il passa ainsi le local de céramique, puis celui de musique. La lumière faiblissait à mesure qu'il progressait vers la première porte interdite, tout au fond. Arrivé devant, il tendit la main, tourna la poignée et tira. La porte ne bougea pas. Aucune surprise. Il suffisait de faire comme dans le temps : glisser une carte rigide entre la serrure et le cadre de la porte pour dégager le pêne. Samuel retira son gant, prit une carte de crédit au fond de sa poche arrière et tenta de rejouer la scène. Le pêne ne bougea pas. Il essaya de nouveau, sans plus de succès. Il glissa encore la carte entre la porte et le cadre, l'agitant avec une frénésie croissante. Le calme retrouvé après le passage du concierge était en train de disparaître à la vitesse grand V. Samuel jura, puis appela Bernadette.

– Bordel de merde! Ma sœur, ça ne va pas! Encore un os. Pas moyen d'ouvrir cette foutue porte.

– La porte? Laquelle?

– Vous vous rappelez, le plan que vous m'avez fait dessiner? La première, au bout du couloir, près des allées de quilles. Celle qui donne sur l'escalier menant à l'étage inférieur, à la crypte.

– Vous essayez avec la carte, comme prévu?

— Tout comme prévu, répondit-il amèrement. Vraiment tout comme prévu. Mais ça ne marche pas comme prévu, une fois de plus. Vu?

— Bon, d'abord, calmez-vous. Ce n'est pas le moment de perdre la tête.

— Me calmer? explosa Samuel, avant de se rendre compte qu'il venait de gueuler comme un putois. L'écho de sa voix dans le couloir de béton le ramena à la prudence.

— Bon, je vous rejoins, annonça la sœur après un moment de silence.

— Me rejoindre? Mais comment? demanda Samuel qui voyait quelques vertus dans l'offre de sœur Bernadette.

— Y a-t-il des fenêtres dans le local de musique ou de céramique? demanda-t-elle, en guise de réponse.

— De musique, oui. Qui donnent dans la cour, juste à droite des grandes fenêtres de la salle des étudiants.

— Essayez d'y avoir accès, puis faites-moi signe.

Samuel fit quelques pas et tira sur la poignée de la porte du local de musique. Verrouillée, elle aussi. Il essaya la carte. Le pêne glissa sans effort.

« Nom de Dieu! Si l'autre porte avait réagi de la même façon! » pensa-t-il

Il pénétra dans le local et se dirigea vers les fenêtres. Il tira sur l'anneau de l'une d'entre elles, qui bascula en grinçant.

— Bernadette? chuchota-t-il dans le talkie-walkie.

— Alors? répondit-elle.

— J'y suis, la fenêtre est ouverte... Ah!!!

Sœur Bernadette venait de glisser son large visage, mouillé par la pluie, dans l'ouverture. Elle lui sourit, puis jaugea l'espace disponible.

— Impossible pour moi de me glisser ici, lâcha-t-elle. Il vous faudra défaire les pentures.

Pendant que Samuel s'arrachait les doigts à forcer les pentures coulissantes, sœur Bernadette se retourna pour observer la cour: personne en vue. Le jour s'était levé, mais l'épaisse couche de nuages noirs laissait la cour dans la pénombre. Contrairement au plan, ils ne pourraient pas profiter de l'obscurité de la nuit. Mais mère nature leur donnait tout de même un petit coup de pouce. Ici, pressée contre le mur, personne ne pourrait la voir. Une penture céda finalement et Samuel tordit la seconde en poussant la fenêtre sur le côté.

Bernadette s'engagea tête première dans l'ouverture. Il ne lui fallut que quelques secondes pour se retrouver en bien mauvaise posture, la moitié supérieure du corps pendant contre le mur intérieur, sans aucune prise pour s'accrocher, les bras traçant de larges cercles au-dessus du vide.

— Bon, essayons de l'autre côté, souffla-t-elle. Allez, aidez-moi à reculer.

Le jeune homme posa ses mains sur les épaules de la sœur et la poussa. Après force halètements, elle réussit à rebrousser chemin. Samuel eut à peine le temps de comprendre ce qui allait se produire que, déjà, les grands pieds de la sœur apparaissaient. Suivirent de gros mollets dont d'épais collants n'arrivaient pas à masquer la blancheur. Évidemment, la robe de la sœur se coinça sur le rebord de la fenêtre, dévoilant de grosses fesses de paysannes.

— Vite, attrapez-moi! hurla-t-elle, avant de tomber vers l'arrière.

Samuel fit ce qu'il put pour amortir sa chute, sans grand succès. Il tomba à la renverse et se retrouva couché le dos contre le sol, écrasé sous le poids de sœur Bernadette dont les bras et les jambes gesticulaient frénétiquement dans les airs, comme une tortue impuissante retournée sur sa carapace. Bernadette finit par retrouver l'équilibre et lança un regard chargé de reproches au garçon, comme s'il était responsable de son inélégante déconvenue.

— Allons voir cette porte! dit-elle enfin.

Ils sortirent du local de musique et se dirigèrent vers la porte. Sœur Bernadette demanda la carte au garçon et s'efforça de déjouer la serrure à son tour.

— On n'y arrivera pas avec ça, affirma-t-elle.

Samuel lui offrit un sourire tiède.

— Tiens donc? fit-il.

— Il nous faudra la longue tige plate, déclara-t-elle. En forçant le pêne de plus haut, avec un meilleur angle, on pourra peut-être le faire glisser. Passez-moi la tige, Samuel.

— Je... oui, la tige, répondit Samuel, hésitant, en regardant derrière lui.

— Vous l'avez? Dans le grand sac.

— C'est que, je l'ai peut-être laissé derrière. Attendez, je reviens, dit-il en s'éloignant dans le couloir.

Découragée, sœur Bernadette le regarda s'éloigner en se remémorant les hauts faits de ses aventures avec les garçons. « Quelle bande d'amateurs! » pensa-t-elle.

65

Samuel retourna dans le placard. La porte se referma derrière lui pendant qu'il ramassait le sac de toile où s'entassait le matériel. Il passa la sangle sur son épaule, referma la lumière et ouvrit la porte. Il fallut moins d'une seconde à son cerveau pour interpréter les signaux que lui transmirent ses sens. D'abord, des bruits de pas. Puis, une silhouette sombre, de dos, qui s'éloigne. Une silhouette masculine. Une silhouette qui se dirige lentement, mais sûrement, vers sœur Bernadette!

Samuel jeta un regard en direction du bout du couloir, à travers les vitres de la salle de quilles. À cette distance, dans l'ombre, la sœur n'était pas visible. La silhouette passait maintenant sous le plafonnier qui diffusait une faible lumière. Cette silhouette... celle de Paul-Émile Vanier! L'inconnu, l'autorité, c'était donc lui! Pourquoi n'était-il pas rentré dormir? Samuel ferma la porte, puis les yeux.

Que faire, maintenant? Vanier allait tomber sur sœur Bernadette. Était-il dangereux? À moins que lui, Samuel, ne fasse diversion. S'il poussait un cri, Vanier reviendrait vers lui. Il n'aurait plus qu'à monter l'escalier, Vanier à ses trousses. Sœur Bernadette pourrait alors sortir, en grimpant sur un bureau, par la fenêtre du local de musique. Oui, c'est ce qu'il fallait faire!

Samuel sortit dans le couloir, mais n'entendit plus un bruit, aucun claquement de semelles sur le béton.

– Ohé! cria-t-il. Il y a quelqu'un?

Personne ne répondit. Le jeune homme marcha en direction de la porte interdite. Chemin faisant, il sortit du sac une lampe de poche avec laquelle il balaya le fond du couloir, sans rien voir. Perplexe, il se demanda où pouvaient bien être passés la sœur et Vanier. Dans le local de musique, peut-être?

Ses réflexions furent interrompues par un mouvement devant lui. La porte qui lui avait tant résisté s'ouvrait maintenant, et sœur Bernadette apparut dans le cadre.

– Ma sœur! chuchota-t-il.

– Samuel! répondit-elle, il n'y a pas de temps à perdre. Entrez!

Samuel s'approcha de sœur Bernadette. Elle le saisit par la manche et le tira de l'autre côté de la porte, sur le palier donnant sur l'escalier. Elle le poussa ensuite dans l'ombre, vers le fond du palier, dans un renfoncement qu'il n'avait pas remarqué lors de son passage, des années plus tôt. Elle le pressa contre le mur et se colla contre lui en lui faisant signe de ne pas faire de bruit.

– Ma sœur, demanda Samuel, vous avez vu Vanier?

Sœur Bernadette colla ses lèvres contre l'oreille de Samuel et chuchota :

— Vanier? Je ne savais pas qu'il s'agissait de notre bonhomme. Mais je crois bien que c'est l'homme que j'ai vu arriver cette nuit. Lorsque vous êtes parti, j'ai tenté de forcer la serrure de nouveau, puis je me suis éloignée de la porte. C'est là que j'ai vu quelqu'un passer sous le plafonnier, à l'autre bout du couloir. Et ce n'était pas vous! Je me suis précipitée dans le local de musique et j'ai laissé la porte entrouverte. J'ai entendu le bruit des pas passer devant moi, et celui d'une clé jouant dans la serrure. J'ai compris qu'il ouvrait la porte menant à la crypte. Je suis sortie à toute vitesse du local et j'ai passé la porte, qui s'est refermée automatiquement. J'ai dû la retenir une fraction de seconde, mais je l'ai tout de même laissée aller, pour qu'il entende le bruit du pêne retournant dans sa cage de métal. J'ai attendu que le bruit des pas disparaisse et je suis ressortie. Vous connaissez la suite.

Samuel étendit les bras et secoua la tête d'un air interrogateur :

— Et maintenant, qu'est-ce qu'on fait?

— Ça dépend de vos souvenirs, répondit Bernadette. Y a-t-il une autre sortie que celle-ci, à partir de la crypte?

— Pas que je sache.

— Donc, Vanier va revenir.

— Mais qu'est-ce qu'il fait là?

— Je dirais qu'il est allé chercher la paix, suggéra sœur Bernadette, ironiquement. Avec le vol des archives, vous avez sans doute provoqué chez lui de grands remous intérieurs...

Ils attendirent ainsi de longues minutes avant d'entendre de nouveau des pas dans l'escalier; des pas lents, lourds. Si Vanier avait espéré soulager sa conscience, cela avait manifestement été un échec. Il semblait traîner le poids du monde sur ses vieilles épaules. Le rythme cardiaque des deux amis s'emballa. Ils se regardèrent, tendus. Le bruit de pas se rapprocha; Vanier venait de poser le pied sur le palier et n'était plus qu'à un ou deux mètres de Samuel et de sœur Bernadette, immobiles, retenant leur souffle. Puis ils entendirent le pêne glisser dans la serrure, la porte s'ouvrir et le bruit des pas de Vanier s'éloigner dans le couloir jusqu'à ce que la porte se referme.

Samuel fit signe à la sœur. Ils se levèrent et descendirent l'escalier jusqu'à l'étage inférieur.

Arrivés tout en bas, ils se retrouvèrent à l'entrée d'un couloir faiblement éclairé par de minuscules lampes jaunes fixées au mur. De là, ils distinguaient la grille bloquant l'accès à la crypte. Ils s'en approchèrent. Samuel alluma la lampe de poche et balaya lentement la grille, ainsi que l'intérieur en demi-lune.

– Rien n'a changé, dit-il. Les grands panneaux de pierres, comme les devants de tiroirs à cadavres, à la morgue. Voyez, au centre? Le cercueil de l'évêque.

– On dirait que vous aviez raison, approuva la sœur. C'est bien un cercueil de pierre, un sarcophage.

Bernadette agrippa la main de Samuel et dirigea le faisceau de la lampe vers une plaque, au centre du sarcophage. On pouvait y lire le nom du défunt, monseigneur Pierre Duhamel, évêque et fondateur du Collège, ainsi que l'année de sa naissance et celle de sa mort.

La grille était fermée à clé par une vieille, mais robuste serrure. Le pêne qui bloquait la porte vis-à-vis de la grille elle-même était à découvert. Il mesurait deux centimètres de diamètre.

– Essayons la méthode douce, commanda Bernadette en désignant le sac de matériel du regard.

Samuel déposa la lampe de poche en équilibre sur le sol, le faisceau dirigé vers le plafond pour éclairer tout autour. Il ouvrit le sac et en tira de longues bandelettes de tissu, un maillet et une robuste tige de métal à bouts plats. La sœur emmaillota le pêne et Samuel y appuya une extrémité de la tige de métal. Sa comparse déposa un morceau de tissu plié à l'autre extrémité, et le garçon le maintint en place avec la main qui tenait la tige. L'idée était de faire le moins de bruit possible.

Peine perdue. Dès le premier coup, toute la grille se mit à vibrer dans un grand vacarme, amplifié par la configuration du lieu, petit, clos et muré de pierres et de béton. Les deux comploteurs firent un pas en arrière, terrifiés à l'idée qu'on ait pu les entendre. Samuel regarda autour de lui. S'il fallait que quelqu'un descende ici, ils n'auraient nulle part où aller. Ils étaient coincés dans une souricière!

– Essayons la méthode très douce, suggéra Bernadette.

Samuel déposa les outils par terre pendant que sa collègue retirait les bandelettes. Il fouilla de nouveau dans le sac et en sortit une lampe à souder et un casque protecteur.

– Remercions Robert, le copain de ma mère, dit Samuel en montrant la lampe. Il ne le sait pas, mais il nous rend un fier service, ce soir. Ou plutôt, ce matin!

– Vous savez l'utiliser, au moins? demanda Bernadette.

– Je l'ai vu faire. Ça n'a pas l'air sorcier.

Samuel fouilla dans ses poches à la recherche de son briquet. Il ne l'avait pas! Il l'avait laissé dans la voiture de la congrégation, avec son paquet de cigarettes. Il leva les yeux, d'un air penaud, pour voir sœur Bernadette lui tendre un carton d'allumettes. Il le prit entre ses doigts et y lut le nom de la brasserie Le Fond de bouteille, un bar notoirement mal famé.

– Édifiant, lâcha-t-il.

– Les âmes en détresse ne sont pas toutes dans les cocktails, le rabroua-t-elle.

– Faites donc, dit Samuel en lui tendant la boîte.

Sœur Bernadette craqua une allumette et la tint à quelques centimètres du bec de la lampe à souder. Le garçon ouvrit la valve et le gaz s'enflamma instantanément. Il cala le casque de protection sur sa tête et fit signe à la nonne de reculer. Ayant réglé l'intensité de la flamme, il s'attaqua au pêne. Après une minute, le métal résistait toujours. Samuel dirigea alors la flamme vers les barreaux auxquels était fixée la gâche, grosse pièce de métal dans laquelle pénétrait le pêne. Ceux-ci réagirent aussitôt.

Une pluie de métal en fusion fut projetée vers le sol où elle mourut en se refroidissant. Le premier barreau céda rapidement, les trois autres suivirent. La porte s'ouvrit d'elle-même, comme par enchantement, peut-être en raison de la conjonction de la force de gravité et d'un angle imparfait. Elle invitait les profanateurs à pénétrer dans l'antre de la mort.

66

Les deux profanateurs restèrent là une longue minute, immobiles et silencieux. Samuel éteignit finalement la torche, qu'il déposa par terre. Il tira du sac un pied-de-biche et entra dans la crypte, talonné par sœur Bernadette. Ils contournèrent le sarcophage et regardèrent une à une les inscriptions au mur. C'est le moment que choisirent les piles de la lampe pour rendre l'âme, plongeant les deux amis dans le noir, autant que dans une certaine agitation. Il leur fallut quelques secondes pour comprendre ce qui venait d'arriver.

– Nom de Dieu de merde! ragea Samuel. Mais quoi encore!

– Oh, ne vous fâchez pas, mon bon Samuel, dit la sœur, d'un ton où perçait une ironie certaine. Vous aurez simplement omis de changer les piles avant cette petite mission. Utilisons la lampe à souder.

Ils allumèrent la lampe et réglèrent le débit du gaz de manière à produire une grosse flamme. Torche improvisée en main, ils firent le tour du sarcophage à la recherche du meilleur endroit pour insérer le pied-de-biche. Ils profitèrent d'un espace à la tête du cercueil. L'objectif était de faire comme dans les films : soulever le couvercle de pierre et le faire glisser légèrement sur le côté, juste assez pour voir ce qu'il y avait à l'intérieur. Ce qu'ils firent, sans grands efforts.

Samuel souleva le couvercle et sœur Bernadette le poussa jusqu'à dégager une ouverture d'une trentaine de centimètres. Le jeune homme posa le pied-de-biche sur le couvercle et approcha la torche de l'ouverture. La lumière vacillante de la flamme révéla d'abord le visage gris et émacié de monseigneur Duhamel, puis tout le squelette, recouvert d'une enveloppe de peau grise ou brune, mince, fripée et desséchée. Les deux camarades s'étaient attendus à être témoins d'un horrible et dégoûtant spectacle. Étrangement, ils ressentirent plutôt une forme de respect pour le défunt, de qui ils venaient troubler le repos.

Solennelle, sœur Bernadette ferma les yeux, se signa et marmonna quelques mots, incompréhensibles pour Samuel. Lorsqu'elle rouvrit les yeux, le jeune homme déplaça la torche pour éclairer sous le couvercle.

– On n'y voit rien, dit-il. Il faut pousser le couvercle plus loin, vers les pieds, pour qu'il soit perpendiculaire au cercueil.

Sœur Bernadette acquiesça. Ils saisirent chacun une extrémité de la dalle de pierre, qu'ils soulevèrent de quelques millimètres pour la faire glisser au pied du cercueil. La torche, en équilibre précaire sur la dalle, bascula soudain dans le caisson de pierres pour se loger entre les cuisses du corps momifié du fondateur du Collège. Les deux amis retinrent un cri et leur souffle, puis constatèrent que la dépouille n'avait pas été endommagée. Le bec de la lampe pointait fièrement vers le plafond, éclairant la pièce de sa belle grosse flamme jaune.

La sœur darda vers Samuel son regard le plus noir, mais celui-ci n'en avait cure, tout obnubilé qu'il était par ce qu'il venait de découvrir. Une enveloppe scellée à la cire était déposée sur la main gauche de Duhamel. Samuel la saisit et la porta à ses yeux. Il lut à haute voix l'inscription suivante, rédigée à la main:

– «Que Dieu nous pardonne.» Nous l'avons! s'exclama Samuel. Nous l'avons enfin!

Sœur Bernadette sourit. Elle s'empara de la torche dont elle balaya le dessus du corps.

– Voyons s'il n'y a pas autre chose, dit-elle.

Sœur Bernadette observa attentivement chaque coin du cercueil, déplaçant la torche pour couvrir tous les angles. En passant pour la deuxième fois près de la main gauche de l'évêque, elle eut le sentiment que quelque chose n'allait pas. Elle observa de nouveau la main droite. Les doigts rachitiques étaient comme soudés les uns aux autres. Elle revint à ceux de la main gauche, qui semblaient avoir été manipulés.

– Vous voyez, Samuel? demanda-t-elle.

– Oui, ces doigts-là ne reposent pas en paix depuis aussi longtemps que ceux de la main droite, dit-il avec un sourire en coin.

– La bague, continua la sœur. Il devait l'avoir au doigt lorsqu'on a enfermé son corps ici.

– Et Marcel la lui a retirée lorsqu'il est venu déposer cette enveloppe.

Sœur Bernadette regarda longuement Samuel. Elle devait admettre qu'en dépit de sa nature brouillonne le jeune homme avait eu une sacrée intuition! Elle hocha la tête en signe de reconnaissance.

– Maintenant, fichons le camp d'ici! ordonna-t-elle.

67

Ils remirent le couvercle en place, rangèrent leurs outils dans le sac et quittèrent les lieux. Il ne leur fallut que quelques minutes pour retourner au local de musique. Ils déplacèrent un bureau, y grimpèrent et sortirent par la fenêtre. Le ciel leur crachait toujours dessus, mais ils ne s'en plaignirent pas. De la cour des élèves, ils se rendirent au stationnement des enseignants, en passant sous le long balcon réservé aux frères. Ils marchèrent sans se presser vers la voiture de la congrégation, non loin de là. Ils déposèrent le sac dans le coffre de l'auto et ôtèrent leurs gants. Bernadette s'installa au volant, démarra et ils roulèrent vers le centre-ville, à deux minutes de là. Ils entrèrent au Café Blabla où ils commandèrent un bol de café au lait.

— Et cette enveloppe, vous l'ouvrez?

— J'allais vous en parler.

Samuel sortit l'enveloppe de sa poche, la décacheta délicatement et jeta un œil à l'intérieur. Elle ne contenait qu'une chose: une photo en noir et blanc. Il la sortit et la regarda attentivement. Il reconnut chacun des visages. Il inspira profondément, puis laissa l'air s'échapper de ses poumons comme s'il voulait purifier son âme du spectacle qu'il avait sous les yeux. Ce qu'il voyait lui inspirait la révolte, le dégoût, la rage même. Mais c'est la tristesse, lourde, envahissante, qui emplit ses yeux de brouillard.

— Ils sont tous là, ma sœur, dit-il d'une voix éteinte en lui tendant la photo.

Sœur Bernadette prit le cliché et le regarda à son tour. Elle aussi reconnut chacun des visages qu'elle avait vus dans les archives du Collège. Elle ressentit de la colère, de la haine pour Paul-Émile Vanier et de la compassion pour les enfants. Puis il lui revint à l'esprit que deux d'entre eux, s'ils méritaient cette compassion, méritaient peut-être aussi d'aller en prison. «Il arrive souvent, pensa-t-elle, que les victimes se transforment en bourreaux. Le mal engendre le mal.»

— Il faut parler à Félix, lâcha finalement Samuel. Il doit voir ça.

— Ce sera difficile aujourd'hui. N'est-ce pas le grand jour, pour Rivest?

— Justement. Il faut confronter ce type avant l'élection.

— Mais comment serait-ce possible? interrogea Bernadette, incrédule. Ils doivent tous être au congrès. Comment pourrions-nous rejoindre Félix?

— Attendez-moi un peu.

Samuel alla au téléphone public, près de la salle de bain. Il tenta de contacter Félix chez lui à Ottawa, sans succès. Il revint à Bernadette.

— Pas de réponse. Vous avez la voiture, allons le rejoindre!

Sœur Bernadette sourit. Ils se levèrent ensemble, emportèrent deux autres cafés et partirent pour la capitale.

68

Derrière la paroi vitrée de leur centre de contrôle, situé sur la mezzanine surplombant la salle principale du Centre des congrès, Anik et Félix partageaient la fièvre qui s'était emparée des délégués. Le premier tour de scrutin allait débuter dans quelques minutes. Les deux militants voyaient s'agiter les conseillers de Rivest et de Stoneway, les deux têtes d'affiche. Elles faisaient la navette entre leurs quartiers généraux respectifs et les leaders des différents groupes de délégués.

Les analystes de Rivest sondaient le cœur des délégués depuis plusieurs semaines. Leurs derniers coups de sonde leur donnaient un portrait de la situation à la fois inquiétant et rassurant. Il était maintenant acquis que Rivest allait passer au premier tour, à peu près ex æquo avec Stoneway. L'un des candidats battus accorderait alors son appui à sa rivale et inviterait ses sympathisants à voter pour elle au second tour. Un autre allait faire de même avec Rivest. Tous deux seraient alors nez à nez avec environ quarante pour cent des voix. Le cours des vingt pour cent de voix restantes, celles de Peter Stanton, atteignait donc des sommets à la bourse politique du partie.

Gilbert Tardif, fidèle compagnon de route de Paul Rivest, était passé au centre de contrôle un peu plus tôt. Il avait laissé entendre que Stanton refusait toujours de choisir entre Stoneway ou Rivest, même en privé. L'homme faisait donc monter les enchères. Paul Rivest lui avait déjà offert le ministère de son choix, la direction politique de l'ouest du pays et une quinzaine de postes discrétionnaires à pourvoir au sein de l'appareil du parti. On lui avait sans doute offert la même chose de l'autre côté, sans résultat.

La bataille allait donc se jouer sur le plan des affinités personnelles. Rivest voulait rencontrer de nouveau Stanton avant que ne soient annoncés les résultats du vote au premier tour. Il souhaitait qu'il lui accorde immédiatement son appui, dans son discours suivant les résultats.

Avant de partir, Tardif avait demandé aux deux jeunes gens d'exercer un contrôle serré des allées et venues de certains sympathisants de Stanton qui semblaient jouer un rôle déterminant dans les tractations entre les camps des deux meneurs.

Anik recevait par talkie-walkie les rapports des limiers sur le terrain, et Félix déplaçait les punaises identifiées sur la carte du Centre des congrès. Au moment où les délégués étaient appelés à aller voter, région par région, Félix repensa à Samuel et à sœur Bernadette. Leurs recherches n'avaient sans doute donné aucun résultat. Autrement, il aurait été mis au courant. Sa dernière conversation avec Samuel lui revint à l'esprit. Courte, dépourvue de chaleur, superficielle. Il en éprouva de la tristesse et se dit qu'il allait rétablir les ponts après le congrès.

Son vieil ami semblait avoir fait de l'affaire Buisson un combat personnel. Félix ne comprenait pas pourquoi. Samuel associait Rivest, un homme ambitieux et puissant, au mal. Il le voyait donc comme le tueur idéal, ex æquo avec Parenteau, un autre homme de pouvoir. Pour sa part, Félix n'arrivait pas à voir son candidat autrement que comme une victime des événements, si tant est qu'il y ait même été mêlé. Quant à Parenteau, Rivest semblait le tenir en haute estime. Il était même sur le plancher du congrès, à faire la promotion de son candidat. Rivest aurait-il vraiment pu accorder son amitié à Parenteau tout en sachant qu'il était un meurtrier? Félix n'y croyait pas.

Pour lui, c'était Paul-Émile Vanier qui tirait les ficelles. Malheureusement, il n'y avait aucune manière de le prouver.

69

Assise au piano dans le salon de sa maison d'Omerville, Aude Lafrance s'apprêtait à rejouer pour la vingt-septième fois un passage difficile d'un morceau qu'elle avait commencé à répéter le matin même. Le soleil avait remplacé l'abondante pluie matinale, mais elle n'arrivait pas à lâcher prise. Dans l'ensemble, ça allait plutôt bien. Mais un certain enchaînement de notes persistait à lui résister. Elle posa les doigts sur les touches lorsque la sonnette retentit. Agacée, elle se leva et alla ouvrir la porte. Gaston Dubreuil! Il y avait bien longtemps qu'elle ne l'avait croisé, celui-là! Depuis qu'elle et Vincent s'étaient quittés, elle ne l'avait revu qu'une fois, l'an dernier, lors d'une visite avec Vincent.

— Salut, Gaston!

— Aude, répondit l'homme avec courtoisie en retirant son chapeau.

— Beau teint. Tu arrives du Sud?

— Je reviens de chez ma fille. On est allés passer quelques jours chez elle.

— Et quel bon vent t'emmène?

— Samuel.

— Manque de pot, il n'est pas là. D'ailleurs, je

ne sais pas où il est. Tu veux que je lui fasse un message?

Gaston ne semblait pas contrarié le moins du monde. Il sourit et fit un signe de tête en direction de la Fuego, derrière lui.

– Samuel m'a dit qu'il avait eu des problèmes avec sa voiture, fit-il en guise de réponse. Je lui ai offert d'y jeter un coup d'œil. C'est celle-là, j'imagine?

– C'est bien ce vieux tas de ferraille. Il a failli se tuer sur l'autoroute. Si tu pouvais lui faire comprendre que c'est une catastrophe routière qui attend son heure, tu me ferais une fleur.

– Pour ça, il faudrait que je la regarde de plus près. Je passais dans le coin et, comme j'avais un peu de temps, j'ai décidé de faire un petit détour.

Aude réfléchit un instant. Si Gaston offrait de vérifier la voiture de Samuel gratuitement, c'eût été malvenu de lui refuser de le faire maintenant. Et fiston serait tout heureux de savoir à quoi s'en tenir. Elle aussi, d'ailleurs.

– Si tu as envie de te coucher sous une voiture par une belle journée pareille, concéda-t-elle, libre à toi. Je ne peux pas t'offrir mon aide, mais peut-être un pichet de thé glacé.

– C'est entendu! répondit Gaston.

Aude rentra préparer le thé et Gaston sortit le matériel de sa fourgonnette. Il s'assura, en regardant à travers la vitre, que le levier de vitesse était embrayé. Il cala ensuite les roues arrière à l'aide de morceaux de bois et il installa un cric du côté avant droit de la voiture. Il commençait à tourner la manivelle lorsque Aude ressortit avec le thé. Elle lui en versa un grand verre qu'il avala d'un trait. Elle lui en servit un second, qu'il posa par terre, à l'ombre de la voiture.

Gaston continua de tourner jusqu'à ce que la voiture soit assez haute pour qu'il puisse se glisser dessous. Une fois étendu par terre, il fit signe à Aude de lui passer sa lampe. Ce qu'elle fit, après l'avoir branchée à la prise extérieure, sur le mur de la maison. Ne souhaitant pas passer le reste de l'après-midi à jouer à l'aide-mécano, elle fila ensuite à l'intérieur.

Moins de cinq minutes plus tard, la sonnette retentit de nouveau. C'était Gaston, qui affichait un air blafard.

— Ça ne va pas, Gaston? dit-elle en le voyant.

— Oui, oui. C'est juste que... juste une chute de pression.

— Tu veux t'asseoir un instant?

Gaston parut hésiter, mal à l'aise. Il déclina finalement l'offre, affirmant qu'il préférait rentrer chez lui se reposer.

— D'accord, répondit Aude. Pour la voiture, qu'est-ce que je dis à Samuel?

— C'est un problème avec l'essieu. Dis-lui simplement de m'appeler dès qu'il rentrera. Je lui expliquerai tout ça, d'accord?

Aude promit de lui faire le message. Gaston ramassa ses outils, les chargea dans la fourgonnette et quitta les lieux. Il éteignit la radio en s'engageant sur l'autoroute. Il pensa à sa décision de ne rien dire à Aude. C'était mieux ainsi. Il ne fallait pas l'inquiéter. Vincent saurait quoi faire.

Après tout, c'était son métier, non?

Arrivé chez lui, Gaston se précipita sur le téléphone et composa le numéro personnel de son vieil ami. Il fut accueilli par le répondeur. Il demanda simplement à Vincent de rappeler le plus rapidement possible, puis composa le numéro du poste de police. On le transféra au service des enquêtes, où on lui annonça que Vincent était occupé. Il ne pourrait pas rendre ses appels avant la fin de la journée. Gaston insista :

– C'est excessivement important, dit-il. Essayez de lui faire le message au plus tôt et demandez-lui de me rappeler sur-le-champ, d'accord?

À l'autre bout du fil, son interlocuteur affirma qu'il ferait tout son possible, en sachant bien qu'il n'y avait rien à faire. Vincent menait actuellement une opération de surveillance des pontes des Hell's Angels en visite dans la région. Ses directives étaient formelles : ne pas le déranger.

Gaston raccrocha. Il annula sa présence à un souper chez des amis, au grand dam de son épouse à qui il refusa tout détail, et il résolut de ne pas quitter la maison avant d'avoir eu des nouvelles de Samuel ou de son père.

« Sapristi! pensa-t-il en s'asseyant dans un fauteuil. Dans quoi est-il encore allé se fourrer, celui-là? »

70

Sœur Bernadette et Samuel arrivèrent aux abords du Centre des congrès par la rue Nicolas peu après quinze heures. Le secteur était encombré par des dizaines de véhicules aux couleurs des chaînes de radio et de télévision locales et nationales. Impossible de garer la voiture dans le secteur, qui grouillait de policiers en uniforme, surtout occupés à gérer le flot de circulation.

La sœur réussit à se faufiler sur Waller, direction nord, puis elle tourna vers l'ouest sur Rideau. Elle rejoignit finalement la rue George par Dalhousie. Ils laissèrent la voiture en bordure du trottoir, en toute illégalité, et marchèrent vers le centre Rideau en passant par la rue Sussex Drive, non loin du canal. L'effervescence suscitée par le congrès libéral était décuplée par l'arrivée du beau temps. Les gens déambulaient en souriant et profitaient du soleil pour exposer chaque centimètre de leur peau qui en avait été privée pendant les longs mois d'hiver.

À l'entrée principale, ils furent arrêtés par un agent d'un service de sécurité privé. Samuel fouilla dans son portefeuille et exhiba sa carte de presse, avantage collatéral de son rôle d'animateur radio.

L'agent approuva, mais fit un signe interrogateur en direction de sœur Bernadette. Avec son accoutrement de religieuse, elle ne faisait pas un journaliste très crédible.

– Nous avons rendez-vous avec Paul Rivest, affirma Samuel. Une entrevue sur la spiritualité.

– Paul est un vieux fidèle de la paroisse, renchérit Bernadette. Il tenait à ce que je sois là.

Indécis, l'agent tourna la tête dans toutes les directions, sans doute à la recherche de son supérieur, introuvable. Il décida finalement de laisser passer les deux amis.

Ils entrèrent sans attendre dans le hall du Centre des congrès. Sœur Bernadette jeta un regard circulaire, cherchant un macaron ou tout autre signe distinctif aux couleurs du candidat Rivest. Un de ses sympathisants sortit finalement par une des lourdes portes donnant sur la Salle des congrès. Portant fièrement une affiche au nom de son favori, il se dirigeait vers la sortie. Samuel l'apostropha.

– Pardon, monsieur! Vous êtes dans le camp de Paul Rivest?

– Notre futur premier ministre! lança l'homme, tout excité.

– On doit parler à quelqu'un qui fait partie de son organisation, Félix Roche. C'est très important. Vous pouvez nous aider?

L'homme réfléchit un instant, puis tourna les talons. Il rentra dans la Salle des congrès et revint quelques minutes plus tard, accompagné d'une jeune femme. Celle-ci se dirigea vers eux.

— Vous voulez parler à Félix Roche?

— Vous savez où il est? demanda la sœur.

— Certainement, nous travaillons ensemble. Mais vous arrivez au pire moment. Nous sommes tous très occupés.

— Écoutez, commença Samuel d'une voix chaude en s'approchant. Nous devons voir Félix maintenant. S'il savait que nous sommes ici, il prendrait le temps de nous parler. Si vous communiquez avec lui, il vous en sera reconnaissant. Je vous en prie...

La jeune femme décrocha le talkie-walkie de sa ceinture.

71

À quinze heures vingt-cinq Félix déplaçait une punaise sur le plan du centre des congrès lorsque le téléphone sonna. Il saisit le combiné.

– Félix, annonça-t-il.

– Salut, Félix, Gilbert à l'appareil. Tu sais où est Stanton?

– Il vient d'entrer au quartier général de Stoneway.

– Bordel! C'est bien ce que je croyais. Viens ici tout de suite, Félix. Tout de suite! aboya-t-il avant de raccrocher.

Félix se tourna vers Anik, qui le regardait, interrogative.

– C'était Gilbert, dit-il en se dirigeant vers la porte. Il m'attend au QG. Ça m'a l'air de brasser. Je dois y aller.

– Attends! Un appel de Lisa. Samuel St-Germain et une sœur, Bernadette, veulent te voir. Il paraît que c'est urgent.

– Quoi? s'exclama Félix, interloqué. Samuel ici?

« Mais qu'est-ce qu'ils font là? se demanda-t-il. Ils ne seraient pas venus de Sherbrooke pour le plaisir; pas aujourd'hui! »

– Tu peux demander à Lisa de les escorter jusqu'ici? Je devrais revenir dans quelques minutes.

Anik acquiesça.

Félix partit en direction du quartier général de Paul Rivest. Arrivé devant la porte, il frappa. Gilbert Tardif lui ouvrit sans attendre. Il lui fit signe de le suivre dans une pièce, au fond du couloir, où l'attendait Paul Rivest. Le ministre alla vers lui et l'accueillit chaleureusement pendant que Gilbert Tardif sortait de la pièce en refermant la porte.

– Tu sais que Stoneway est en train de tordre le bras de Pete Stanton, commença le candidat. L'enfant de salaud était ici il y a moins d'une heure! J'étais convaincu de pouvoir l'attirer de notre côté. Mais il fait monter les enchères bien au-delà du raisonnable. Si ça se trouve, dans quelques minutes, il va accueillir sa défaite au premier tour du vote et recommander à ses délégués de voter pour Stoneway. Et cette petite opportuniste va se retrouver à la tête du pays. Il faut empêcher ça!

Félix écoutait, encore ébahi de se trouver là, en se demandant où Rivest voulait en venir.

– Pour contrer Stoneway, on s'apprête à faire une offre à Stanton. Un million de dollars viennent d'être déposés à son intention dans un compte en Suisse.

Stupéfait, Félix resta sans voix. Il commençait à comprendre où menait cette conversation.

– Il me faut un messager, Félix, quelqu'un qui lui transmettra la proposition, le nom de la banque, le numéro du compte et un mot de passe, valide une seule fois, qui lui permettra de vérifier que tout est en règle. Il me faut quelqu'un qui accepte de se commettre pour moi, et qui gardera le silence à jamais.

Félix en avait le souffle coupé. Il avait l'impression d'avoir la poitrine au milieu d'un poing qui aurait tenté de le broyer, de le réduire en miettes. Pourquoi lui? Trop de coïncidences... Et si Gilbert avait parlé des événements de Bordighera à Rivest? Si Rivest avait quelque chose à se reprocher? Quelle belle façon de s'assurer son silence en l'impliquant, lui, Félix, dans une entreprise de corruption! Et s'il refusait, maintenant, que lui arriverait-il?

– Pourquoi ne pas simplement faire porter un mot à Stanton? demanda Félix pour gagner du temps.

– Tu sais bien que les écrits restent, Félix, répondit Rivest. Non, il nous faut un messager, un messager inconnu des médias. Gilbert aurait fait l'affaire, mais tous les scribouilleurs l'appellent par son prénom. Je n'ai confiance en personne d'autre que toi. J'ai de grands projets pour toi, Félix. Alors?

Félix leva les yeux vers Parenteau, puis fixa Paul Rivest.

– Monsieur le Ministre, commença-t-il. Je souhaite votre victoire aujourd'hui. Mais je ne peux pas me résoudre à vous rendre ce service.

Félix se leva et sortit de la pièce.

De l'autre côté, Gilbert Tardif lui lança un regard interrogateur. Félix fit non de la tête. Tardif, soulagé, ferma les yeux, sourit et hocha la tête en signe d'approbation.

72

En retournant vers le centre de contrôle, Félix croisa Lisa, qui lui indiqua que ses amis de Sherbrooke l'y attendaient. Il la remercia et poursuivit sa route en vitesse. Une minute plus tard, il était dans ses quartiers.

En ouvrant la porte, Félix aperçut Samuel et sœur Bernadette, assis devant l'immense vitre donnant sur la Salle des congrès et suivant avec intérêt l'entrée des délégués qui prenaient déjà place pour ne pas manquer l'annonce prochaine des résultats du premier tour. Il fit signe à Anik, qui le regardait avec appréhension, pour lui faire comprendre que tout allait bien. Mais à la vue de son visage blême, Anik s'inquiéta encore davantage. Elle ne posa pourtant aucune question, laissant Félix s'occuper de ses amis.

Il s'approcha d'eux et se racla la gorge.

– Je peux vous aider? demanda-t-il d'un ton pompeux.

– Félix! s'exclama Samuel, soudain gêné d'avoir laissé paraître son enthousiasme.

Après tout, c'était Félix qui était parti. C'était à lui de faire les premiers pas.

– Sam! répondit Félix, ému. Content de te voir, mon vieux.

Pas question qu'ils se fassent l'accolade. À cet âge, c'est encore avec beaucoup de réserve qu'on montre son affection pour un pote. Félix salua ensuite sœur Bernadette avec chaleur. Leur présence ici, après la rencontre avec Paul Rivest, était pour Félix l'équivalent d'une chaude veste de laine qu'on enfile lorsqu'il fait froid.

– Vous avez drôlement bien choisi votre moment, souligna Félix. Je suis même étonné qu'on vous ait laissés entrer dans le Centre des congrès.

– C'est qu'on est pleins de ressources, rétorqua Samuel, tu sais bien.

– Je n'en doute pas...

– Mais, poursuivit Samuel, on n'a pas vraiment choisi notre moment.

– Disons plutôt que les événements ont choisi pour nous, poursuivit Bernadette.

– L'affaire Buisson? demanda Félix.

– Précisément.

Félix leva les sourcils, invitant ses interlocuteurs à continuer. Mais Samuel fit un signe en direction d'Anik.

– Venez avec moi. On a un petit bureau au fond, proposa Félix.

Ils se rendirent dans la pièce et fermèrent la porte. Samuel invita Félix à s'asseoir, fouilla dans sa poche et déposa devant lui un bout de carton rectangulaire, une vieille photo en noir et blanc.

À son tour, Félix fut frappé par le triste spectacle en teintes de gris qu'il avait sous les yeux. Une trace, désormais indélébile, preuve d'événements qu'ils n'avaient jusqu'à présent qu'imaginés.

À gauche, Paul-Émile Vanier, debout, souriant, nu. Son bras enlaçant Paul Rivest, adolescent, nu lui aussi. Comme Albert Buisson, Yves Béland, Francis Simard et Michel Parenteau, serrés les uns contre les autres. Leurs yeux dénués d'expression, vides. Sauf ceux de Francis Simard, pleins de honte. La honte qui aura sans doute causé sa perte.

– Buisson, commença Félix, en s'adressant à sœur Bernadette. Il vous a dit qu'un des jeunes n'avait participé qu'à une seule séance et qu'il avait été tué cette nuit-là. Francis Simard. Retrouvé quand, déjà?

– Le matin du vendredi 12 avril 1957, répondit la sœur.

– Simard est sur la photo. Elle a donc été prise au cours de la soirée du jeudi 11 avril 1957. Quelques heures avant sa mort.

– O.K., interrompit Samuel. Merci pour les dates. Mais on n'est pas ici pour ça, Félix. Tu comprends ce que ça veut dire, cette photo?

Mal à l'aise, le jeune homme fixa le mur devant lui. Il repensa à la scène qu'il venait de vivre, à Rivest tentant de le compromettre dans son plan pour corrompre Stanton. Il éprouva un sursaut de colère contre son candidat.

– Oui, lâcha-t-il, la mâchoire serrée, je comprends.

– On a la preuve que Paul Rivest était impliqué. Il était là. C'est peut-être lui qui a réglé son compte à Simard. Et si quelqu'un a tout intérêt à enterrer cette histoire-là, c'est bien lui. Un politicien bien en vue. Un futur premier ministre!

– D'accord. Mais s'il est simplement victime? Si cette photo-là tombe entre les mains des journalistes, l'histoire va se rendre aux délégués. Il reste encore trois heures avant le prochain tour de scrutin. Tu imagines le scandale? Tu voudrais tout foutre en l'air sans savoir?

Sœur Bernadette s'interposa.

– Pourquoi ne pas rendre visite à Rivest? On lui montre la photo. On guette ses réactions. Moi je saurai s'il a quelque chose à se reprocher.

– J'aime bien, répondit Samuel, décidé à en finir avec cette histoire.

Félix comprit que son conte de fées dans les hautes sphères politiques canadiennes tirait à sa fin. Peu importait l'implication de Rivest, jamais il ne lui pardonnerait cette traîtrise. « Qu'il en soit ainsi », se dit-il.

Le jeune homme sortit de la pièce et appela le quartier général du candidat. Il fut mis en contact avec Gilbert Tardif.

– Gilbert, je dois voir Paul Rivest.

– Tu n'as pas changé d'idée? répondit Gilbert Tardif, inquiet.

– Non. Mais je dois le voir tout de suite.

– Attends, je vais lui demander s'il peut prendre ton appel.

– Non. Pas au téléphone. Je ne suis pas seul. Je descends au QG. À tout de suite.

Sur quoi, Félix raccrocha. Lorsqu'il se retourna pour aller rejoindre ses amis, il fut retenu par le collet.

— Pas si vite, mon lapin, lâcha Anik. Tu peux me dire ce qui se passe ici?

— Écoute, commença-t-il en se retournant. Il n'y a rien d'inquiétant...

— Comment, rien d'inquiétant? Tu arrives ici avec l'air d'avoir vu un revenant, tu t'enfermes avec un ami et une sœur de Sherbrooke débarqués ici en plein congrès, et maintenant, vous allez tous les trois rendre visite au futur premier ministre. Rien d'inquiétant, tout est normal?

— Bon, d'accord. C'est un peu inquiétant et rien n'est tout à fait normal, aujourd'hui. Mais je ne peux pas t'en parler maintenant. Je ne peux pas t'impliquer là-dedans.

— Tu ne peux pas me laisser comme ça, dans l'ignorance, plaida Anik.

— Je n'ai pas le choix. Il faut me faire confiance. Je ne fais rien de mal. Au contraire, je fais tout ce que je peux pour écouter ma conscience. Je t'aime.

Samuel et la sœur sortaient de la pièce. Félix leur fit signe de le suivre. Avant de partir, il embrassa Anik sur le front, autant pour la rassurer que pour faire le plein de courage.

73

En ouvrant la porte devant Félix, accompagné d'un jeune homme et d'une bonne sœur, Paul Rivest sut que son adolescence était en train de le rattraper. Il ne s'offusqua même pas de cette visite aussi inattendue qu'inopportune. Il désigna simplement des sièges et s'assit avec ses invités.

Samuel déposa la photo sur la table devant Paul Rivest. Le ministre pencha la tête pour la regarder, sans y toucher, et l'observa longuement.

– C'est du frère Marcel? demanda-t-il finalement.

Les trois amis hochèrent la tête.

– J'imagine qu'il ne sert à rien de nier, lâcha-t-il en levant les yeux.

De grosses larmes glissaient sur ses joues rondes.

– Albert Buisson et Yves Béland sont morts tous les deux, le même jour, attaqua Samuel. On espérait sans doute que cette histoire soit ensevelie avec eux.

– Manifestement, ça n'a pas été le cas, répondit le candidat, d'une voix éteinte.

– Ça vous déçoit? demanda la sœur.

Paul Rivest la fixa quelques secondes. « Le bien

et le mal, pensa-t-il. Tout blanc ou tout noir. Pourtant, rien n'est aussi simple, non? »

— Vous croyez que je les ai tués?

— En tout cas, vous avez essayé d'acheter mon silence, tout à l'heure, intervint Félix, provoquant les regards interrogateurs de ses deux acolytes. En plus de tenter de me compromettre dans une histoire de corruption.

— C'est vrai, Félix. J'ai vu là l'occasion d'assurer ton silence. Ma proposition s'est rendue à Stanton de toute façon. Je n'avais pas vraiment besoin de toi pour ça. Mais c'est aussi vrai que j'avais de grands projets pour toi.

— C'est bien beau, vos grands projets, lança Samuel, irrité. Mais il y a eu deux meurtres. Trois, en fait, avec celui de Francis Simard.

Paul Rivest poussa un long soupir. Il n'y avait aucune issue. Il fallait passer à table. La vérité allait peut-être lui permettre de s'en tirer.

— Croyez-vous que j'aurais pu m'échapper pour aller tuer ces deux malheureux? Avec les médias, ma famille, tous ces gens autour de moi, en permanence? Allons donc!

— Pourtant, dit sœur Bernadette, vous aviez tout intérêt à ce que cette histoire ne soit jamais révélée.

— C'est vrai. Quand Albert nous a réunis à Montréal pour nous parler de son projet de tout raconter, j'ai très mal réagi. Pour moi, c'était une vieille histoire et il ne servait à rien de remuer tout ça. Le mal était fait. Il était trop tard pour nous. Béland penchait du côté de Buisson, Parenteau est resté de glace.

— Et alors? glissa Félix.

— Alors, Parenteau a proposé qu'on se revoie la semaine suivante. Mais, la semaine d'après, il n'y avait plus que nous deux. J'avais compris, en lisant *La Presse*, que Parenteau avait recommencé.

— Recommencé quoi?

— Recommencé. En 1957, quand on l'a vu revenir au milieu de la nuit, on a compris qu'il avait réglé le compte de Simard, qu'il l'avait tué. On était bouleversés. Et avec le temps, il y a eu la honte. Mais on a oublié.

— Oublié?! s'insurgea Samuel. J'ai l'impression que Buisson et Béland n'ont jamais réussi à oublier...

— C'est vrai. Je n'ai jamais parlé du meurtre de Simard à Parenteau. Une erreur de jeunesse. C'est ce que je me disais. Je l'admirais beaucoup et j'ai passé l'éponge. Je n'ai pas eu le courage d'affronter l'opinion publique. J'ai toujours cru qu'on avait notre part de responsabilité.

— Mais vous n'étiez que des enfants, avança sœur Bernadette.

— Oui, des enfants, concéda Paul Rivest. Des pensionnaires, loin de leurs parents, un peu orphelins au fond. Notre maison, c'était la solidarité entre nous et nos parents, les frères, qui ont très rapidement eu une grande ascendance sur nous. La plupart méritaient notre respect, mais pas Vanier, qui a joué de son autorité morale pour pervertir notre chair et notre cœur. Mais il reste qu'on l'a fait quand même. On en a profité. Et, avec la mort de Simard, on devenait tous complices. Quand j'ai commencé ma carrière politique, j'ai trouvé comment sauver mon âme. Je compte déposer, dans quelques mois - si je suis élu - un projet de loi pour renforcer les peines contre les auteurs de crimes sexuels et accroître l'aide aux victimes.

— Facile à dire, maintenant, lâcha Samuel, sceptique.

— Vous en parlerez à Gilbert, répliqua Rivest en haussant les épaules. C'est lui qui pilote le dossier.

— Est-il au courant? demanda Félix, surpris.

— Non, il ne sait rien de cette histoire.

— Et les meurtres de Buisson, de Béland? rappela Samuel.

Le candidat poussa un long soupir et but une gorgée d'eau.

— Quand j'ai compris ce que Parenteau avait fait, j'ai eu peur. J'ai paniqué. Je ne voulais pas retourner en arrière. Je ne voulais pas que sa folie gâche tout ce que j'avais construit, alors que j'étais si près du but. Et j'avais besoin de lui. De son influence, de son argent. Je n'ai pas eu la force...

Cette fois, le candidat à la direction du Parti libéral et aspirant au poste de premier ministre du Canada éclata en sanglots. Effondré sur sa chaise, le corps mou et secoué de tremblements, il tira un mouchoir de sa poche et s'épongea les joues. Le regard rivé sur la table, il tentait inutilement de contrôler les spasmes de son visage contorsionné par l'émotion. Les trois amis, gênés, l'observaient en silence.

Deux coups secs frappés à la porte les libérèrent de leur malaise. La porte s'ouvrit et la tête de Lynn Karzow apparut dans l'entrebâillement. Si elle fut surprise de voir l'état dans lequel était son patron, elle n'en laissa rien paraître.

– Monsieur le futur Premier Ministre, dit-elle, les résultats du premier tour seront annoncés dans quelques minutes. Il faut rejoindre les délégués dans la salle.

– D'accord. Faites venir la maquilleuse.

Puis, se tournant vers les trois amis :

– Je dois y aller. Faites ce que vous avez à faire.

74

Debout dans le couloir, Bernadette, Samuel et Félix tinrent conciliabule.

— Il ne reste qu'à aller trouver la police, suggéra la sœur.

— Pourquoi ne pas attendre ce soir? demanda Félix. Laissons quelques heures à Rivest.

— Parce que vous avez cru tout ce qu'il vient de raconter? lança Samuel.

Bernadette et Félix opinèrent.

— Cet homme ne mentait pas, affirma sœur Bernadette.

— Ah non? Comment en êtes-vous si sûre?

— Tu as bien vu l'air qu'il avait, répondit Félix.

— De la grande comédie! Qui te dit que Parenteau ne pourrait pas en faire autant? Si ça se trouve, il va nous dire que c'est Rivest le responsable.

Félix dut admettre qu'il pouvait se tromper. Il regarda sœur Bernadette, qui fit une moue approbatrice.

— Bon. Qu'est-ce que tu suggères?

— Aller confronter Parenteau, répliqua Samuel. Après, on décidera s'il faut laisser un peu de corde à Rivest ou pas. Parce que son élection dépend de notre décision. On peut encore changer le cours des choses. C'est pour ça qu'il faut couvrir tous les angles.

Félix aperçut un collaborateur à qui il demanda de contacter Anik pour savoir où était Parenteau. Lorsqu'il obtint la réponse, il indiqua aux deux autres de le suivre. Ils avancèrent dans le couloir alors que de la grande salle une voix au micro tentait de calmer l'ardeur des partisans. On allait annoncer les résultats du premier tour. Au moment où les amis arrivaient au local réservé par Michel Parenteau, ce dernier en sortait accompagné par un costaud en complet-cravate. Félix n'avait aperçu Parenteau qu'une seule fois, au cours des dernières semaines, et ils n'avaient jamais été présentés. Félix l'apostropha :

– Monsieur Parenteau! Je suis Félix Roche, un collaborateur de Paul Rivest. Nous devons vous parler immédiatement. Une affaire de la plus haute importance.

Parenteau regarda la petite troupe d'un air surpris. Manifestement, la robe de sœur Bernadette faisait son petit effet.

– Je dois justement rejoindre Paul pour l'annonce des résultats. Il sait que vous êtes ici?

– Ce que je sais, affirma Samuel en faisant un pas en avant, c'est que monsieur Rivest vous recommanderait chaudement d'investir quelques minutes de votre temps pour discuter avec nous.

Michel Parenteau toisa Samuel, puis sœur Bernadette. Il se tourna finalement vers Félix.

– C'est bon, suivez-moi, dit-il en tournant les talons.

Le groupe entra dans le local, suivi du garde du corps.

Ils s'installèrent autour d'une table identique à celle du local réservé par l'équipe de Paul Rivest. Samuel sortit la photo de sa poche et l'approcha du visage de Parenteau. L'homme d'affaires n'eut aucune réaction. Il tourna la tête vers le garde pour lui demander d'attendre à l'extérieur.

— Vous faites dans l'archéologie? demanda-t-il en fixant Félix. Vous déterrez de vieilles histoires?

— On n'a pas à creuser bien loin pour découvrir les cadavres d'Albert Buisson et d'Yves Béland, répliqua Samuel, du tac au tac.

— Cette histoire n'en finit plus de revenir nous hanter, laissa tomber Parenteau.

— Et nous avons la désagréable impression, intervint Félix, que quelqu'un est prêt à tout pour l'enterrer à jamais. Prêt au meurtre.

Michel Parenteau eut un sourire navré en hochant la tête.

— Pour un candidat au poste de premier ministre, c'est certainement une très mauvaise publicité...

— Vous êtes en train de dire que Paul Rivest est le tueur? avança Samuel, sourire en coin, en jetant un coup d'œil à Félix et à la religieuse.

— Paul, le meurtrier? répondit Parenteau, d'un air surpris. N'importe quoi! Paul sait se battre en politique. Il n'est pas blanc comme neige, loin de là. Mais tuer un homme? Jamais. Il n'a pas les couilles pour ça. Vous savez que Buisson nous a réunis quelques jours avant sa mort?

Ses vis-à-vis acquiescèrent.

– Il voulait nous convaincre de passer aux aveux avec lui. Il voulait tout révéler. Béland était d'accord. Paul et moi, on avait la trouille. Surtout Paul. Il était très agressif. Imaginez! À quelques mois de son couronnement!

– Alors, vous avez décidé de faire le ménage, suggéra Samuel. Parce que des couilles, vous, monsieur Parenteau, j'imagine que vous en avez beaucoup?

– Je suis un homme d'affaires, mon garçon, laissa tomber Michel Parenteau avec dédain. En affaires, notre réussite est largement tributaire de celle des politiciens que l'on choisit d'appuyer. Et Paul peut faire de grandes choses pour l'économie du pays en général...

– Et pour votre entreprise en particulier, coupa Félix.

– ... et pour mon entreprise en particulier, poursuivit Parenteau. Mais ça ne fait pas de moi un meurtrier.

– Pourtant, vous étiez quatre lorsque Buisson vous a réunis, intervint sœur Bernadette. Deux sont morts. Paul Rivest n'est pas un tueur, vous l'avez dit. Ne reste plus que vous, monsieur Parenteau.

L'homme ajusta sa cravate, tira sur les manches de son éclatante chemise blanche et ajusta ses boutons de manchettes. Il ferma les yeux quelques secondes. « Cette photo n'aurait jamais dû exister, se dit-il. Vanier était maniaque là-dessus. »

– D'où vous vient cette photo? demanda-t-il en ouvrant les yeux.

— Du frère Marcel, répondit la sœur. Le complice de Paul-Émile Vanier. On dirait bien qu'il voulait garder un petit souvenir.

— Et comment se fait-il qu'elle soit entre vos mains? Le frère Marcel vous l'a remise?

— Disons que c'est un coup du hasard. J'ai été la confidente d'Albert Buisson pendant de longs mois. Il m'avait raconté votre histoire, dans les grandes lignes. Il m'avait parlé de son projet de tout révéler. J'ai plus tard appris sa mort, puis j'ai rencontré frère Marcel. Quelques minutes avant sa mort, il m'a laissé un indice. Nous avons trouvé la photo.

— Que comptez-vous faire? demanda Parenteau.

— Justice, répondit Félix. Pour Buisson, pour Béland, pour Francis Simard aussi, ajouta-t-il en guettant la réaction de Parenteau.

Ce dernier ne sembla pas s'émouvoir.

— Peut-être même pour Paul Rivest, ajouta la sœur.

Pendant que se déroulait cette conversation, Parenteau supputait ses chances. Et le bilan n'était pas reluisant. Les trois personnes qui se trouvaient devant lui étaient décidées et leur ridicule sens du devoir ne reculerait pas devant des considérations politiques. Cette vieille histoire n'allait-elle pas s'effacer enfin? Apparemment non. Tôt ou tard, la bête allait sortir de son trou. Pragmatique, il se disait que mieux valait tard que tôt. Assez tard pour laisser à Paul le temps d'être sacré premier ministre.

– Vous vous trompez de cible, dit-il finalement.

– Vraiment? répliqua Samuel. Pourtant, quatre moins trois égale un. Un meurtrier...

– Votre homme, c'est Paul-Émile Vanier.

– Comment aurait-il su que Buisson voulait passer aux aveux? interrogea sœur Bernadette.

– C'est Paul qui les a livrés, laissa tomber Parenteau. Pauvre Paul. Il pensait bien faire. Lors de la rencontre avec Buisson et Béland, il m'a dit qu'il allait appeler Vanier. Exiger qu'il communique avec Buisson pour lui présenter ses excuses. Il croyait que Vanier, l'homme à l'origine de toute cette histoire, était le seul qui pourrait le faire changer d'idée. Il a dû lui dire que Béland penchait de son côté. Manifestement, Vanier a fait plus que communiquer.

Les trois amis se regardèrent, sceptiques.

– Vanier est trop vieux pour maquiller un meurtre en suicide par pendaison. Trop vieux pour pousser un homme dans un ravin. Et puis, c'est vous qui êtes rentré au Collège au beau milieu de la nuit, détrempé, la nuit du meurtre de Simard.

– Simard, je l'ai cherché pendant des heures. Pour le raisonner. Je voyais bien qu'il risquait de tout révéler, à l'époque. Mais je ne l'ai pas trouvé. Je n'ai rien dit aux autres, mais moi, je savais. Il ne faut pas vous fier à l'âge de Vanier. Il a tué Simard. Je suis certain qu'il est encore capable de tuer un homme.

– J'imagine qu'un jury devra en décider, répliqua Félix.

Michel Parenteau se leva et alla vers le lit où se trouvait sa mallette. Sœur Bernadette eut peur et elle se leva d'instinct. Installée derrière la table, elle dut contourner la chaise de Félix pour s'approcher de Parenteau. Trop tard, l'homme se retournait déjà. À la surprise de la sœur, il ne brandissait pas une arme, mais une pile de feuilles de format lettre agrafées ensemble.

— Ne vous excitez pas, ma sœur, dit-il en la voyant, haletante, si près de lui. Une revue de presse.

Il reprit sa place et sœur Bernadette fit de même. Il tourna les pages jusqu'à un article paru dans *La Presse* le mois précédent et déposa le document ouvert au centre de la table.

Félix tira le document vers lui et le parcourut. Parenteau pointa du doigt un paragraphe de l'article. Félix lut à haute voix: « *En février dernier, le nouveau patron du groupe de presse français, Michel Parenteau, a tenu une série de rencontres avec les membres des comités de direction des établissements acquis au début de l'année.* »

— J'étais en France au moment de la mort de Buisson et de Béland. Des dizaines de personnes pourront en témoigner.

— Et votre gorille, dehors? fit Samuel en tournant la tête vers la porte.

— Vous croyez que ce type aurait tué deux hommes sur commande? On n'est pas dans un film, messieurs, dame. Rivest et moi, nous sommes des victimes. Consentantes à l'époque, c'est vrai. On s'en est mieux tirés que les autres, c'est vrai.

Mais avant de nous faire payer encore plus, je vous le demande, attendez un peu. Quelques jours. Le temps pour Paul de prendre les commandes. Il sera toujours temps de coincer Paul-Émile Vanier, non?

Samuel, Félix et sœur Bernadette se regardèrent, frustrés. On jouait avec eux comme avec un ballon. Ils rebondissaient d'un présumé coupable à l'autre, sans arriver à marquer un but. Félix était sensible au sort de Paul Rivest, mais il l'était moins à celui de Michel Parenteau, avec son air de maîtriser toutes les situations. Mais il serait toujours temps de coincer les coupables. L'affaire avait ressurgi il y avait plusieurs mois déjà. Quelques jours de plus ou de moins n'allaient pas changer grand-chose. Les regards de Samuel et de sœur Bernadette lui indiquaient qu'ils pensaient comme lui. Et qu'en raison de sa relation avec le candidat Rivest, ils s'en remettaient à lui pour prendre une décision.

– D'accord, lâcha finalement Félix en fixant Michel Parenteau.

Ce dernier fit une moue reconnaissante. Les trois amis se levèrent et quittèrent la pièce.

75

À dix-sept heures, des applaudissements éclatèrent dans la grande salle. Félix reconnut la voix de Peter Stanton. Discours de la défaite, se dit-il. Rivest avait-il vraiment offert un million de dollars à son adversaire pour obtenir son appui? Le saurait-il jamais?

— Il faut rentrer à Sherbrooke, dit Samuel. Je ne sais pas si Parenteau dit vrai. Probablement. Mais il pourrait être de mèche avec Vanier, peut-être même avec Rivest! Mieux vaut avoir la version de Vanier au plus vite.

— Je suis d'accord, dit sœur Bernadette.

— Je vais avec vous, dit Félix. Le temps de prévenir Anik.

Les hésitations qui avaient marqué leur parcours sur la piste de l'assassin de Buisson avaient disparu. Ne restait plus que la détermination d'aller eux-mêmes aussi loin qu'ils le pouvaient à la recherche de la vérité. Ils contacteraient la police, mais pas avant d'avoir confronté Vanier.

Ils se rendirent tous les trois au centre de contrôle. Félix resta à l'intérieur quelques minutes, puis il sortit rejoindre ses amis qui l'attendaient devant la porte.

— Je l'aime, cette fille, dit-il simplement.

Ils marchèrent rapidement vers la sortie. Au moment de passer la porte, Félix s'arrêta net. Il venait d'entendre Peter Stanton annoncer son ralliement à Paul Rivest. Il recommandait fortement à ceux qui avaient voté pour lui d'accorder leur confiance au député de Sherbrooke, « le prochain premier ministre du Canada ».

Dehors, des journalistes couraient en tous sens. Les amis se frayèrent un chemin dans ce brouhaha, puis regagnèrent la voiture. Samuel proposa de prendre le volant. À son grand dam, sœur Bernadette refusa. Vingt minutes plus tard, ils roulaient sur l'autoroute 417, direction est. Retour au bercail.

— Vous avez un plan, les amis? demanda la sœur.

— On débarque chez Vanier ce soir, proposa Samuel. On le confronte. S'il rejette la faute sur Rivest ou Parenteau, on appelle la police. Elle fera enquête.

— S'il passe aux aveux? demanda Félix. On pourrait laisser un peu de temps à Rivest, non?

Les amis se regardèrent, indécis.

— On n'en est pas là, dit sœur Bernadette.

— Aller chez Vanier, reprit Félix, ça me semble risqué. S'il est coupable, qui sait de quoi il est capable.

— Alors au Collège, dit Samuel. On pourrait lui donner rendez-vous à son bureau. Le poste de police est à moins de cinq cents mètres, il ne va pas faire de folies. Et puis, on pourrait prévenir

Georges. Il est probablement à sa chambre au Collège, en ce moment.

— Avec frère Labrie au courant dans les parages, je serais rassurée, dit la religieuse. Dites, vous avez faim?

Tous les trois se rendirent compte que leurs aventures leur avaient creusé l'estomac. Samuel leur proposa de patienter un peu. Ils pourraient s'arrêter à Omerville. De là, ils appelleraient Georges Labrie et mangeraient un grand plat de spaghetti à la viande, question de refaire leurs forces avant l'épreuve finale.

Bernadette et Samuel racontèrent leurs aventures de la nuit précédente, forçant l'admiration de Félix. Puis Samuel s'étendit sur la banquette arrière et s'endormit en quelques minutes. Sœur Bernadette proposa à Félix de lui céder le volant.

— Samuel conduit trop vite à mon goût, avoua-t-elle.

Trois kilomètres plus loin, elle dormait à poings fermés.

Félix pensa aux événements des derniers mois. La rencontre de Bernadette à Bordighera, l'appareil photo ensanglanté, leurs soupçons initiaux envers la sœur, le retour à Sherbrooke, les visages des garçons sur les mosaïques au Collège, le vol des archives, Anik et leur départ pour Ottawa. Il pensait bien avoir déniché sa place au soleil. Et voilà qu'en quelques minutes, tout avait chaviré! Il s'apprêtait maintenant à rencontrer un présumé tueur. Un homme dont le discours allait peut-être l'obliger à faire tomber le futur premier ministre du

Canada! Toute cette histoire devenait lourde à porter. Il pensa à sa mère, Isabelle, qu'il avait gardée à l'écart de tout cela. Il sentit un fort désir de la serrer dans ses bras et de tout lui raconter.

« Bientôt », se dit-il.

QUATRIÈME PARTIE

76

Vers vingt heures trente, Vincent gara sa voiture dans le stationnement intérieur du poste de police de Sherbrooke et gravit à la hâte l'escalier menant au rez-de-chaussée. Il marcha à grandes enjambées vers son bureau, saluant au passage la réceptionniste.

– Monsieur St-Germain, j'ai ici un message pour vous, dit-elle en tendant vers lui un billet rose.

– Merci, Julie, répondit-il en fourrant le message dans sa poche arrière.

– Vous êtes ici pour longtemps? demanda-t-elle en lui faisant son plus joli sourire.

– Quelques minutes. Le temps de prendre un dossier. Je dois aller rejoindre mon équipe au restaurant, de l'autre côté de la rue.

Il poursuivit son chemin en repensant à l'opération de la journée. Ils avaient effectué une descente au repaire des Hell's Angels. Résultat: des armes, un peu de drogue et trois arrestations. Et, le plus important, un carnet vert tout plein de noms, d'indications et de numéros de téléphone. Évidemment, il s'agissait de surnoms. Mais en faisant des recoupements avec d'autres sources d'information, il réussirait probablement à mieux comprendre l'organisation du gang de motards criminalisés.

Pour l'heure, il comptait d'abord casser la croûte et préparer la conférence de presse prévue le lendemain matin. Il rejoignit donc ses collègues chez Da Toni, qui avait déménagé ses cuisines dans un des bâtiments de l'ancienne usine Paton, au coin des rues King et Belvédère.

77

En entrant dans l'allée asphaltée chez la mère de Samuel, à Omerville, Félix réveilla les deux dormeurs.

— Allez, debout, bande de marmottes! dit-il d'une voix tonitruante.

Samuel et Bernadette se réveillèrent en sursaut. Désorientés, ils regardèrent autour d'eux.

— Si vous dormiez la nuit plutôt que de bambocher avec les macchabés, vous ne seriez pas dans cet état-là, ajouta le jeune homme.

Samuel ouvrit la porte de la maison, en criant:

— Maman! T'es là? J'emmène des amis pour souper!

Ils pénétrèrent dans la maison, sur le palier entre les deux étages. Aude apparut en haut de l'escalier. Surprise de voir sœur Bernadette, elle tourna la tête vers Samuel, le regard interrogateur.

— Une amie à nous, dit-il en guise d'explication. On l'a rencontrée en Europe.

Aude se tourna ensuite vers Félix.

— Et toi, Félix, demanda-t-elle, tu ne devais pas être à Ottawa avec ton premier ministre?

— Premier ministre? répéta Félix.

— Il vient d'être élu au second tour. Une bonne majorité. Stoneway s'est ralliée aussitôt.

— Bon, ça va, maman, coupa Samuel. On est pas mal occupés. On va manger un spaghetti en vitesse. On a des choses à faire ce soir.

Samuel s'apprêtait à descendre l'escalier lorsque Aude intervint.

— Minute, papillon! Tu pourrais me dire où tu étais hier soir?

— Je te l'ai dit, on travaille sur quelque chose d'important, répliqua Samuel en détournant le regard.

— Ça m'a l'air important, oui. C'est bien ce qui m'inquiète. Tu pars sans donner de nouvelles, tu débarques ici avec... madame, et Félix, qui devrait être à Ottawa. Qu'est-ce que vous magouillez?

— Oh rien! tonna Samuel, excédé, en descendant l'escalier.

Sœur Bernadette et Félix descendirent à sa suite. Samuel invita ses deux amis à s'installer au salon, puis il fit chauffer de l'eau. Les pâtes plongèrent rapidement dans la casserole, tout comme un litre de sauce à la viande congelée. Dix minutes plus tard, les compères couvraient leur assiette de mozzarella râpée.

Sœur Bernadette remarqua que les deux garçons tremblaient. À un point tel qu'ils avaient de plus en plus de difficulté à porter leur fourchette à leur bouche. Elle, pourtant, se sentait tout à fait calme. Plus calme, en fait, qu'au cours des derniers mois, après que Buisson lui eut raconté sa sordide histoire.

— Vous allez bien, les garçons? demanda-t-elle.

— Mais oui, répondit Félix, alors que Samuel opinait du chef.

— Ah? Parce que chez vous, la tremblote est un signe de grand calme intérieur? demanda la sœur, en mimant les mouvements saccadés de leurs fourchettes.

Les deux amis lui répondirent par un rictus appuyé.

— D'accord, commença Félix. J'ai peut-être une petite tension. Mais ça va.

— J'admets que ce serait plus relaxant de s'écraser sur le divan devant un film de guerre, ajouta Samuel. Remarquez, c'est une belle occasion d'ajouter à la liste de nos exploits. Avec l'opération «crypte» d'hier, ça fera un tableau de chasse plutôt crédible.

Félix se leva pour aller à la cuisine, ouverte, qui donnait sur la salle à manger. Il mit de l'eau dans le réservoir de la cafetière et remplit à ras bord le filtre conique de café noir.

— Vous savez, reprit sœur Bernadette, nous ne sommes pas obligés d'aller confronter Vanier. On peut simplement remettre tout ce qu'on a à la police.

Samuel et Félix se regardèrent. Ils n'étaient pas naturellement courageux, mais ils avaient déjà osé beaucoup plus qu'ils ne l'auraient cru quelques mois auparavant. Si près du but, il fallait bien jouer le dernier acte, non?

— Nous irons, dit Félix. D'ailleurs, il serait temps d'appeler Georges au Collège. Ce serait bien de la malchance s'il n'était pas là ce soir!

— Ouais, j'y vais, dit Samuel. Je lui demande si Vanier est au Collège, sinon, je lui demande son numéro de téléphone. Je lui donne rendez-vous dans une heure, ça va?

— Et demandez-lui de se tenir pas trop loin du bureau de Vanier, et d'un téléphone, au cas où il y aurait du grabuge.

Samuel acquiesça et se dirigea vers sa chambre. En passant devant l'escalier, il vit la tête d'Aude au-dessus de la balustrade.

— Tu m'espionnes, maintenant? lâcha-t-il, de mauvaise humeur.

Aude poussa un long soupir et remonta au second. « Mon fils devient de plus en plus arrogant, se dit-elle. Il se comporte comme s'il était le maître de la maison. Il est temps de remettre les pendules à l'heure! » La colère d'Aude la poussait à agir maintenant, mais sa délicatesse lui suggérait plutôt d'attendre qu'ils soient seuls tous les deux. Elle hésitait.

Samuel s'installa à son bureau et composa le numéro du Collège. Il fallut une bonne minute avant qu'on lui réponde. Pour tuer le temps, il prit un stylo et griffonna le nom de Georges Labrie sur la première feuille d'une tablette, puis il passa et repassa la bille sur chacune des lettres. Finalement, une voix lui répondit. Il demanda à parler au frère Labrie, et la standardiste transféra l'appel immédiatement.

— Georges Labrie à l'appareil.

— Georges! dit Samuel, enthousiaste.

— Samuel, cher ami! J'avais hâte d'avoir des nouvelles. Comment vas-tu?

— Ça va bien, mais ça va vite!

— Ah oui? répliqua le frère, soudainement tendu.

— Écoute, c'est toute une histoire, commença le jeune homme. On a trouvé une photo incriminante de Paul-Émile Vanier avec cinq adolescents, nus : Buisson, Béland, Parenteau, Simard et Paul Rivest.

— Quoi! s'exclama le frère Labrie.

— On arrive d'Ottawa. On a parlé à Rivest, on a parlé à Parenteau. Tout nous indique que c'est Vanier. Pas juste l'organisateur de tout ça, mais probablement le meurtrier. On compte le voir, dès ce soir. On veut lui mettre la photo sous le nez.

Un long silence s'installa; Samuel attendait la réponse de Labrie.

— Je ne veux pas te décevoir, Samuel. Mais il faut tout arrêter. C'est beaucoup plus gros que ce qu'on pouvait imaginer.

— Comment? demanda Samuel, surpris.

— J'ai fait des recherches au Collège. J'ai découvert des choses. J'ai fouillé de nouveau dans les archives. C'est un tout autre portrait. Il y a des intérêts majeurs liés à cette histoire. Nous sommes tous à risque.

Éberlué, Samuel ne savait pas quoi répondre. C'est le moment que choisit Aude pour descendre parler à son fils.

— Qu'est-ce que tu suggères? demanda finalement le jeune homme.

— D'abord, garder le silence sur cette affaire. À part Rivest et Parenteau, vous n'avez parlé à personne?

— Non.

— C'est plus sûr. Tu peux contacter Félix et sœur Bernadette?

— Ils sont ici, avec moi.

— Parfait. Alors, venez me rejoindre au coin des rues Marquette et King, dans trente minutes. Je vous emmène à ma maison de campagne. Il est temps de faire le point!

Tout absorbé par la conversation, Samuel n'entendit pas Aude entrer dans sa chambre. Elle approcha derrière lui et posa la main sur son épaule au moment où il répondait à Labrie.

— D'accord, à tout de suite, fit-il avant de reposer le combiné.

— Samuel, je dois te parler.

— Maman,. ce n'est pas le temps, dit-il, en arrachant en vitesse, sous les yeux de sa mère, la feuille de papier qu'il glissa dans sa poche.

— Ça ne peut plus durer, Samuel. C'est trop!

Samuel fit un effort surhumain pour garder son calme. C'est d'une voix douce qu'il répondit, en l'entourant de ses bras.

— Je sais, je crois que je sais. Mais il faut me donner un peu de temps. On en parlera demain, d'accord?

Aude se résigna, attendrie par la soudaine délicatesse de son fils.

— D'accord, fit-elle, avant de tourner les talons et de remonter à l'étage.

Samuel retourna auprès de sœur Bernadette et de Félix. Il raconta sa conversation avec Georges Labrie.

– Houuu... On entre dans une autre dimension, siffla Félix, crâneur. Complot de niveau supérieur, peut-être des ramifications internationales, on ne sait jamais...

– Comique, coupa Samuel. Alors, on y va?

– On y va, répondit la sœur.

Ils emportèrent leur café dans la voiture et prirent la direction de Sherbrooke.

78

Le petit groupe de policiers venait de finir de manger les hors-d'œuvre lorsqu'un collègue de Vincent l'apostropha.

– Tu as eu le message au bureau? demanda-t-il.

– Le message... répéta le policier. Ah oui, Julie me l'a donné tantôt.

Il fouilla dans sa poche et en tira le bout de papier rose.

– Ça m'avait l'air important, reprit le collègue. Un certain Gaston. Il tenait à ce que tu le rappelles dès que possible. Mais je ne pouvais pas te parler pendant l'opération chez les motards.

Vincent hocha la tête en signe d'approbation et lut le message. Gaston, une urgence? Son vieil ami n'était pas du genre à s'énerver pour des broutilles. Peut-être des problèmes de santé? Il décida de l'appeler sur-le-champ. Il se leva et se dirigea vers le téléphone public, dans le hall. Il composa le numéro de Gaston, qui répondit à la première sonnerie.

– Oui, allô?

– Gaston? Vincent.

– Vincent, nom de Dieu! Tu n'aurais pas pu prendre un peu plus de temps avant de me rappeler?

— J'ai fait du mieux que j'ai pu. Qu'est-ce qui se passe?

— Ton gars s'est foutu dans la merde.

— Quoi? Samuel? Qu'est-ce qu'il a fait?

— Je ne sais pas ce qu'il a fait, mais je sais qu'on a saboté son auto.

— Hein? Qu'est-ce que...

— Il y a quelques semaines. Il a eu un accident sur l'autoroute d'Ottawa. Il m'a demandé de jeter un coup d'œil à sa voiture. Comme je partais pour la Floride, je n'ai pas pu l'examiner avant cet après-midi.

— Et alors?

— Alors, quelqu'un a saboté la direction, des deux côtés. Le côté gauche a tenu bon, mais le côté droit a cédé.

— Tu l'as dit à Samuel?

— Non, je ne l'ai même pas vu. Je n'ai rien dit à Aude non plus. Si j'étais toi, je n'attendrais pas trop.

— O.K., Gaston, merci. Je vais voir ce que je peux faire.

Sidéré, Vincent St-Germain posa le combiné. La dernière fois qu'il avait vu Samuel, c'était au camp. Et ils s'étaient brouillés. Samuel lui avait raconté une histoire à dormir debout. Une sœur rencontrée à Bordighera, des meurtres maquillés en suicides, une organisation pédophile au Collège dans les années 1950. Il s'était promis de faire quelques vérifications, mais l'enquête sur les motards avait pris toute la place. Maintenant, ce sabotage. Il n'avait sans doute aucun rapport avec l'histoire de Samuel, mais il se passait quand même quelque chose et son fils était en danger!

Il inséra une autre pièce dans le téléphone et appela chez Aude.

– Allo? répondit-elle.

– Salut. Tu as des nouvelles de Samuel?

– Bravo pour la politesse, répliqua sèchement Aude.

– Désolé, je suis inquiet. Je viens de parler à Gaston.

– Ah oui, et alors? demanda Aude, curieuse.

– L'auto de Samuel a été sabotée.

– Seigneur! s'exclama la mère du garçon. Et Gaston qui ne m'a rien dit!

– Je ne sais pas ce qu'il fricote, mais on dirait qu'il s'est fait des ennemis. Tu sais où il est?

– Il vient de partir il y a moins de cinq minutes. Il s'est pointé ici ce soir, avec Félix et une sœur rencontrée en Europe.

– Une sœur?

– Je ne l'avais jamais vue, celle-là. Ils avaient l'air bizarre, tous les trois.

– C'est peut-être sérieux. Samuel m'a raconté une histoire abracadabrante il y a quelque temps. À propos de son voyage en Europe. Une sœur était impliquée là-dedans. Ça doit être la même. Et tu dis que Félix était là?

– Oui. Ça m'a surpris. Il aurait dû être à Ottawa. Il travaille là depuis quelques semaines avec l'équipe de Paul Rivest, qui vient d'être élu chef du Parti libéral. C'est le futur premier ministre.

– Tu n'as aucune idée où ils sont allés?

– Je les ai entendus parler du Collège. Puis Samuel discutait avec quelqu'un au téléphone. Il a dit qu'ils allaient le rejoindre tout de suite. Après, ils sont partis. Hé... attends un instant, tu veux?

Aude posa le téléphone et descendit dans la chambre de son fils. Elle venait de se rappeler ce bout de papier sur lequel il avait griffonné quelque chose. Elle alluma le plafonnier et regarda sur le bureau. Rien. Elle allait remonter lorsqu'elle vit le bloc-notes. Elle alluma la lampe de bureau et le glissa sous la lumière. Elle distinguait nettement une inscription en relief! Samuel avait appuyé si fort qu'il en avait marqué la feuille du dessous. Elle put y lire clairement le nom de Georges Labrie. Elle décrocha le combiné du téléphone posé sur le bureau.

– Je viens de trouver quelque chose. Il a noté un nom sur son bloc-notes. Peut-être celui de son interlocuteur. Georges Labrie.

– O.K., autre chose?

– Non, rien pour l'instant.

– Ils sont partis en voiture?

– J'imagine. Mais je n'ai pas vu l'auto.

– Tu as les numéros des parents de Félix?

Aude fouilla dans le répertoire téléphonique de la maison et transmit l'information à Vincent, qui la nota dans son carnet. Il demanda ensuite à Aude de lui faire une description de la sœur et de lui indiquer comment les garçons étaient habillés. Ils convinrent de s'appeler s'il y avait du nouveau.

Un collègue de Vincent vint lui faire signe : les plats étaient servis. D'un geste de la main, il leur indiqua de commencer sans lui. Il appela d'abord chez Isabelle. Peut-être la mère de Félix avait-elle eu des nouvelles de son fils?

— Bonsoir, Isabelle, ici Vincent, le père de Samuel.

— Oh! Salut, Vincent, ça va bien?

— Pas mal, merci. Dis donc, aurais-tu des nouvelles de Samuel? Il n'est pas passé chez toi, ce soir?

— Chez moi? Mais non. Il vient ici seulement avec Félix. Et Félix est à Ottawa en ce moment. Il doit être en train de fêter la victoire. Tu savais qu'il travaille avec Paul Rivest? Il vient d'être élu à la tête du parti. Le futur PM!

Ainsi, Isabelle ne savait même pas que Félix était en ville? Bizarre. Il aurait dû la prévenir, non? Et puis, qu'est-ce qu'il faisait ici? Ne devait-il pas, comme le croyait Isabelle, être en train de fêter la victoire de Rivest sur les rives du canal Rideau? Quelque chose ne tournait vraiment pas rond...

— Ah oui! Samuel m'en avait glissé un mot, répondit-il, le plus naturellement du monde. C'est une bonne nouvelle! Bon, je dois te laisser là-dessus, d'accord? Et si jamais tu avais des nouvelles de mon grand, tu veux bien me donner un coup de fil au bureau?

Isabelle répondit qu'elle le ferait avec plaisir.

Vincent composa le numéro d'Hubert Roche, le père de Félix. Leurs rapports s'étaient légèrement améliorés depuis qu'ils avaient fait ensemble la route menant leurs fils à l'aéroport. Mais on ne pouvait parler de camaraderie.

Hubert répondit. Pour ne pas l'inquiéter inutilement, Vincent lui demanda simplement si Samuel était passé le voir.

– Samuel? demanda l'avocat, surpris. Non, il n'est pas là.

– Bon, répondit Vincent, déçu. Ni sa mère ni Isabelle n'ont eu de nouvelles de lui.

– Attends un peu, répliqua Hubert. Tu viens de me dire que tu as parlé à Isabelle. Tu sais donc que Félix est censé être à Ottawa. Si Félix est à Ottawa, qu'est-ce que Samuel ferait chez moi? Ou alors... c'est que Félix est à Sherbrooke. Mais qu'est-ce qu'il fait ici, tu peux me le dire, Vincent?

– Je vois que tes cellules grises fonctionnent même après le boulot, constata Vincent. Rare, chez les avocats qui facturent à l'heure... Sans blague, je ne sais pas s'il faut s'inquiéter, mais il y a quelque chose qui ne tourne pas rond.

– Tu as le temps de passer à la maison?

– O.K., j'y serai dans vingt minutes.

Vincent raccrocha et appela un collègue au poste de police. Il lui demanda d'abord qu'on diffuse un avis de recherche à l'intention des patrouilleurs qui sillonnaient la ville. Il lui fit une brève description des trois amis. Il lui demanda enfin de faire une recherche dans les différentes bases de données auxquelles avaient accès les services de police. Critère de recherche : Georges Labrie.

Maintenant, le Collège. Selon Aude, les trois « mousquetaires » avaient parlé du Collège. Que faire de ce côté? Vincent s'imaginait plutôt mal aller frapper à la porte de l'établissement un samedi soir. Surtout qu'il s'inquiétait peut-être pour rien. Quoique... son instinct lui jouait rarement de mauvais tours. Rarement, mais pas jamais. Il lui avait certainement fait défaut, un dimanche au camp, lorsque Samuel avait tenté de se confier à lui. « Je verrai plus tard pour le Collège », se dit-il finalement.

Il alla retrouver ses collègues et leur expliqua qu'ils devraient poursuivre le travail sans lui. Il confia la responsabilité de la conférence de presse à un vieux partenaire, engloutit quelques tortellinis et quitta les lieux. Il s'engagea dans la rue Marquette, à pied. Hubert habitait à cinq minutes de là, coin Frontenac.

79

À cinq cents mètres de là, sœur Bernadette gara sa voiture rue de la Cathédrale, juste à côté du Mont-Notre-Dame, une école secondaire pour jeunes filles située tout près du Collège. Une vieille Lincoln Continental brune sortit immédiatement d'un stationnement à proximité et s'engagea dans la rue. La voyant s'approcher, Samuel reconnut Georges Labrie. Le frère semblait inquiet. Il baissa la vitre.

— Ça va, vous trois? demanda-t-il.

Les trois amis hochèrent la tête en approchant, côté conducteur.

— Ça va, mais on est un peu crevés. Les vingt-quatre dernières heures n'ont pas été de tout repos.

— Pour moi non plus, ça n'a pas été simple, répondit le frère Labrie. Je crois que j'ai découvert quelque chose dans les archives. Tout est à la maison de campagne. Montez, je vous y emmène tout de suite. Vous me raconterez tout ça en route.

Bernadette et Félix s'installèrent à l'arrière, tandis que Samuel s'assit à l'avant. La voiture démarra en direction de la rue Marquette et tourna à gauche. Sur le trottoir d'en face, sur sa droite, Samuel vit une silhouette qui lui sembla familière. Quelqu'un descendait la côte en direction de la rue Frontenac. Il ne reconnut pas Vincent, happé par la nuit entre deux réverbères. Georges Labrie alla reprendre la rue King vers le centre-ville.

— La maison est près du lac Aylmer, précisa l'ancien professeur de religion des garçons. Moins d'une heure. Mais je préfère que vous voyiez les documents par vous-mêmes, pour être sûr que je n'ai pas la berlue.

— Mais enfin, Georges, qu'est-ce que tu as découvert? demanda Samuel.

— Tu verras bientôt, Samuel. Toujours aussi impatient, hein? En attendant, racontez-moi donc vos aventures. Vous m'avez l'air pas mal chamboulés!

Et les trois amis racontèrent leurs pérégrinations, se coupant les uns les autres, tout heureux de pouvoir enfin partager les moments les plus exaltants de leur vie. Au milieu de cette magnifique cacophonie, frère Labrie tentait de rassembler les morceaux épars pour en faire un tout cohérent, pendant que la voiture s'enfonçait dans la nuit noire.

80

Vincent entra dans l'ancien édifice de *La Tribune*, situé entre la rue Frontenac et la rivière Magog, juste à côté du pont. Il emprunta le couloir menant directement à l'appartement d'Hubert Roche. Il frappa et le père de Félix lui ouvrit sur-le-champ. Les deux hommes se saluèrent de manière expéditive.

Hubert invita Vincent à s'asseoir à une immense table rectangulaire en mélamine blanche, soutenue aux extrémités par des pattes carrées et entourée de quatre chaises arrondies, à pied conique inversé. L'œuvre d'un réputé designer des années 1960. Il tira deux bouteilles de bière du réfrigérateur, qu'il versa dans des verres avant de s'asseoir en face de Vincent.

Vincent décida de ne rien omettre, à commencer par sa rebuffade à son fils.

– Samuel est venu me voir il y a quelque temps. Il disait être mal à l'aise à cause d'une histoire qui aurait commencé en Europe.

Hubert écoutait attentivement. Machinalement, il alluma une cigarette.

– Avec Félix, il aurait rencontré une sœur de

Sherbrooke à Bordighera. Cette sœur aurait reçu les confessions d'Albert Buisson...

— Le comédien? demanda Hubert

— Le comédien. Il lui aurait dit avoir participé à des orgies et des séances de photo au Collège il y a plus de trente ans. Un des jeunes aurait été trouvé mort à l'époque, après une des séances. Je crois que Buisson pensait que le jeune avait été tué. Enfin, le comédien aurait eu l'intention d'en parler publiquement. Mais avant, il voulait convaincre les autres de le faire avec lui. La confession s'arrête là. Quelques semaines plus tard, Buisson est trouvé mort. Suicide.

— Je me souviens.

— La sœur rencontre un vieux frère à Bordighera. Un ancien prof de photo du Collège. Il meurt devant elle après avoir lu l'article sur la mort de Buisson. Mais avant de mourir, il dit quelque chose du genre « qu'avons-nous fait », puis s'empare de son appareil photo comme si c'était une pièce importante. La sœur le prend, mais il y a du sang dessus, parce que le type a fait une chute. Elle panique et met l'appareil dans un sac, qu'elle remet aux gars. C'est comme ça qu'ils auraient été impliqués dans l'histoire.

— Ensuite?

— Ils reviennent ici. La sœur aussi. Ensemble, ils découvrent qu'un jeune du Collège a bien été trouvé mort dans la rivière, à l'époque. Meurtre ou accident, impossible de le dire.

— Pour l'instant, ce n'est pas très concluant, risqua Hubert.

– Attends la suite. Selon Samuel, *La Presse* qu'a lue le frère, à Bordighera, contenait une autre nouvelle. Un autre homme trouvé mort, le même jour, à la suite d'un accident. Les gars se sont dit que c'est peut-être à cette nouvelle-là qu'aurait réagi le vieux prof de photo. Ils ont vérifié. Cet autre type avait fait ses études au Collège, en même temps que Buisson.

– Ça commence à se corser.

Vincent enfouit son visage entre ses mains et se massa le front.

– Je ne l'ai pas cru, reprit-il.

– Qui?

– Samuel. Je l'ai envoyé promener. Tu sais comment ils sont. Depuis des années, ils passent leur temps à glander, à faire des projets, à rêver d'aventures. Beaucoup d'idées, mais pas beaucoup de réalité... Je me suis dit qu'il y avait peut-être quelques fondements à son histoire, mais que ce n'était probablement que du vent. Quelque chose pour se rendre intéressant.

– Et qu'est-ce qui te fait croire que tu avais tort?

– Samuel a eu un accident de voiture il y a quelque temps. Un ami de la famille a inspecté l'auto. Sabotage.

Hubert ouvrit grands les yeux, surpris.

– Et ce soir, il était chez sa mère. Avec une sœur et Félix. Ils ont quitté la maison à toute vitesse.

La sonnerie du téléavertisseur de Vincent résonna. Il regarda le numéro : son collègue au poste. Il demanda à Hubert la permission d'utiliser le téléphone.

— Alors? demanda-t-il.

— On a diffusé le signalement, répondit le collègue. Rien pour l'instant.

— Pour Georges Labrie, tu sais quelque chose?

— Oui, il serait professeur au Collège, à côté. Adresse, la même que celle du Collège. Une voiture immatriculée à son nom. Une Lincoln Continental.

— O.K., étends l'avis de recherche à la Lincoln. Autre chose?

— Non, c'est tout ce que j'ai.

Vincent raccrocha et se retourna vers Hubert Roche, pensif.

— Georges Labrie, ce nom ne m'est pas inconnu. Qu'est-ce qu'il vient faire là-dedans?

— On a trouvé son nom dans la chambre de Samuel. C'est peut-être avec lui qu'ils avaient rendez-vous ce soir. Tu le connais?

— Pas personnellement. C'est une vieille histoire. Un homme qui voulait rencontrer un avocat. Il ne voulait pas venir au bureau. Il a demandé qu'on le rejoigne à sa maison de campagne.

— C'est toi qui es allé?

— Non, mais je m'en souviens parce qu'on a eu du mal à attribuer le dossier. Personne ne voulait se taper une heure de route. Finalement, Pierre s'est porté volontaire. Son chalet était dans ce coin-là. Je crois qu'il s'y est rendu un vendredi, après le bureau.

— Il pourrait nous donner des détails?

— Tu sais qu'il est lié par le secret professionnel, répliqua Hubert Roche.

Vincent lança un regard noir à l'avocat.

– Mais rien ne l'empêche d'en parler avec moi, qui suis aussi lié par le secret, reprit Hubert avec un sourire. Deux associés peuvent discuter du cas d'un client, dans son intérêt...

Hubert composa le numéro de son associé.

– Pierre? Hubert Roche.

– Salut, Hubert! Tu sais que ton fils a de quoi se réjouir? Son candidat va devenir premier ministre.

– Oui, j'ai entendu ça aux infos. Dis donc, Georges Labrie, ça te dit quelque chose?

– Georges Labrie, il me semble, oui.

– Tu sais, le type qui ne voulait pas mettre les pieds au bureau. Tu l'avais rencontré à son chalet.

– Oh, oui! On était presque voisins. Ça fait un bail. Au moins dix ans!

– Alors?

– Alors quoi?

– Qu'est-ce qu'il voulait? précisa Hubert.

– Tu es bizarre, toi, ce soir. Pourquoi ça t'intéresse, ce dossier?

Hubert Roche sentit son sang se mettre à bouillir. S'il posait la question, c'est qu'il avait une bonne raison de le faire, non? Était-ce si difficile à inférer? Fallait-il absolument qu'il se justifie?

– Pierre, dit-il. D'avocat à avocat, d'un associé à un autre, en toute confidentialité, tu peux vider ton sac, je te prie?

– D'accord, céda son interlocuteur. Laisse-moi me souvenir... Il avait reçu un coup de fil d'un détective de la police de Sherbrooke. On lui avait posé des questions sur la disparition d'un adolescent. Un témoin avait vu un garçon monter à bord d'une voiture semblable à la sienne.

— Continue, répondit Hubert, de plus en plus inquiet.

Pédophilie, disparition d'un adolescent. Quelque chose prenait forme.

— Le bonhomme a paniqué. Il était prof au Collège. Un religieux. Il craignait que l'affaire ne s'ébruite et nuise à sa réputation et à celle de l'établissement. Il ne savait pas quoi faire.

— Alors?

— Alors, il a suivi mes conseils. Il n'a rien fait! Et je n'en ai plus jamais entendu parler.

— Tu sais où il habite?

— Mais oui, je te l'ai dit, on était voisins! Il habitait une vieille maison de pierres au bout d'un chemin privé, près du lac Aylmer.

Hubert mit la main sur le combiné et résuma la situation à Vincent.

— Je ne veux pas envoyer de patrouilleurs là-bas, réagit ce dernier. Pas tout de suite. On s'inquiète peut-être pour rien. Je veux juste y faire un tour, personnellement.

— J'irai avec toi, décida Hubert, avant de reprendre sa conversation avec son associé.

— Pierre, je veux que tu me fasses un croquis, le plus précis possible. De Sherbrooke à chez lui. Je serai chez toi dans quinze minutes.

— Mais... protesta-t-il.

— Pierre, c'est important. Fais-le pour moi.

Sur quoi, il raccrocha, puis gagna sa chambre et se changea. En revenant dans la cuisine, ils se regardèrent et hochèrent la tête, se comprenant sans dire un mot. Il fallait localiser les garçons au plus vite!

Les deux pères prirent la voiture d'Hubert, une Volvo 760, et se rendirent chez le collègue de l'avocat. Vincent resta dans la voiture. Le collègue ouvrit avant qu'Hubert ait eu le temps de frapper. Il le fit entrer dans le vestibule et se comporta comme un petit trafiquant inexpérimenté. Il lui remit un bout de papier plié, sans dire un mot, le regard ailleurs, mais l'air tellement coupable qu'on n'aurait pu douter qu'il était en train de commettre un délit. Manifestement, il n'agissait pas de gaieté de cœur. S'il avait su qu'un policier accompagnait Hubert, jamais l'avocat de la défense n'aurait accepté de partager cette information.

Son associé le remercia et retourna dans la voiture. En sortant de l'allée, le détective alluma le plafonnier et donna des indications à Hubert, qui tenait le volant. Ils roulèrent bientôt sur la route 112, en direction de Weedon.

81

L'excitation avait baissé; le calme régnait maintenant dans la Lincoln. Les trois amis étaient enfin arrivés au terme de leur récit. Georges Labrie avait réussi à replacer les morceaux pour en faire un tout intelligible et il s'extasiait devant l'audace et le courage de ses passagers.

— Eh bien, vous n'aurez pas fait tout cela pour rien, dit-il.

— Justement, répliqua Samuel. C'est à ton tour de nous surprendre! Allez, ne nous fais pas languir.

— Plus que quelques minutes, répondit frère Labrie, d'un air espiègle.

La grosse Lincoln ralentit et vira sur un étroit chemin de terre, presque invisible dans le feuillage. Elle roula deux cents mètres au creux d'un bois avant qu'apparaisse une petite maison de pierres entourée d'arbres. La voiture s'en approcha.

— Nous y voilà! lança Georges Labrie, avec fierté. Mon petit havre de paix.

— Pas mal, répondit Félix.

— C'est la vôtre, ou celle du Collège? demanda sœur Bernadette.

— C'est la mienne, avoua le frère en ouvrant la portière. Vous savez, les règles sont beaucoup plus souples, aujourd'hui. On tolère que nous ayons quelques possessions. Ce n'est pas le cas à la congrégation Notre-Dame-des-Cœurs?

La sœur hocha négativement la tête.

Les trois amis suivirent Labrie jusqu'à la porte. Celui-ci sortit un trousseau de clés et entreprit de déverrouiller deux impressionnantes serrures. Il poussa la porte et entra dans la maison. Lorsqu'il fit de la lumière, les amis découvrirent un intérieur modeste, mais confortable. L'entrée donnait directement sur la cuisine, qui faisait également office de salle à manger. Un petit corridor sur la droite menait à la salle de bain, en passant devant une porte, probablement celle de l'unique chambre de la maison. Sur la gauche se trouvaient deux panneaux coulissants qui semblaient s'ouvrir sur une autre pièce. Les fenêtres étaient cachées derrière d'épais rideaux rouge sang, seuls éléments décoratifs d'une demeure par ailleurs dépourvue de bibelots, de cadres ou de quelque apparente volonté de dépasser la fonction strictement utilitaire des choses.

Le frère verrouilla la porte derrière eux et fit coulisser les panneaux, révélant un petit salon, garni de vieux fauteuils dépareillés autour d'une épaisse moquette multicolore. Il fit de la lumière et les invita à s'asseoir. Les amis remarquèrent une affiche laminée surdimensionnée, *Le Cri*, de Munch, sur le mur du fond.

– J'ai de la bière bien fraîche au frigo, offrit frère Labrie. Ça vous ferait plaisir?

Les amis acceptèrent en chœur. Il alla verser

trois grands verres de bière et vint rejoindre les amis.

— Pas pour toi, Georges? demanda Samuel.

— Mieux vaut pas, répondit-il. À cette heure-ci, il ne m'en faudrait pas beaucoup pour que mes idées s'emmêlent.

— Moi non plus! répliqua la sœur. Mais il faut fêter nos trouvailles!

— Et nos retrouvailles, ajouta Félix.

Ils levèrent leur verre et burent une grande rasade du savoureux nectar de malt.

— Ce que je m'apprête à vous révéler est presque incroyable, commença le frère. Cette histoire implique des gens haut placés de la région. Il n'est pas impossible que vous ayez été suivis. Jusqu'à ce que nous décidions d'une action décisive, il faut rester discrets et couvrir nos traces.

— À part Paul Rivest et Michel Parenteau, plus nous quatre, personne n'est au courant, dit Félix, omettant le fait, autant pour frère Labrie que pour Samuel et sœur Bernadette, qu'il en avait glissé un mot à Gilbert Tardif, l'organisateur du nouveau chef du Parti libéral. Mais il y avait de cela un peu comme une éternité, non?

— Sans compter Paul-Émile Vanier, qui doit bien se douter de quelque chose, ajouta Samuel.

Georges Labrie approuva, satisfait.

— Je vous ai fait venir ici, car c'est un peu notre nouveau quartier général. Tant que personne ne sait que je suis impliqué, tant que personne ne peut vous associer à ce lieu, nous sommes ici en sécurité. C'est pourquoi je vous ai demandé de venir en catimini. Y a-t-il la moindre chance que quelqu'un sache ou découvre que vous êtes venus ici? interrogea le frère Labrie, en fixant tour à tour ses trois interlocuteurs.

— Aucune chance, affirma Félix, tout à coup mal à l'aise. Les deux autres approuvèrent.

— Et la fameuse photo, vous l'avez? demanda le frère.

Samuel sortit la photo de sa poche et la remit à son vieil ami, qui la regarda longuement en hochant la tête.

— Très bien, fit le frère, apparemment satisfait, en remettant la photo au garçon. Je vais aller chercher quelques documents tirés des archives que vous m'avez confiées. Vous verrez, vous en serez abasourdis, dit-il avec un étrange sourire ironique.

Georges Labrie quitta la pièce, laissant flotter dans le salon un léger sentiment d'inconfort. Dans le silence de la maison, les amis entendirent s'ouvrir la porte d'un placard. Il y eut des claquements métalliques, puis les pas du frère Labrie se rapprochèrent du salon et ce dernier leur apparut dans sa longue soutane noire, les pieds bien à plat sur le sol. Sur son visage, un sourire diabolique surmonté d'un regard intense avait remplacé ses traits détendus. Les pupilles dilatées, comme fou, sa poitrine se soulevant au rythme de sa respiration accélérée, le frère Georges tenait entre ses mains un fusil de chasse à canon scié.

Les trois amis le regardèrent sans mot dire, hypnotisés par cette apparition aussi inattendue que déroutante. Félix laissa choir son verre de bière en même temps que sa mâchoire.

— Mais qu'est-ce que... balbutia Samuel, ahuri.

Georges Labrie, ce vieil ami du secondaire! Ce prof de religion si ouvert d'esprit, si accueillant! Le jeune homme n'en croyait pas ses yeux. Quant à sœur Bernadette, elle entoura son chapelet de ses doigts.

— Abasourdis, hein? laissa tomber Labrie, fébrile. Je vous avais prévenus, non?

Les amis restèrent silencieux, incapables de réagir.

— Il fallait laisser dormir en paix le passé. Mais non, il vous fallait réveiller de vieilles histoires endormies sous la poussière. Je vous aimais bien, pourtant, les garçons, avec votre belle candeur, vos grandes illusions, votre quête philosophique du sens de la vie. Mais vous avez été faibles. Vous avez laissé les angoisses de ce grassouillet démon polluer vos âmes.

Ce disant, il pointait du doigt sœur Bernadette. Après un temps, celle-ci brisa finalement la glace.

— Mais enfin, frère Labrie, dit-elle, qu'est-ce que tout cela signifie?

— Que vous avez été beaucoup trop curieux pour votre propre bien. Il ne fallait pas fouiller ces archives. Ni trouver cette photo. C'est mal! cria-t-il. Mal!

— Georges, réussit à articuler Samuel, la voix brisée, tu n'as rien à voir là-dedans. Il y a sûrement une explication. Laisse tomber cette arme, d'accord? Discutons.

Samuel tendit la main vers lui et fit un pas en avant. Le coup partit dans un bruit assourdissant alors que du bout du canon sortaient les feux de l'enfer. La chevrotine fendit l'air à quelques centimètres du bras du garçon et fit voler en éclat le laminé au fond de la pièce.

Sœur Bernadette poussa un cri de frayeur autant que de douleur. Quelque chose venait de lui brûler le mollet. Samuel et Félix restèrent sans voix. Un flot d'adrénaline envahit leurs membres, mais il leur était impossible d'utiliser cette énergie nouvelle. Ils se sentaient comme dans un rêve, lorsque l'on tente de fuir, mais qu'on reste prisonnier de son corps inerte. De toute manière, les garçons gardaient suffisamment de présence d'esprit pour bien juger les risques : mortels. Bernadette releva sa soutane et dévoila son mollet, marqué d'une tache rouge. Un plomb, sans doute, avait ricoché pour venir pénétrer à la surface de sa chair. Elle sentait venir la surchauffe nerveuse, mais elle allait survivre.

– Calme-toi, Samuel, dit Labrie, d'un ton détaché. Ne fais pas de bêtises.

C'était comme si l'éclat du coup de feu avait fait baisser sa tension. Se tournant vers Bernadette, il lui dit, en désignant du menton un gros coffre de bois :

– Allez, ma sœur, ouvrez ce coffre.

Avec des mouvements lents, effrayée, Bernadette s'exécuta. L'ouverture du coffre révéla un amoncellement de chaînes entremêlées.

– Prenez-les, ordonna-t-il, et fixez-les soigneusement à leurs poignets, ainsi qu'à leurs chevilles. Voici la clé.

Et il lança par terre une grosse clé fixée à un anneau de métal.

Bernadette tira les chaînes du coffre et les disposa au sol. Il y avait trois ensembles d'entraves permettant de lier les poignets, la taille et les pieds. Bernadette en saisit un et entreprit de l'installer sur Samuel.

— Mais enfin, demanda Félix, qui avait retrouvé un semblant de voix, pourquoi tout ça? Pourquoi protéger Vanier?

— Il y a longtemps que je ne protège plus personne, répondit le frère. Personne, sinon moi-même...

— Parce que, pour les orgies et les photos, tu étais avec Vanier? tenta Félix.

— Paul-Émile a tout organisé, depuis le début, répondit frère Labrie, savourant apparemment l'instant. Le recrutement des élèves, l'organisation des soirées, les photos... Il s'en est mis plein les poches. C'est fou ce que ces messieurs de la bonne société étaient prêts à allonger pour quelques heures de promiscuité avec de la chair fraîche. Sans compter les revenus de la vente de photos, un peu partout en Europe.

— Tout ça pour de l'argent? demanda Samuel, dégoûté, alors que Bernadette lui entravait les chevilles.

Les yeux de Georges Labrie pétillèrent.

— Pas que pour de l'argent, répondit-il. Pour le plaisir. Paul-Émile jouissait d'un accès presque total à ces quatre garçons. Mais il est devenu trop gourmand. Il s'est entiché de ce bellâtre et il a tout perdu!

– Le bellâtre, c'est Francis Simard? interrogea Samuel. Le cinquième, la première victime.

L'état de stress intense des trois amis diminuait peu à peu, leur corps ne pouvant pas rester tendu si longtemps. Peut-être même se résignaient-ils, par fatalisme, à leur sort. Que pouvaient-ils faire, alors qu'ils se trouvaient du mauvais bout du fusil? Finalement, la curiosité s'avérait un antidote efficace à la peur. Un peu comme un parfum qui masque les odeurs, sans pour autant les éliminer.

– Eh oui, répliqua Labrie, d'un air faussement affligé. Pauvre garçon. Je dois avouer que j'ai eu beaucoup de plaisir à lui fracasser le crâne avec une pierre. Ce fut bref, mais bon, ajouta-t-il, comme étonné. Il faut si peu de chose, au fond, pour terminer la vie.

– Simard, ce n'était pas Vanier? demanda Félix, surpris.

– Paul-Émile, tuer quelqu'un? Tu n'y penses pas sérieusement. Ce serait indéfendable. Paul-Émile fait le mal en se convainquant qu'il fait le bien. L'argent et l'appui que les jeunes ont reçus, au cours des années, par exemple. Tuer quelqu'un, il n'y arriverait pas, il ne pourrait s'en justifier.

– Mais toi, Georges, intervint Samuel, tu peux le faire? Tuer sans justification?

– Pas au début. Mais j'ai fini par accepter... ma nature.

– Mais pourquoi Simard? demanda le garçon

en tirant sur les chaînes que Bernadette avait fini de fixer à son corps.

— Pour protéger Paul-Émile, évidemment. Si on avait laissé faire Simard, il serait allé tout raconter.

— Et le plaisir de le voir mourir? demanda Bernadette, qui avait commencé à entraver Félix.

— J'étais jeune, plein de passion, répondit-il, nostalgique. Je ne supportais pas le regard de Paul-Émile sur ce garçon. Les aventures sexuelles de Paul-Émile pimentaient mon imagination. Mais, avec lui, c'était différent. J'étais terrorisé. À partir du moment où il l'a rencontré, il ne me voyait plus de la même façon. Peut-être ne pouvez-vous pas comprendre ce genre de choses, ma sœur?

— Alors, tu étais... commença Samuel.

— ... le petit ami de Paul-Émile, termina Labrie. Il m'a pris au Collège, il s'est occupé de moi, il m'a confié de petits boulots. Il m'a tiré de cette famille adoptive où j'étais moins bien traité que le chat et plus battu encore que le chien. Avec les années, j'ai bien fini par comprendre qu'il n'aurait pu en être autrement. Un sauveur, un ami, un père, un initiateur... Je devais bien un jour tomber dans son lit.

Sœur Bernadette en avait terminé avec les chaînes de Félix. Labrie ordonna alors à ce dernier de ferrer la sœur.

— Pourtant, tu n'es pas sur la photo, reprit Samuel.

— Non, je ne participais pas à ces petites rencontres, répondit le frère Labrie, l'air hautain. J'avais un autre statut, tu vois? Mais lorsque j'ai rejoint Paul-Émile, ce soir-là, il paniquait. Il m'a raconté le départ précipité de Francis Simard. Au cours de la nuit, je suis parti à sa recherche. Il se tenait près de la rivière. J'ai fait le travail.

— Mais Vanier le savait? demanda Bernadette.

— Non. Il n'a jamais su. Il a toujours cru que Michel Parenteau était le coupable. J'ai laissé courir.

— En fait, il ne fallait surtout pas qu'il te sache responsable, proposa Samuel.

— Je voulais protéger notre relation, tu comprends? Mais ça n'a rien donné. Après la mort de Simard, tout s'est arrêté. Il a sombré dans une profonde dépression. Entre nous, c'était terminé. J'ai bien compris, avec le temps, que je n'étais qu'un jouet, comme les autres. Mais je suis resté au Collège. Les années passant, je lui ai pardonné. J'ai du cœur, tu sais?

— Et pour Buisson, Béland... demanda sœur Bernadette, comment avez-vous su?

— Après que Buisson eut réuni les autres, Paul Rivest a appelé Paul-Émile. Il voulait qu'il contacte Buisson et lui présente ses excuses, qu'il tente de le dissuader de tout raconter. Le soir même, Paul-Émile m'en a parlé.

— Et vous avez «fait le travail»... laissa tomber sœur Bernadette.

— J'ai eu beaucoup de chance, avoua Labrie. À quelques heures d'intervalles, j'ai pu m'occuper des deux. Si je n'avais pu éliminer que l'un ou l'autre, la nouvelle de sa mort aurait pu pousser l'autre à passer aux aveux sur-le-champ. Deux meurtres déguisés en suicide ou en accident... Désolé pour ton père, Samuel, ajouta-t-il en regardant le jeune homme, mais les policiers sont si faciles à berner!

Les trois amis étaient maintenant couverts de chaînes. Labrie récupéra la clé, qu'il glissa dans une des poches de sa soutane. Il vérifia ensuite que les entraves étaient bien verrouillées, puis il fouilla dans les poches de Samuel pour récupérer la photo des cinq garçons et de Paul-Émile Vanier.

– Tu as eu moins de chance avec nous, reprit Samuel, avec un air de défi.

– Oui et non, répondit Labrie avec un sourire. J'aurais préféré réussir à me débarrasser de vous sur la route d'Ottawa.

Les trois amis se regardèrent, surpris. Ils comprirent que l'incident avec la voiture de Samuel n'avait pas été le fruit du hasard.

– On ne peut gagner toutes les batailles, poursuivit-il. Mais la Providence a frappé à ma porte lorsque vous êtes venus me raconter vos aventures. Jusque-là, j'ignorais que vous étiez sur une piste. Paul-Émile ne m'avait rien dit. Vous avez été de formidables artisans de vos malheurs, ajouta-t-il en éclatant de rire.

Samuel ragea contre lui-même. Il avait été le plus proche de Labrie et il n'avait rien vu. C'était encore lui qui avait proposé de solliciter son aide. Il les avait tous jetés dans la gueule du loup!

– Tu penses t'en tirer? demanda Félix. Qu'est-ce que tu crois? Qu'on n'en a vraiment parlé à personne? Qu'on est venus ici sans laisser de traces? Qu'on a joué sans filets?

– Exactement, répliqua Georges Labrie. C'est

exactement ce que vous avez fait. Votre filet, c'était moi.

Le désespoir sur le visage de ses vis-à-vis lui indiqua qu'il avait raison.

— Peu importe, coupa Félix, agressif. Rivest est au courant. Parenteau est au courant. Même Gilbert Tardif en sait quelque chose. Lorsque notre disparition fera la une des journaux, ils vont poser des questions. On va se tourner vers le Collège. Ils finiront bien par te mettre la main au collet!

— Pauvre Félix, dit Labrie, d'un air chagriné, mais ils sont restés muets pendant des années. Même après la mort de Francis Simard, puis d'Albert Buisson et d'Yves Béland. Ça s'appelle de la complicité après le fait. Jamais ils ne prendront le risque de quitter leur petit confort pour trois fouille-poubelles dans votre genre.

Labrie avait fait mouche, une fois de plus. Félix baissa les yeux, découragé. Sœur Bernadette, qui croyait encore que l'homme est fondamentalement bon, fit une ultime tentative.

— Frère Labrie, vous avez déjà fait beaucoup de mal. Trois vies fauchées! Mais il n'est pas trop tard pour vous repentir. Arrêtez-vous ici, cessez de combattre. Remettez-vous-en aux hommes et à Dieu. Sauvez votre âme, mon frère! Sauvez votre âme! répéta-t-elle en ouvrant les mains, comme pour l'accueillir.

Georges Labrie écouta la prière de sœur Bernadette sans mot dire, attentif. La sœur crut que l'homme était traversé de remords. Tous trois connurent un moment d'espoir.

Mais le frère éclata d'un grand rire méprisant.

– Comme tout cela est touchant, ma sœur! lâcha-t-il entre deux soubresauts. Vous êtes magnifique! Mais j'ai bien plus à me faire pardonner, maintenant...

Labrie cessa de rire. Son ton devint mielleux.

– Simard, c'était comme le premier contact des papilles d'un poupon avec le sucre. C'était délicieux. Mais à partir de là, il m'en a fallu plus, beaucoup plus, toujours plus!

Labrie recula de quelques pas et ordonna aux garçons de tirer le tapis. Ils s'exécutèrent et révélèrent ainsi, au centre de la pièce, une trappe de bois aux pentures encastrées dans le plancher.

– Passez donc à la cave, dit Labrie, d'un ton affable.

Félix rabattit la trappe sur le côté et, un à un, malgré les chaînes qui limitaient leurs mouvements, ils descendirent dans l'antre de la bête.

82

Hubert Roche et Vincent St-Germain scrutaient l'obscurité à la recherche des panneaux indiquant le nom des rues. En vain. Ils avaient suivi à la lettre les indications du collègue d'Hubert, mais quelque chose clochait. Ils auraient déjà dû être arrivés à destination. Plusieurs chemins de campagne s'enfonçant à travers les bois restaient anonymes. De toute manière, le plan ne comportait aucun nom de rue au-delà de la grande route. À partir de là, il fallait rouler environ cinq kilomètres sur une route de gravier, puis tourner à gauche sur un petit chemin de terre, puis à droite sur un autre, avant d'arriver à ce qui ressemblait à une allée au bout de laquelle un carré était marqué d'un X.

Le plan aurait sans doute été fiable quelques années plus tôt, mais des développements immobiliers ultérieurs l'avaient rendu pratiquement inutile.

Une vieille cabane de bois rond devait être située à la jonction des deux chemins de terre. Jusqu'à présent, elle demeurait invisible. La Volvo avançait donc à vitesse réduite sur une étroite route bordée d'arbres.

— Tu crois que les gars ont vraiment déterré quelque chose de gros? demanda l'avocat.

— Je n'en sais rien, Hubert. Mais c'est bizarre. Une histoire de pédophilie, le suicide de deux anciens du Collège, le sabotage de la voiture de Samuel et, maintenant, un frère qui aurait pu être impliqué dans une affaire de rapt d'enfant. Je ne suis pas rassuré.

— Moi non plus. Disons que j'ai hâte de trouver la maison de Georges Labrie.

— Tu as déjà utilisé une arme? demanda le détective.

— Eh! Tu n'imagines quand même pas qu'on va se faire une petite fusillade? répondit Hubert, pris de panique.

— On ne sait jamais, dit Vincent en sortant son pistolet de service. Ça, c'est un 9 mm, chargé. Il ne faut pas oublier d'enlever le cran de sûreté.

— Je connais ça, dit Hubert, qui sentit une vague d'anxiété pénétrer sa cage thoracique. Félix m'a déjà emmené dans un club de tir. Ça devrait aller.

Vincent rangea son arme, et la voiture poursuivit son chemin.

83

Bernadette fut la dernière à mettre pied à terre au bas de l'échelle métallique menant à la cave. Samuel et Félix se tenaient tout près, dans l'obscurité. Un plafonnier s'alluma sans prévenir, ce qui fit sursauter les amis.

Ce qu'ils virent autour d'eux les glaça d'effroi.

La cave était une pièce au plafond bas, au sol en terre battue et aux murs de pierres. Elle n'était actuellement éclairée que par le plafonnier, mais plusieurs lampes à faisceau dirigé étaient fixées à différents endroits, sur les murs et le plafond. L'un des murs était couvert de miroirs pleine hauteur, sur toute sa largeur. Sur le mur d'en face, trois gros anneaux, distants d'un mètre l'un de l'autre, avaient été scellés dans la pierre. La paroi rugueuse, sous chacun d'eux, était couverte de taches brunes. Sur un autre mur étaient fixés des crochets auxquels étaient pendus des chaînes, des entraves, ainsi que des costumes en cuir ou en latex. Le dernier mur était zébré de longs fils de plomb sur toute la largeur de la pièce. Y étaient suspendus, comme des œuvres exposées, des photos en noir et blanc ou en couleur, des vêtements de jeunes garçons, des casquettes et divers accessoires personnels.

Dans un coin de la pièce était placé un réservoir de la taille d'un grand congélateur, fermé par un couvercle à pentures. Juste à côté étaient empilées les boîtes d'archives du Collège. Quant au plafond, chaque centimètre en était couvert d'une épaisse couche de laine minérale.

À ce décor s'ajoutaient six réservoirs en plastique, posés au sol, contre les murs. Ils semblaient remplis de liquide et étaient surmontés de dispositifs liés les uns aux autres par un câble électrique.

Sœur Bernadette approcha du mur et pencha la tête vers une des photos. On y voyait un enfant nu, le corps frêle, les bras en l'air, suspendu par des chaînes. Dans ses yeux criait la terreur absolue.

Prise de vertiges, la sœur perdit l'équilibre. Elle tendit la main pour s'appuyer contre la paroi et toucha de la paume un morceau de carton sur lequel étaient disposés de petits objets de forme ovale et de couleur jaune tirant sur le brun. Elle retira la main par réflexe et s'aperçut qu'il s'agissait d'ongles, d'ongles entiers collés les uns à côté des autres, dans l'ordre naturel des doigts de la main.

Bernadette recula vers ses amis et se mit à vomir. Ses yeux, pleins de larmes, semblaient implorer le ciel, souhaitant qu'il l'eût préservée d'un tel spectacle. Puis elle cria jusqu'à s'en casser la voix pendant que son corps, écrasé par l'horreur, s'affaissait sur le sol. Samuel et Félix, livides, incapables du moindre mouvement, entendaient comme dans le lointain les plaintes de la religieuse.

– Surprenant, non? lança Georges Labrie à travers la trappe.

Samuel vit d'abord apparaître le canon du fusil, puis les pieds du frère, qui commençaient à descendre.

— Reculez contre le mur! ordonna-t-il.

Félix et son compagnon obéirent, aidant sœur Bernadette à se lever.

— Bienvenue dans mon jardin secret, dit-il en se fendant d'un large sourire. La vie est souvent si morne qu'il faut parfois se divertir un peu, non?

Le frère atteignit le bas de l'échelle et se plaça au centre de la pièce.

— Vous voyez ici exposé le fruit de plusieurs années de travail. Ne sentez-vous pas cette chaleur, ce calme, ce bien-être? Un havre de paix, une oasis!

— Tu es malade, lâcha Samuel, d'une voix dégoûtée.

— Allons, mon petit Samuel, répliqua Labrie en s'approchant, pas de gros mots, d'accord?

Samuel ne vit pas venir le coup. La crosse du fusil heurta sa mâchoire avec une telle force qu'il faillit en perdre connaissance. Félix eut le réflexe de se lancer sur le frère, mais la pointe du canon contre sa poitrine coupa net son élan.

Labrie les fit reculer contre le mur taché de sang et les obligea à s'attacher eux-mêmes aux anneaux de métal. Il verrouilla ensuite chacune des entraves.

— Après la petite histoire avec Francis Simard dans la rivière, j'ai pris goût à la chasse aux garçons. Identifier le gibier, l'épier, gagner sa confiance et l'emmener ici. Tout cela en quelques heures, souvent moins. C'est tout un défi! Et c'est angoissant, ajouta-t-il en contemplant son mur d'exposition. Mais une fois ici, le calme revient, dit-il, avec sérénité.

— Vous faites forcément des erreurs. On finira bien par vous mettre la main au collet.

— J'en doute, Félix, répondit Labrie posément. Pour commencer, il faut de la mesure. Pas plus d'une quinzaine de garçons en tout, pendant toutes ces années. Il ne faut pas éveiller les soupçons ni pousser le bon peuple à soupçonner que sévit un kidnappeur en série, tu vois? Quand l'un d'eux disparaît, on présume qu'il a pris la clé des champs, qu'il est parti à Montréal.

Le détachement du frère ajoutait à l'obscénité de ses propos.

— Et puis, à peu près personne ne sait où se trouve cette maison. Je vous l'ai dit, c'est mon jardin secret. Avec les fonds soutirés à la cagnotte illicite de Paul-Émile, j'ai pu acheter des kilomètres de terres aux alentours.

— Un de ces jours, avança Samuel, un chien déterrera un os. Et tu finiras tes jours en tôle.

— Tu me sous-estimes, cher Samuel. Une quinzaine d'enveloppes charnelles ne font pas tant de matière, tu sais? Et puis, je ne garde que quelques souvenirs, dit-il en jetant un regard vers le mur.

Il s'approcha du réservoir et posa la main dessus, avant d'ajouter :

— Les restes sont dissous dans l'acide. S'il fallait qu'on s'intéresse de trop près à la maison, il me suffirait de tout détruire par le feu. Que resterait-il alors? Des soupçons, peut-être, mais aucune preuve!

— Le feu ne détruirait pas la pierre, ni les chaînes, objecta Félix. Il resterait forcément quelque chose.

— Oh, il ne resterait rien d'important. J'ai piégé la maison; elle est pleine de bacs comme ceux-là, dit-il en désignant les réservoirs remplis de liquide. J'appuie sur un bouton et, soixante secondes plus tard, la chaleur de l'enfer emporte à peu près tout.

Labrie contempla ses prisonniers avec satisfaction. Il semblait si fier d'exposer enfin son génie à la face de ses semblables! Il était comme un enfant qui récite devant ses parents son premier poème appris sur les bancs d'école.

84

Vincent ralentit à la vue d'une éclaircie presque imperceptible dans le mur d'arbres bordant la route. Un étroit chemin privé pénétrait dans la forêt.

– Cette fois, je crois qu'on l'a, dit le policier, tout excité.

– O.K., répondit Hubert Roche. Allons-y.

L'avocat dirigea la voiture sur le chemin sinueux, avançant lentement dans la nuit noire. La végétation, dense et touffue, serrait la voiture des deux côtés. Ils progressèrent ainsi pendant quelques minutes, jusqu'à ce qu'ils perçoivent des scintillements entre les arbres devant eux. Ils suivirent le chemin, qui obliquait vers la gauche, et débouchèrent finalement sur une petite clairière. Les phares éclairèrent une vieille maison de pierres à côté de laquelle était stationnée une grosse Lincoln Continental.

– Bingo! laissa échapper Vincent.

– J'ai la trouille, dit simplement Hubert Roche. Ce ne sera pas la première fois.

– T'inquiète pas, répliqua le policier en tapotant l'arme qu'il avait sous le bras. On a tout ce qu'il faut ici. De toute façon, on vient juste faire une vérification. Nos gars sont dans quelque chose, mais on ne sait pas quoi. Et Georges Labrie n'y est pas nécessairement mêlé, O.K.?

Hubert Roche ne fut rassuré qu'à moitié. Il avait l'habitude des combats, mais dans l'atmosphère feutrée de la cour de justice. La perspective, même lointaine, d'une interaction physique violente avec des individus dangereux ne l'enchantait guère.

Laissant le moteur tourner, les deux hommes descendirent de la voiture et marchèrent vers la maison. Ils voyaient ce qu'ils devinaient être une faible lueur à travers les fenêtres. S'il y avait effectivement de la lumière à l'intérieur, d'épais rideaux devaient l'y garder prisonnière.

Lorsque Vincent appuya sur le bouton de la sonnette, il n'entendit pas le carillon.

– Ou bien elle ne fonctionne pas, ou bien la maison est vraiment bien isolée, dit-il en se tournant vers Hubert.

Il frappa du poing contre la porte.

85

Le bruit de la sonnette immobilisa Labrie, qui pâlit. Il venait de nouer une sangle de cuir mouillé autour du cou de chacun des trois amis, qui peinaient à respirer. Les veines saillaient sur leur visage et leur cou violacés.

– Espèce de salaud, souffla Samuel.

Mais Labrie ne lui prêta guère attention. Déjà, il remontait au salon, le fusil dans la main.

– Vous pouvez toujours crier, on ne vous entendra pas, dit-il avant de disparaître à travers la trappe.

Une fois dans le salon, Labrie referma la trappe, qu'il recouvrit avec le tapis. Qui cela pouvait-il bien être? se demanda-t-il. Ses trois prisonniers n'avaient parlé à personne, il l'aurait juré. Faire comme si tout était normal, jouer l'endormi, c'était la meilleure solution. Et le fusil, le garder à portée, au cas où...

Il se dirigea vers l'entrée, refermant les portes coulissantes du salon au passage. Il sortit une cartouche neuve de sa poche et remplaça celle qui avait été tirée un peu plus tôt. Il était plus sage de faire le plein avant d'ouvrir... Il déposa ensuite l'arme contre le mur, derrière la porte, alluma la lumière du porche, déverrouilla les deux serrures, prit l'air de celui qu'on vient de réveiller et ouvrit la porte.

Deux hommes se tenaient côte à côte devant lui. Il ne les avait jamais rencontrés, mais leur visage avait quelque chose de familier.

– Pardonnez-moi, dit Labrie d'une voix traînante. Je m'étais assoupi. Il est bien tard... Que me vaut votre visite?

– Vous êtes le frère Georges Labrie? demanda Vincent.

Labrie hocha la tête.

– Je suis Vincent St-Germain, père de Samuel, votre ancien élève. Et voici Hubert Roche, le père de Félix.

Labrie encaissa le choc en tentant de garder un air impassible, sans rien laisser paraître de la peur qui montait en lui. Si les deux hommes lui étaient familiers, c'est qu'il les avait vus à la télévision. Roche était avocat, St-Germain, policier. Rien pour le rassurer. Les deux hommes savaient forcément quelque chose. Autrement, ils ne seraient pas ici, au beau milieu de la nuit. Mais quoi? Il allait devoir jouer serré.

– Heu... Enchanté, dit-il. Mais il est tard et vous êtes bien loin de Sherbrooke. Quelque chose ne va pas?

– C'est que... répondit Vincent, c'est juste que les garçons ont un comportement étrange depuis quelque temps. Les mamans s'inquiètent et nous avons promis de nous en occuper.

– Ah oui? s'étonna Labrie, jouant le jeu. Ils

n'auraient pas fait quelque chose de mal, quand même?

— Non, non, dit le policier. Mais ils sont partis à toute vitesse ce soir. Et ils ont laissé votre nom sur un bout de papier. Nous avons pensé que vous pourriez nous aider...

Hubert guetta attentivement la réaction de Labrie, qui réussit cette fois encore à dominer ses réactions. « Samuel, petit merdeux! » pensa ce dernier. Il lui avait pourtant bien dit de ne laisser aucune trace! Maintenant que les parents étaient au courant, il lui faudrait imaginer une explication. Éliminer les deux hommes attirerait encore plus l'attention sur lui.

— Vous m'inquiétez, dit finalement Labrie. Samuel et Félix sont deux bons garçons. Ils se cherchent un peu, c'est vrai. Mais ils ne tremperaient jamais dans quelque chose de louche, j'en suis certain. Cela dit, Samuel m'a donné un coup de fil, hier, au Collège. Il voulait me voir, le plus vite possible. J'étais surpris; je n'avais pas eu de ses nouvelles depuis des mois. Depuis avant même leur départ pour l'Europe, en fait.

— Et alors? demanda Vincent.

— Alors, je l'ai invité à venir me voir à mon bureau, au Collège.

— Il est arrivé seul?

— En fait, il n'est jamais arrivé! Une demi-heure plus tard, il m'appelait pour annuler notre rendez-vous.

— Son comportement ne vous a pas paru étrange?

– Si! Et je le lui ai dit. Je lui ai demandé si quelque chose n'allait pas.

– Qu'a-t-il répondu? demanda l'avocat.

– Il avait l'air en colère, relata Labrie. Mais il est resté plutôt vague, il m'a dit qu'il s'était laissé embarquer dans une histoire abracadabrante par une « bonne sœur », c'est le terme qu'il a utilisé. Je me suis demandé s'il s'agissait de sœur Bernadette, une connaissance. Je l'avais mis en contact avec elle pour son séjour en Italie. Mais il n'a pas voulu m'en dire plus. Il s'est excusé, puis nous avons raccroché. Je suis parti peu après pour venir ici.

Le policier réfléchit un instant, jaugeant les explications du frère. Il avait l'impression qu'il ne pourrait pas en tirer beaucoup plus.

– Très bien, dit finalement le policier. Je vous remercie de votre collaboration. Si jamais un détail vous revient en mémoire, donnez-moi un coup de fil, d'accord?

Et il lui tendit sa carte, que Labrie accepta en l'assurant de sa collaboration.

– De votre côté, lorsque vous reverrez Samuel, dites-lui de me donner des nouvelles. Je serais rassuré.

Les deux hommes opinèrent et saluèrent le frère, qui les regarda s'éloigner avant de refermer la porte.

– Cet homme ment, affirma Hubert Roche en refermant la porte de la Volvo.

– Tu crois? répondit Vincent. J'en ai vu plusieurs raconter des histoires, mais avec lui, je ne sais pas.

— Moi, je sais. J'ai vu la peur dans ses yeux lorsque tu as fait les présentations.

— C'est normal, non? Deux types débarquent chez toi alors que tu piques un roupillon. Rien pour te faire plaisir.

Hubert démarra et entreprit de faire demi-tour.

— Justement! Dans un coin isolé comme celui-ci, à l'heure qu'il est, il y avait deux émotions possibles: la peur ou la colère. Mais Labrie n'exprimait ni l'une ni l'autre, du moins pas au début. Puis, c'est la peur que j'ai perçue lorsque tu as fait les présentations. Pourtant, à ce moment-là, il n'aurait pas dû avoir peur, il aurait plutôt dû être soulagé de comprendre que nous n'étions pas des bandits, mais des parents à la recherche de leurs rejetons.

— Par exemple: «Ouf! Moi qui croyais avoir affaire à des voleurs venus me dévaliser!»

— Par exemple, oui.

— Autre chose?

— Trois capsules de bière sur le comptoir, près du réfrigérateur. Pourtant, Labrie ne sentait pas l'alcool. Qui a bu ces trois bières?

Vincent St-Germain leva les sourcils. Ce détail lui avait échappé!

— Continue, demanda-t-il finalement en montrant le chemin. Faisons mine de partir d'ici.

Hubert mena la voiture quelques courbes plus loin. Au signal de Vincent, il éteignit les phares, laissa la voiture s'immobiliser et coupa le contact.

— Tu as une lampe de poche? interrogea Vincent.

— Dans le coffre, répondit Hubert. J'ai une trousse de premiers soins, avec une chandelle, une couverture, quelques barres énergétiques, un couteau de chasse, de l'eau et une lampe de poche.

— La lampe de poche suffira, dit le policier. Oh! ajouta-t-il, donne-moi le couteau.

Hubert garda la lampe de poche et Vincent glissa le couteau dans sa ceinture. Les deux hommes revinrent à pied vers la maison. La lumière du porche étant toujours allumée, ils pénétrèrent dans la forêt et longèrent le chemin. Près de la voiture de Labrie, Vincent toucha l'épaule de l'avocat.

— Je vais jeter un coup d'œil autour de la voiture. Surveille la maison. Si tu vois du mouvement, siffle deux petits coups, dit-il avant de tourner les talons.

Le policier sortit du bois et s'approcha de la voiture de Labrie. Il en fit le tour, explorant le sol éclairé par la lumière de la lampe. Il revint vers Hubert.

— Il y a des traces de pas autour. Tantôt, on est passés du côté gauche. Mais là, il y a des traces partout. Il a plu sur toute la région, hier. Si le frère était vraiment arrivé seul ici ce soir, il n'y aurait rien du côté droit. Tu avais raison, lâcha-t-il, l'air grave. Nos gars sont passés par ici. Et peut-être y sont-ils encore...

86

Sœur Bernadette avait agrippé les chaînes qui la tenaient suspendue au crochet et tirait dessus de toutes ses forces. À tel point que son corps se souleva, ce qui, pour une personne de son gabarit, frôlait l'exploit. Elle donnait des coups dans tous les sens, tentant de libérer le crochet enfoncé dans la pierre. Ses efforts donnaient des résultats: un jeu, si infime fût-il, commençait à se former autour de la tige de métal. Le visage couvert de poussière et de sueur, elle redoubla d'efforts. Les garçons regagnèrent espoir et firent de même.

Au premier, le frère Labrie déroulait le tapis sur la trappe. Il avait désormais l'intention d'en finir au plus vite. Il aurait bien aimé voir ses prisonniers agoniser lentement, alors que se resserrait, en séchant, le cuir mouillé qu'ils avaient autour du cou. Mais l'expérience avait enseigné au frère que la mort ainsi donnée venait lentement. Après la visite du policier et de l'avocat, il préférait expédier l'affaire et se débarrasser des corps au plus tôt.

Dehors, Vincent et Hubert atteignaient le porche.

– Laisse-moi faire, cette fois-ci, dit Hubert.

Il appuya sur le bouton de la sonnette et frappa à la porte.

Georges Labrie leva la tête vers l'entrée. « Encore eux! » se dit-il. Il se leva et remit le tapis en place avant de sortir du salon en refermant les portes. S'il fallait les éliminer, mieux valait que ce soit dans la maison. Un coup de feu au milieu de la nuit pouvait être entendu de loin. Il alla déposer son fusil derrière le réfrigérateur. Il vit, en passant, les trois capsules de bière. « Merde! » grogna-t-il avant de les ramasser pour les mettre dans ses poches et d'aller ouvrir la porte.

Cette fois, l'avocat se tenait devant lui, alors que Vincent était derrière, en retrait.

— Mon frère, attaqua Hubert, pardonnez-nous de vous importuner de nouveau.

— Ça va, répondit Labrie, d'un ton moins amène qu'un peu plus tôt. Vous avez oublié quelque chose?

— Non. En fait, peut-être... répondit l'avocat, d'une voix hésitante.

Vincent réprima un sourire, lui qui avait déjà goûté, en Cour, à la méthode Roche : une main de fer dans un gant de velours.

— C'est que... quelques faits nous semblent encore obscurs. Vous pourriez éclairer notre lanterne?

— Je vous en prie, accepta le frère.

— Bien. Vous avez affirmé tout à l'heure être arrivé ici seul, ce soir.

— Absolument.

— Pourtant, on voit clairement des traces de pas tout autour de votre voiture.

Le frère retrouva un air plus engageant.

— Oh! Je comprends votre méprise, répondit-il en souriant. C'est que, j'avais égaré mon stylo. J'ai dû ouvrir toutes les portes de la voiture avant de le retrouver. J'imagine que ça explique les traces de pas.

« Habile, reconnut Hubert Roche. Et peut-être même vrai », se dit-il. Il tira sa seconde cartouche.

— Vous aimez la bière, mon frère?

Labrie perdit son sourire un court instant. « Ils ont remarqué les capsules », se dit-il. Peu importe. Continuer de frimer. Ils n'avaient rien contre lui. Tant qu'ils ne voyaient pas les verres dans le salon, ou les restes du laminé...

— J'ai cette faiblesse, avoua-t-il.

— Et vous avez succombé à cette petite gâterie, ce soir?

— Mais oui, j'ai bu quelques bières en arrivant.

— Pourtant, vous ne sentez pas l'alcool, frère Labrie, affirma Hubert en durcissant le ton. Il y avait trois capsules sur le comptoir tout à l'heure. Trois bières laissent bien un petit quelque chose, non?

— On dirait bien que non, laissa simplement tomber Labrie, qui crut un moment qu'il allait s'en tirer une fois de plus.

Hubert Roche ne s'avoua pas battu pour autant.

— Pardonnez nos questions, soupira-t-il. C'est l'inquiétude, vous comprenez?

Frère Labrie opina.

— Vous êtes tout pardonnés, répondit-il.

L'avocat hocha la tête en signe de reconnaissance, puis il commença à pivoter sur lui-même, comme s'il allait partir. Mais il s'arrêta à mi-course et mit la main sur la porte que Labrie s'apprêtait à refermer.

– Oh! Une dernière chose, lâcha-t-il. Un petit service. C'est un peu embarrassant et je ne veux pas paraître impoli, mais...

Labrie attendait, la tête dans l'embrasure de la porte.

– ... j'ai des douleurs terribles, lâcha-t-il en posant la main sur son ventre. Je pourrais utiliser votre salle de bain, quelques minutes?

– C'est que... commença Labrie.

– Juste une minute, je vous assure, plaida l'avocat. Nous avons une longue route à faire pour retourner à Sherbrooke. Je crois que je n'y arriverais pas.

Labrie sut qu'il venait de perdre cette manche. Il ne pouvait pas refuser. Ces hommes voulaient entrer dans la maison. Ils allaient le faire. Autant prendre un peu d'avance. Il tourna les talons et se dirigea directement vers le réfrigérateur pour récupérer son fusil. Le voyant s'éloigner ainsi, Vincent sentit que le frère préparait quelque chose. Il serra Hubert, qui poussait la porte de la main. Labrie se pencha pour ramasser quelque chose. L'instant d'après, il levait le canon vers les deux hommes.

Au moment où le coup partit, Vincent poussa d'instinct l'avocat sur le côté pour l'éloigner de la ligne de tir. Ce faisant, il se mit lui-même à découvert. Une nuée de plombs lui déchira la hanche. Il poussa un cri en tombant sur la galerie. Il se tassa contre le mur et tira son pistolet de l'étui qu'il avait sous le bras. Un deuxième coup de feu retentit et la moulure au pied de la porte, à quelques centimètres sur sa gauche, éclata en morceaux. Deux coups de feu, analysa le policier. Le fusil de Labrie était un fusil de chasse à canons superposés, un deux coups. Il fallait agir avant qu'il ne le recharge. Vincent se traîna jusque devant la porte et fit feu en direction de Labrie, qui fuyait dans le couloir. Le frère passa une porte, sur la droite. Le policier tenta de se relever, mais une douleur aiguë lui traversa le corps. Il baissa les yeux et vit que son propre sang maculait la jambe droite de son pantalon. Hubert Roche se releva et se pencha vers lui.

— Ça va aller? demanda-t-il.

— Je crois, dit Vincent en serrant les dents.

— Je te dois la vie, constata l'avocat.

— Ça pourra m'être utile un jour... En attendant, il est entré dans la pièce, à droite. Il a un calibre 12, deux coups. Il doit déjà l'avoir rechargé.

Sans réfléchir, Hubert Roche s'empara du 9 mm que lui tendait le policier et entra dans la maison.

Dans la chambre, debout sur le lit, le frère Labrie dévissait les papillons bloquant la fenêtre. Il ouvrit celle-ci et, sans bruit, se glissa dehors, à travers l'ouverture. Les deux bonshommes seraient près de la porte d'entrée; il les surprendrait par-derrière, en souricière...

À la cave, les trois amis avaient entendu trois claquements sourds.

— Des coups de feu! dit Samuel, que la sœur tentait de délivrer.

Elle avait réussi à dégager le lourd crochet du

mur, mais il pendait maintenant au bout de ses poignets. Au moins, elle pouvait se déplacer! Mais elle n'arrivait pas à libérer ses deux amis.

– Vous pourriez essayer d'ouvrir la trappe! suggéra Félix.

La sœur traîna ses kilos de chaînes vers l'échelle, qu'elle gravit avec peine. Arrivée en haut, elle poussa contre la porte, qui résista. Elle arracha la laine minérale qui la recouvrait et utilisa les anneaux de métal entourant ses poignets pour frapper contre le bois nu.

Du couloir où il se trouvait, Hubert entendit des bruits sourds résonner dans le plancher. Mais il était trop absorbé par la tâche qui l'attendait: forcer la porte devant lui et neutraliser Labrie. Déjà, il levait le pied pour enfoncer la porte.

– Hubert! cria Vincent.

L'avocat retint son geste et se tourna vers le policier, qui hochait vigoureusement la tête. Avec la main, Vincent mima une main qui fait tourner une poignée, le bras allongé. Hubert comprit. Il s'adossa au mur à côté de la porte, s'éloigna tant qu'il put du cadre et, d'un geste rapide, il essaya de faire tourner la poignée. Elle résista. Écartant les bras, il fit comprendre à Vincent que la porte était verrouillée. Il se positionna devant la porte et balança un coup de pied à la hauteur de la poignée. La porte s'ouvrit à toute volée et cogna contre le mur. La chambre était vide, la fenêtre, ouverte.

– Personne! cria-t-il. Il est sorti par la fenêtre!

– Merde! jura Vincent. Va à côté, j'entends des coups.

Hubert Roche revint dans la cuisine et ouvrit les portes coulissantes. Le bruit venait du plancher. Le tapis bougeait. Probablement une trappe, juste en dessous! Il se pencha pour soulever le tapis.

Sur le porche, Vincent tourna la tête et scruta les alentours. Labrie s'était peut-être enfui dans les bois, mais il pouvait aussi revenir d'un instant à l'autre. Ici, sous la lumière, il était une cible parfaite. Il lui fallait entrer dans la maison au plus vite. Il agrippa le cadre de la porte et tira pour se glisser à l'intérieur. La douleur à sa hanche était atroce, mais il devait se mettre à l'abri tandis qu'il en était encore capable.

Il repliait la jambe gauche pour prendre appui avec le pied et pousser son corps vers l'avant lorsqu'il entendit la voix de Labrie.

— Vilain garnement, chuchota le frère.

Vincent allait crier, mais l'homme lui envoya un coup de crosse derrière la tête.

Le policier s'affaissa au sol. Labrie l'enjamba pour entrer dans la maison et il vit l'avocat debout, dans le salon, penché au-dessus de la trappe ouverte. Il leva son arme et dit simplement:

— Maître Roche...

Et il tira.

Touché à l'épaule gauche, l'avocat tomba dans le trou sur sœur Bernadette. Tous deux se retrouvèrent au fond de la cave.

— Papa! hurla Félix en reconnaissant son père, étendu par terre. Ça va, papa? Papa!

Félix tirait sur les chaînes de toutes ses forces

pendant que la sœur, sonnée par le choc, se dégageait de sous l'avocat. Hubert ouvrit les yeux et vit son fils, attaché au mur. Son regard s'illumina de le voir vivant, mais s'assombrit aussitôt. La situation ne semblait pas vouloir évoluer à leur avantage.

– Comme vous êtes touchants, ironisa Labrie, penché au-dessus de la trappe. N'est-ce pas le moment idéal pour quitter ce monde?

Le frère dirigea le canon de son arme vers la sœur et l'avocat. Il allait appuyer sur la détente lorsque, du coin de l'œil, il vit s'élever une silhouette dans la cuisine.

– Vilain garnement, dit faiblement Vincent St-Germain lorsque le frère se tourna vers lui.

Et il mobilisa toutes les forces qui lui restaient pour lancer le couteau de chasse, qui tournoya dans les airs et alla se planter dans l'abdomen de l'ecclésiastique. Labrie poussa un cri de douleur et se plia en deux, au-dessus de la trappe. Il regarda en bas et vit, entre les mains d'Hubert Roche, l'œil du 9 mm rivé sur lui. L'avocat fit feu et la balle l'atteignit à la poitrine. Le frère lâcha son fusil, qui tomba dans la cave, puis il s'écroula, le haut du corps pendant dans l'ouverture.

Hubert Roche laissa son bras tomber au sol. Sœur Bernadette vérifia qu'il tenait le coup avant de gravir l'échelle. Elle poussa le torse du frère Labrie sur le côté pour dégager le passage et s'assit au bord du trou. De la poche de la soutane du frère elle tira la clé et défit ses chaînes. Elle descendit ensuite libérer Félix, qui se précipita auprès de son père. Samuel, à son tour, fut enfin délivré.

— Ton père est en haut, souffla Hubert Roche à Samuel.

Le jeune homme, surpris, monta le rejoindre. Il s'accroupit à ses côtés. Les deux hommes, peu portés sur les manifestations trop ostentatoires d'affection, se regardèrent longuement. Les deux semblaient se demander pardon : le père de n'avoir pas cru le fils; le fils d'avoir entraîné le père dans cette terrible histoire.

— On va te tirer de là, dit Samuel en lui serrant l'épaule.

Il chercha d'abord un téléphone, sans succès. Il alla vers la trappe et fouilla les poches du frère Labrie. En regardant en bas, il vit sœur Bernadette et Félix qui aidaient Hubert Roche à se remettre debout. Il tendit les bras et tira pour le remonter.

— Il faut les conduire à l'hôpital tout de suite, dit sœur Bernadette.

Hubert Roche remit ses clés à Félix qui alla chercher la voiture. Les deux blessés furent installés sur la banquette arrière de la Volvo.

— Et Labrie? demanda sœur Bernadette.

— Il doit déjà être en enfer, dit Samuel.

— Allons voir, proposa Félix en se tournant vers la maison.

Ils firent quelques pas, mais furent stoppés net par un grondement sourd, suivi d'un puissant souffle qui les projeta au sol. Les vitres éclatèrent et la maison se mit à cracher le feu par la porte, la cheminée et les fenêtres. En quelques secondes, tout le bâtiment s'embrasa dans la nuit noire.

La bête rendait l'âme.

87

Félix posa la tasse de café sur la petite table à roulettes, à côté du lit d'Hubert Roche. Un soupçon de sucre, un nuage de lait. L'avocat sourit à son fils et but une gorgée.

– Avoir su que c'était ce qu'il fallait faire pour que nos fils commencent à nous traiter avec un peu d'égard, lança Vincent St-Germain, étendu sur le lit d'à côté, on n'aurait pas attendu si longtemps!

Samuel sourit et tendit un café à son géniteur.

– N'en prenez pas l'habitude, dit-il, ça ne durera pas.

Les deux hommes avaient été reçus à l'urgence de l'hôpital le soir du drame. On avait appelé les chirurgiens de garde, et les pères des garçons avaient tous deux passé de longues heures sur la table d'opération. Après vingt-quatre heures aux soins intensifs, ils avaient été transférés ensemble dans cette chambre double de l'hôpital. Ils avaient perdu beaucoup de sang, mais aucun organe vital n'avait été touché. Leur corps, par contre, garderait toujours la trace des plombs qui avaient déchiré leur chair. Quant à leur âme, elle allait à jamais porter le souvenir de cette nuit où ils avaient risqué leur vie pour sauver celle de leur fils.

— Merci d'avoir accepté de garder le silence, dit Félix en s'adressant aux deux hommes.

— Nous étions tous d'accord, dit sœur Bernadette, assise dans un fauteuil, dans le coin de la pièce.

— Parler n'aurait rien changé, renchérit Samuel.

— Mais j'ai l'air de vouloir protéger Rivest, répliqua Félix.

Hubert Roche but une autre gorgée de café et posa sa tasse.

— Dans une affaire comme celle-là, Félix, il faut trouver la moins mauvaise des solutions, affirma Hubert. Tout révéler n'aurait ramené personne à la vie.

— Ça n'aurait même pas aidé les parents des victimes, ajouta le policier. D'accord, c'est l'incertitude qui mine ceux qui restent. C'est d'imaginer toutes les horreurs, sans pouvoir en confirmer une seule. Vous auriez pu raconter les aveux de Labrie, témoigner des saletés que vous avez vues dans la cave, près du lac Aylmer, mais l'enquête n'aurait pu identifier personne, aucune victime. Le feu a tout emporté. Pour ceux qui restent, les murs de la cave de Labrie n'auraient été qu'une possibilité de plus.

— Quant à faire de l'affaire Buisson un exemple, reprit Hubert, ce n'est pas nécessaire. Les communautés religieuses ne sont plus à l'abri. Les dénonciations se succèdent, semaine après semaine, dans le monde. En rajouter est inutile.

— On va s'en tenir à la thèse de l'accident, conclut Vincent. Hubert et moi, on s'est tirés dessus au camp de chasse. Une triste méprise.

Mes collègues m'ont confirmé qu'ils allaient classer l'affaire. En fait, la seule chose qui m'agace, c'est le sort de Paul-Émile Vanier.

Les convalescents regardèrent Bernadette, Félix et Samuel qui esquissèrent un rictus complice.

– Ne vous inquiétez pas trop pour lui, dit Samuel. La peur et le remords sont d'implacables justiciers. Le bourreau doit seulement s'assurer que la mémoire n'oublie jamais.

Les trois compagnons quittèrent la chambre.

Épilogue

Au cours des jours qui suivirent, la presse fit état de l'étrange incendie qui avait emporté la maison de campagne d'un religieux, enseignant au Collège de Sherbrooke. Une enquête policière fut ouverte et des rumeurs circulèrent au sujet d'étranges instruments qui auraient été trouvés dans les décombres. L'enquête souleva bien des questions, mais apporta peu de réponses. Au bout de quelques semaines, l'événement tomba dans l'oubli.

Paul Rivest fut assermenté premier ministre du Canada. À la surprise générale, la première loi qu'il fit adopter renforça de manière draconienne les mesures relatives aux crimes sexuels, particulièrement ceux perpétrés sur des mineurs. Des budgets sans précédent furent débloqués pour aider les victimes, des programmes de soutien furent mis sur pied. La seconde intervention législative du gouvernement Rivest levait plusieurs entraves légales à la concentration de la presse. Le ministre responsable n'avait eu besoin que de quelques semaines pour pondre un projet de loi complexe et lancer une campagne de relations publiques pour en faire la promotion. Le projet s'inspirait notamment de la législation en cours dans d'autres pays. Il fut rapidement adopté aux Communes. Les analystes eurent tôt fait d'affirmer qu'il s'agissait là d'un retour d'ascenseur à Michel Parenteau, le supporteur de longue date du premier ministre, qui cherchait depuis plusieurs années à étendre l'emprise de son entreprise médiatique.

Le bureau du premier ministre offrit à Anik Laferty de se joindre à l'équipe des communications pour le Québec. Elle accepta et s'installa à Montréal avec Félix, qui entreprit des études en journalisme. La jeune femme demanda à son conjoint d'éclaircir le mystère entourant son départ précipité du congrès. Félix lui demanda d'accepter qu'il ne le fasse pas. Anik savait que Félix lui aurait tout raconté si elle l'avait exigé, mais elle comprit qu'il préférait se taire. Les choses en restèrent là.

De son côté, Samuel proposa une nouvelle émission d'affaires publiques à la station de radio. Il en devint l'animateur. Son franc-parler et son aptitude à mettre les personnages publics dans l'embarras, sans sombrer dans la démagogie ou le populisme, lui valurent de se hisser rapidement au sommet des cotes d'écoute régionales, tous genres et toutes plages horaires confondus.

Lors de la soirée organisée par l'archevêché, Paul-Émile Vanier reçut, au nom du Collège, la toile représentant son fondateur. Au cours du cocktail qui suivit, une grande et grosse sœur s'approcha de lui.

— Vous vous souvenez d'Albert Buisson? lui

demanda-t-elle, en lui montrant une petite photographie en noir et blanc. Et de Francis Simard, de Michel Parenteau, d'Yves Béland, de Paul Rivest?

L'homme se mit à trembler en regardant autour de lui, le souffle court. Une écume blanchâtre se forma à la commissure de ses lèvres alors qu'il tentait d'articuler.

— Je... je ne comprends... bredouilla-t-il.

Mais sœur Bernadette enchaîna :

— Ne les oubliez pas. Ils sont là, marchant derrière vous comme une ombre qui vous poursuivra jusque dans les ténèbres.

Et elle tourna les talons.

Quelques semaines plus tard, le Festival des films du monde de Montréal fut le théâtre d'une scène inusitée, jouée dans l'ombre. Une nonne et un frère entrèrent ensemble dans un cinéma du centre-ville pour assister à la projection d'un film finlandais. Ils s'installèrent côte à côte et, après quelques minutes dans l'obscurité, la sœur prit la main de son compagnon.

La vie reprenait ses droits.

DISTRIBUTEURS EXCLUSIFS

Distributeur pour le Canada et les États-Unis
LES MESSAGERIES ADP
MONTRÉAL (Canada)
Téléphone : (450) 640-1234 ou 1 800 771-3022
Télécopieur : (450) 640-1251 ou 1 800 603-0433
www.messageries-adp.com

Distributeur pour la France et autres pays européens
HISTOIRE ET DOCUMENTS
CHENNEVIÈRES (France)
Téléphone : 01 45 76 77 41
Télécopieur : 01 45 93 34 70
www.histoire-et-documents.fr

Distributeur pour la Suisse
TRANSAT S.A.
GENÈVE
Téléphone : 022/342 77 40
Télécopieur : 022/343 46 46

Dépôts légaux
Bibliothèque nationale du Canada
Bibliothèque et Archives nationales du Québec, 2007
Imprimé au Canada